D1281062

La bibliothèque amoureuse

collection dirigée par

Claude Tchou

© Éditions Albin Michel S.A., 1995.
22, rue Huyghens, 75014 Paris
ISBN : 2-226-07996-3

Les plus beaux
Poèmes d'Amour
Anthologie

Patrick
Poivre d'Arvor

Les plus beaux

Poèmes d'Amour

Anthologie

La bibliothèque amoureuse
Albin Michel

« Si, quand tu seras un homme, tu connais ces deux choses : la poésie et la science d'éteindre les plaies, alors tu seras un homme. » C'est ce que disait, au début du siècle, « Jean le Bleu » à son fils, Jean Giono. Mon grand-père m'a dit à peu près la même chose, soixante ans plus tard, avec ses mots d'auvergnat. Qu'il me pardonne, là où il est ; je n'ai pas été capable de devenir médecin, comme il le souhaitait, ou poète, comme il me l'enseignait. Mais je lui suis infiniment reconnaissant de m'avoir fait connaître cette muse-là, et, grâce à elle, l'amour absolu, celui qu'on frôle mais qu'on ne rencontre jamais dans la vie.

Ce grand-père maternel était autodidacte. Orphelin de père et de mère, il avait commencé à travailler dans une usine de caoutchouc vers douze ou treize ans. Il avait appris à lire, à écrire, à versifier. Pour assouvir sa passion, mais aussi, peut-être, pour asseoir une position sociale, il s'inscrivait sous le nom de Jean d'Arvor à toutes sortes d'académies et de Jeux floraux qui lui valaient force médailles ou diplômes.

Il me les montrait fièrement le dimanche quand je venais, en tremblant, lui faire corriger mes premiers vers. Je devais avoir huit ou neuf ans, et, comme tout le monde, je commençais à tourner quelque compliment à Noël ou le jour de la fête des Mères.
Mois après mois, je me suis enhardi. J'ai lu les livres que reliait mon grand-père, j'ai accepté sans broncher ses réprimandes pour des vers boiteux ou sans grâce.
C'est ainsi que, malgré moi, souterrainement, je me suis mis à parler de ce que je ne connaissais pas : l'amour. À vrai dire, je n'en parlais pas — j'étais beaucoup trop sauvage —, j'écrivais.
Pour les adolescents, l'écriture est le refuge des timides, et la lecture, leur jouissance solitaire.
Je crois avoir tout lu de ce qui me tombait sous la main ou que j'achetais en collections de poche. J'ai dû mal lire, trop vite d'ailleurs, dévoré que j'étais par l'urgence et la peur de mourir avant d'avoir tout appris. Parallèlement, mes professeurs se mettaient en tête de me dégoûter en me faisant découvrir trop tôt Racine et quelques autres. Pourtant : *« J'aimais Seigneur, j'aimais. Je voulais être aimée [...] »*, comme c'est beau, quand on sait ce qu'aimer veut dire, quand on est mangé par l'inquiétude, le soupçon, la rage de ne pas être aimé autant qu'on aime. Rudel, le troubadour, le chantait déjà plaintivement :

> *« D'aimer toujours sans être aimé [...] »*

Aimer sans être aimé... Au commencement de l'amour, celui que l'on n'apprend pas dans les livres, il y a toujours une frustration de cette eau-là. Pas assez aimé de sa mère, comme Proust, trop mal de son père, comme Stendhal, détesté de son beau-père, comme Baudelaire, c'est ainsi que l'on se juge, à sept ans, à dix ans. Donc toujours insatisfait.

Un peu plus tard, quand vient la puberté, voilà que l'objet de tous vos désirs ne répond pas à vos attentes. Ou trop mal. Ou trop tard :

> *« Vous m'étiez un trésor aussi cher que la vie*
> *Mais puisque votre amour ne se peut acquérir,*
> *Comme j'en perds l'espoir, j'en veux perdre l'envie [...] »*

Ainsi parla Malherbe, au nom de tous ceux qui se sentirent, un jour

Deux têtes [détail] (Edward Burne-Jones)

ou l'autre, blessés par l'aveu sans réponse, noyés par ces flots de sentiments qui se perdaient en fait dans d'arides déserts. Et, parce que l'on se sent malheureux, il faut que le monde entier le soit. Comme il ne l'est pas, bien entendu, ou qu'il affiche bonne mine, on se complaît davantage encore dans ce que l'on croit être le malheur absolu. Pour les plus chanceux, restent la plume ou la parole, ce déversement du trop-plein de soi dont parle Molière :

« Le mal d'aimer, c'est de le vouloir taire. »

On inonde donc son entourage ou ses journaux intimes de torrents de confidences attristées. C'est de cet auto-apitoiement que naissent parfois les plus beaux poèmes, tel celui, par exemple, de Gérard de Nerval :

« Je suis le Ténébreux, le Veuf, l'Inconsolé [...] »

qui se termine par ces vers admirables :

« Ma seule Étoile est morte, - et mon luth constellé
Porte le soleil noir de la Mélancolie. »

C'est ainsi que, comme des millions de petits adolescents, je devins poète et amoureux sans le savoir. Sans doute est-ce Blaise Cendrars qui m'aida le mieux à voyager dans mes rêves et mes fantasmes. Il me plaît de ne pas savoir avec certitude s'il a vraiment pris le Transsibérien (vingt ans plus tard, je ne le choisis entre Moscou et Pékin que pour la seule jouissance d'accompagner le fantôme du poète), mais je sais qu'à seize ans Cendrars me prit vraiment par la main pour un voyage vers une hypothétique Mandchourie.

« J'ai passé mon enfance dans les jardins suspendus de Babylone
Et l'école buissonnière, dans les gares devant les trains en partance.

Maintenant, j'ai fait courir tous les trains tout le long de ma vie
Madrid-Stockholm
Et j'ai perdu tous mes paris
Il n'y a plus que la Patagonie, la Patagonie qui convienne
à mon immense tristesse, la Patagonie, et un voyage dans les mers du Sud.

Je suis en route
J'ai toujours été en route
Je suis en route avec la petite
Jehanne de France [...] »

Bien entendu, je succombai instantanément aux charmes de la petite Jehanne de France, dont on me dit pourtant, plus tard, qu'elle les distribuait volontiers à qui le lui demandait un peu gentiment... à supposer qu'elle existât...

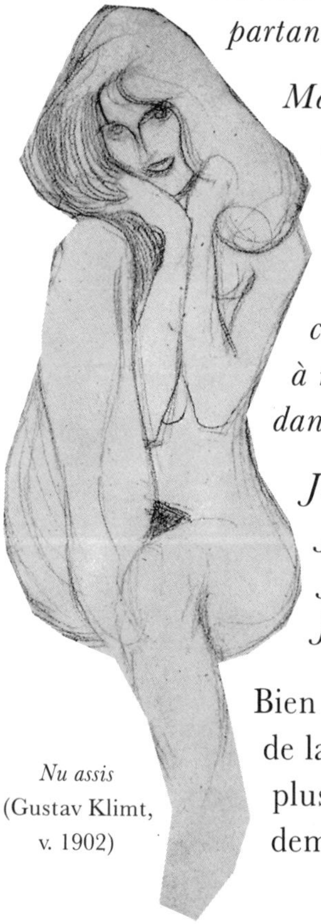

Nu assis (Gustav Klimt, v. 1902)

Ce sont ces mystères-là qui font le charme de la poésie, avec ou sans rime. Elle vous soulève comme aux premières heures des émotions amoureuses. Depuis, la petite Jehanne est restée dans un coin de mon cœur, comme certaines de ces héroïnes improbables que me fit découvrir à la télévision Max-Pol Fouchet, qui savait parler poèmes sans pédanterie, avec l'amour de ceux, simples parfois, à qui il s'adressait.

« Je ne sais quoi d'étrange et d'enchanté [...] », disait Baudelaire. Cet enchantement, j'ai, à mon tour, envie de le léguer à d'autres générations qui pourraient découvrir à travers ce livre ou d'autres que bien des cœurs ont battu avant le leur et, le plus souvent, au rythme des scansions poétiques.
Tout choix est arbitraire. Celui-ci plus qu'un autre car chacun porte en soi le poème ou la chanson qui l'a fait vibrer, qui l'a fait aimer. Voici donc une anthologie intime de ce que les hommes ont su créer de plus beau, en soupirant ou en souffrant. Car c'est souvent de la douleur que naissent les chants désespérés dont on sait qu'ils sont parfois les plus beaux :

> *« Mon amour il ne reste plus*
> *Que les mots notre rouge à lèvres*
> *Que les mots gelés où s'englue*
> *Le jour qui sans espoir se lève [...] »*
> Aragon

Il faut lire et relire Aragon, sa *Prose du bonheur et d'Elsa,* afin de mieux comprendre que la poésie se niche là où on l'attend le moins, au cœur de la prose. Peu importe le mode. Le grand Ronsard était assez dédaigneux de la rime :

> *« Tu seras plus soigneux de la belle invention et des mots que de la rime, laquelle vient assez aisément, même après quelque peu d'exercitation. »*

Pour son compère Du Bellay, en revanche, et plus tard pour Malherbe et Boileau, la rime est la raison. Peu importe, sans rime ni raison, ce qui compte, c'est le mot d'André Chénier :

> *« L'Art ne fait que des vers, le cœur seul est poète. »*

Chénier, dont la courte vie, décapitée par la Révolution française qu'il avait pourtant appelée de ses vœux, a permis d'engendrer l'éternité, celle des poètes, dont l'âme ne disparaît jamais, nous rappelle Charles Trenet :

> *« Longtemps, longtemps, après que les poètes ont disparu,*
> *Leurs chansons courent encore dans les rues [...] »*

Partir, c'est mourir un peu. Souffrir, c'est survivre quand on a le talent pour le dire.
Souffrir d'un amour naissant :

> *« Quand je lève les yeux vers vous*
> *On dirait que le monde tremble [...] »*
> Antonin Artaud

D'un amour vacillant :

> *« Je me sens mal partout, sauf en tes bras tenu [...] »*
> Jean Cocteau

D'un amour disparu :

> *« Demain, dès l'aube, à l'heure où blanchit la campagne, je partirai [...] »*

Victor Hugo, qui n'apprend la mort de sa fille Léopoldine que le 9 septembre 1843, en lisant un journal, cinq jours après la noyade :

> *« Elle s'en est allée avant que d'être une femme*
> *N'étant qu'un ange encore, le ciel a pris son âme. »*

Jamais Victor Hugo n'écrira comme avant. Sa poésie en est transformée, transfigurée, comme sa vie. Dans ces moments noirs remonte en soi le poème dont on aimerait qu'il vous serve de fétiche immortel. Et qu'on aurait rêvé d'avoir su ciseler.
Comme d'autres pères meurtris, j'ai tout récemment choisi, et pour la vie je crois, le poème d'un compagnon d'adolescence.
À quinze ans, j'avais quitté ma ville natale, Reims, pour rejoindre la sienne, Charleville, en Vélosolex.
J'avais vite oublié mon dos endolori par ces six heures de chevauchée aller et retour pour ne garder que le souvenir des quelques minutes passées face à sa sépulture.

Vénus et Cupidon [détail] (anonyme, 1516)

Trente ans plus tard, sur une autre tombe, celle d'une fille trop aimée qui me filait entre les doigts, Arthur Rimbaud me revint au galop pour ces quelques vers :

> *« Ô pâle Ophélia ! belle comme la neige !*
> *Oui tu mourus, enfant, par un fleuve emporté !*
> *C'est que les vents tombant des grands monts de Norvège*
> *T'avaient parlé tout bas de l'âpre liberté [...] »*

C'est ainsi qu'on revient au double conseil de Jean le Bleu : connaître la poésie et la science d'éteindre les plaies. Un poème peut apaiser, un simple vers peut cicatriser une blessure. Il suffit de le garder en tête ou de le porter en médaillon sur sa table de chevet. Il devient confident :

> « *Je me plains à mes vers, si j'ai quelque regret,*
> *Je me ris avec eux, je leur dis mon secret,*
> *Comme étant de mon cœur les plus sûrs secrétaires [...]* »
> Joachim du Bellay

Replié sur son secret, on part plus fort à la conquête de l'amour, on résiste mieux à ses assauts. On a coutume de dire que l'amoureux est seul au monde. Il s'en protège par un formidable égotisme, jusqu'à, le plus souvent, devenir amoureux de son amour :

> « *Aimez l'amour que Dieu souffla sur notre fange,*
> *Aimez l'amour aveugle, allumant son flambeau,*
> *Aimez l'amour rêvé qui ressemble à notre ange,*
> *Aimez l'amour promis aux cendres du tombeau !* »

Il y a dans la violence de cette strophe-apostrophe de Germain Nouveau un appel généreux au refus de l'indifférence d'un monde sans amour où ne survivraient que les cyniques et les mal-aimants. Les mal-aimés sont malheureux. Ils sont à la portée du moindre virus, mais au moins ils aiment, et donc vivent :

> « *Aimez bien vos amours ; aimez l'amour qui rêve*
> *Une rose à la lèvre et des fleurs dans les yeux [...]* »

Vénus et Cupidon [détail]
(anonyme, d'après Goltzius)

Je n'aime pas les textes savants, ceux qui détournent le lecteur de sa quête. Il est venu chercher ici quelque nourriture pour apaiser son âme, ou quelque oriflamme à brandir pour entreprendre une croisade amoureuse. C'est

pourquoi j'ai enrichi ce texte de vers, de diamants dans la cendre... libre à chacun de les voler à son tour comme je les ai volés, de les détourner à son profit, comme ils le furent au fil des siècles.
Songeons que le poème par lequel s'ouvre ce florilège date d'il y a plus de sept cent cinquante ans ! Les trois quarts d'un millénaire qui s'achève épuisé...
Quoi de plus réjouissant que le *Roman de la rose*, de plus didactique pour expliquer la démarche d'un poète :

« Je veux ce songe mettre en vers,
Pour vous réjouir le cœur,
Car Amour m'en prie et le commande ;
Et si l'un ou l'une demande
Comment je veux que le Roman
Que je commence soit nommé,
Voici le Roman de la Rose
Où l'art d'Amour est tout enclos [...] »

Quand Guillaume de Lorris entreprend sa démarche aux alentours de 1230, achevée cinquante ans plus tard par Jean de Meung, nous sommes encore dans un monde qui ne doute pas de lui. Les Croisades en sont le symbole. Les femmes des croisés attendent le retour de leurs amis ou amants, patiemment ou moins sagement.
Des jeunes gens désœuvrés tourbillonnent autour d'elles avec leur lyre, butinent et, parfois, piquent au cœur de la rose. Et voilà comment l'ingénu Guillaume nous raconte un rêve qui lui vint en sa vingtième année.
Une promenade bucolique l'entraîne aux abords de ce verger *« où l'art d'Amour est tout enclos »*. Sur les murs, la représentation de symboles honnis, bannis à l'extérieur du verger : Envie, Avarice, Vieillesse, et bien d'autres... C'est Oiseuse qui lui ouvre la porte de ce paradis où s'ébattent quelques danseurs et danseuses : Courtoisie, Franchise, Jeunesse, Liesse, Déduit, ce qui veut dire « plaisir ». Pour son bonheur et son malheur, il aperçoit dans le reflet d'une fontaine une rose si belle qu'il en tombe amoureux. Entrent alors en scène Beauté, Amour, Simplesse, Compagnie et Beau Semblant qui, chacun, tireront du carquois de Doux Regard une flèche destinée à percer le cœur de l'amant déjà conquis. Au fil du *Roman de la rose*, on découvrira encore Espérance, Doux Penser, Bel

Giovane Bacco (Léonard de Vinci, XVIe s.)

Accueil, Malebouche, Honte, Peur, Danger. Pas toujours très courageux, notre ami Guillaume franchira tous les obstacles grâce aux conseils avisés de Raison, d'Ami et de Pitié. Il saura résister à Chasteté, mais pas à Vénus, ni à Jalousie ou à Lécherie...
Ô le curieux nom que voilà. Il est synonyme de sensualité et il exprime mieux qu'un long résumé l'intelligence et la modernité de ce texte :
« Si aujourd'hui le charme de ce roman n'a pas cessé d'opérer, écrit Alexandre Micha, *c'est que la nécessaire transposition de l'allégorie*

dans un registre narratif n'offre pas de difficulté et qu'on découvre en Guillaume de Lorris, et même chez son successeur, un bon connaisseur du cœur humain.
Il s'agit en fait d'une double éducation, puisqu'on en suit le cheminement chez l'amant comme chez la jeune fille, de la naissance du désir jusqu'à son plein accomplissement à travers des péripéties sentimentales où chez l'amant les progrès sont freinés par la raison et la prudence qu'il faut surmonter, et chez la jeune fille par une inclination inquiète, tour à tour confiante jusqu'à l'imprudence et réservée jusqu'au mépris...
Certes le dénouement tarde à venir, puisqu'il n'arrive qu'au terme des dix-huit mille vers de Jean de Meung. Mais l'action allégorique est animée par ces mouvements intérieurs, par cette suite de réactions qui se déroulent à partir de l'immédiate vision de la beauté, par coup de foudre et nullement par cristallisation. »

Dix-huit mille vers... Dix-huit mille minutes de bonheur. Pour l'amant et sa fleur. Pour l'auteur et le lecteur. L'espace d'une confusion sur le titre, on pense être entré dans un roman, on vient de pénétrer les grands espaces de la poésie pure.

Qu'est-ce que la poésie ?
Dans un impromptu, Alfred de Musset avait posé la question et y avait ainsi répondu :

> *« Chasser tout souvenir et fixer la pensée,*
> *Sur un bel axe d'or la tenir balancée,*
> *Incertaine, inquiète, immobile pourtant ;*
> *Éterniser peut-être le rêve d'un instant ;*
> *Aimer le vrai, le beau, chercher leur harmonie ;*
> *Écouter dans son cœur l'écho de son génie ;*
> *Chanter, rire, pleurer, seul, sans but, au hasard ;*
> *D'un sourire, d'un mot, d'un soupir, d'un regard*
> *Faire un travail exquis, plein de crainte et de charme,*
> *Faire une perle d'une larme :*
> *Du poète ici-bas voilà la passion*
> *Voilà son bien, sa vie et son ambition. »*

En douze vers, Musset traduit sans fioritures cette passion qui habite le poète et son lecteur, ces vagues d'amour endiguées en de pauvres quatrains, ce goût de la phrase ciselée comme un scalpel qui vient vous fourailler les entrailles.

> *« Le poète est cet être très vieux et très neuf, très complexe et très simple qui, aux confins du rêve et du réel, du jour et de la nuit, entre absence et présence, cherche et reçoit dans le déclenchement soudain des cataclysmes intérieurs le mot de passe de la connivence et de la puissance. »*
> Aimé Césaire

> *« Le poète nous fera assister à la bataille qu'il livre contre l'illusion, il parlera de lui-même, de ses tourments, il laissera parler ses passions, ses manies, ses sens, pour mieux les combattre, les vaincre et les enfermer dans le tombeau d'une parole mesurée. »*
> René Daumal

> *« La poésie est silence parce qu'elle est le langage pur, voilà le fondement de la certitude poétique. »*
> Maurice Blanchot

Poésie :

> *« Cette chose sans nom*
> *D'entre rire et sanglot*
> *Qui bouge en nous*
> *Qu'il faut tirer de nous*
> *Et qui*
> *Diamant de nos années*
> *Après le sommeil de bois mort*
> *Constellera le blanc du papier [...] »*
> Michel Leiris

Toutes ces définitions ont été écrites au XXe siècle. Je les ai choisies pour mieux souligner en quoi la poésie est éternelle. Ceux qui cherchent à l'embaumer peuvent se retirer sur la pointe des pieds. On a peut-être trop distribué de pastilles de naphtaline dans les manuels scolaires qui se piquaient de poésie. On ne lui a pas laissé suffisamment de liberté en la faisant ânonner par de pauvres enfants qui bouclaient une récitation comme on le fait d'un devoir et qui, n'en pouvant mais, l'ont jetée aux orties avec leur cartable, dès la sortie de l'école. On leur a trop infligé des déclamations de texte comme des dames de charité au Théâtre aux armées. On ne leur a pas assez dit, avec Lautréamont, que

> *« la poésie sera faite par tous et non par un »*

ou, comme Eluard, que

> *« le poète est celui qui inspire beaucoup plus que celui qui est inspiré ».*

J'ai été inspiré par les poètes ; je n'oserai pour autant écrire à leur façon et, surtout, publier des rimes qui n'appartiennent qu'à moi. Mais ce qui m'importe, c'est que d'autres prennent le relais, en silence ou en public. La poésie ne s'est pas arrêtée avec les yeux d'Elsa. Elle continue à tisser son invisible toile grâce à des fils que la postérité rendra lumineux : ceux d'Olivier Laronde, Yves Bonnefoy, Eugène Guillevic, Daniel Boulanger, Edmond Jabès, Maurice Blanchot, Philippe Jaccottet, Marc Alyn, Jean-Marie Le Sidaner, Claude Roy, Alain Bosquet, Denis Roche, Adonis, Andrée Chedid et tant d'autres...
Andrée Chedid qui, dans son dernier livre *(Par-delà les mots),* a si bien résumé ce que lui apportait la poésie :

« Par-delà les mots
Elle sécrète la parole

En deçà du verbe
Elle questionne l'univers

Au-delà des murailles
Elle nomme la liberté

En deçà de chaque flot
Elle révèle l'océan [...] »

Andrée Chedid est d'origine libanaise. On retrouvera dans cette anthologie de nombreux écrivains francophones, belges, suisses, canadiens, africains. Pour ne pas toucher à la souche originelle et ne pas encourir des erreurs d'interprétation dues à la sensibilité du traducteur, il n'a pas été retenu ici de poèmes écrits en une autre langue que la nôtre. Mais quel vecteur plus universel que la poésie. Adolescent, je me souviens avoir écouté un soir, les yeux mi-clos, un long poème de Federico García Lorca qu'on me lut sur une plage espagnole. La langue m'en était étrangère, j'ai eu pourtant le sentiment de l'avoir comprise, de m'être laissé imprégner plus que bercer par García Lorca. Même impression, un peu plus tard, grâce aux poèmes indiens de Miguel Ángel Asturias qu'on doit à la traduction de Claude Couffon mais qui me furent déclamés en espagnol :

> *« Être de passage, toujours de passage,*
> *avoir la terre pour auberge*
> *et contempler des cieux qui ne sont pas les nôtres [...] »*

Ces litanies de l'exilé se fondent dans le grondement du torrent des mots.
En anglais :

> *« Mon oiseau d'or, le soleil*
> *A ouvert ses ailes, s'est envolé*
> *De sa cage, le ciel,*
> *Ô balancement !*
> *Et comme son ombre épuisée*
> *Blanche d'amour,*
> *La lune, mon oiseau d'argent*
> *S'envole à nouveau*
> *Vers son perchoir d'étoiles [...] »*
> Dylan Thomas, *Vision et Prière*, traduit par Alain Suied

En allemand :

> *« Ainsi le poète est là où il ne semble pas être et il est toujours à un autre endroit que celui où l'on croit qu'il est. Étrangement, il habite dans la demeure du temps, sous l'escalier, là où tous doivent passer devant lui sans que personne y prête attention »,*

dit Hugo von Hofmannsthal, traduit par Jean-Claude Schneider.

J'ai aussi le souvenir d'un disque que j'écoutais des nuits entières, chanté comme une mélopée par la voix rauque d'Andrës Vissotski.

Erdgeist (M. Steinberg, v. 1900)

J'apprenais à l'époque tout juste le russe à l'École des langues orientales ; ces chansons-là me servirent bien davantage que de longs mois de cours.
Universalité de la poésie, permanence de la poésie au fil des siècles, aujourd'hui comme hier, et peut-être encore moins que demain. Chez nos contemporains, il n'est que de prendre l'exemple de Denis Roche. Son travail poétique tient en dix petites années, comme Rimbaud. Commencé en 1962 avec *Forestière Amazonide*, il s'achève en 1972. Il considère alors que la poésie n'est plus possible et intitule ses œuvres poétiques complètes d'un magnifique et péremptoire :

« La poésie est inadmissible. »

Mais je ne suis pas sûr qu'il ait jetté l'ancre à trente-trois ans. Je veux garder l'espoir qu'il a ensuite continué à noircir des petits carnets qu'on découvrira plus tard, comme autant de legs à des générations qui ont perdu le goût de la lecture et, nous disent les éditeurs, celui de la poésie. Il faut que d'autres flambeaux s'allument et illuminent notre nuit. Les battements de cœur des amoureux transis n'ont pas cessé avec Aragon et Éluard. De la même manière, ils n'ont pas commencé avec Villon et Ronsard. C'est l'une des ambitions de ce livre que de faire découvrir, ou redécouvrir, Adam de la Halle, Guy de Coucy, Thibaut de Champagne, Eustache Deschamps, Jean de La Ceppède, sans parler évidemment de Louise Labé, Charles d'Orléans, Christine de Pisan ou Clément Marot. On savait célébrer l'amour en ces siècles qui nous paraissent aujourd'hui si reculés. Mais, depuis, qui mieux que Ronsard a chanté le souvenir d'une jeune femme :

Amoureux [détail] (anonyme, XVIe s.)

« La grâce dans sa feuille,
et l'amour se repose,]
Embaumant les jardins
et les arbres d'odeur ;]
Mais, battue ou de pluie,
ou d'excessive ardeur,]
Languissante elle meurt,
feuille à feuille déclose [...]»

Feuille après feuille, de livre en livre, les mots doux s'accumulent au fil des générations. Ils disent nos soupirs, ceux de nos ancêtres, tout aussi amoureux, dépités, transis, passionnés.
La poésie est éternelle.
Elle s'est écrite, murmurée, en toutes langues, et depuis toujours. Il y a mille ans, elle se chantait, avec les troubadours. Aujourd'hui, elle se chante à nouveau et nul n'a songé à faire le grief à Pierre Seghers de publier Brel, Brassens ou Ferré. D'autres suivront, emprunteront des chemins moins fréquentés que ceux de leurs lointains prédécesseurs, troqueront les routes médiévales contre les voies cathodiques, partiront à l'assaut de nouvelles forteresses, en apparence tout aussi imprenables que les austères donjons. Rien ne résiste à la poésie, ni le temps, ni la pierre, ni la dureté des cœurs. Tout au long de ce florilège, on comprendra ce que voulait dire l'amour courtois et pourquoi la courtoisie n'était pas qu'une simple politesse de l'âme. On verra qu'elle n'excluait pas une rudesse de l'assaut.
Pour la commodité de l'approche, cette anthologie, qui se reproche déjà de ne pas être exhaustive, a été divisée en huit chapitres, comme deux cycles de saisons : *Le regard amoureux*, non point pour illustrer le contestable *« Loin des yeux, loin du cœur »*, mais pour décliner à l'infini la seconde délicieuse du premier regard où tant de messages peuvent s'échanger. Puis *La rencontre* qui précède, accompagne ou suit de peu ce premier balbutiement du printemps de l'amour.

Vient ensuite son été : *La saison des amours*, de Conon de Béthune à Jacques Roubaud, et son penchant torride, *L'empire des sens*, de Louise Labé à Claude Roy.
On ne s'étonnera pas de découvrir que l'automne qui fait frémir et l'hiver qui glace les cœurs *(Les infortunes des amants)* ont été si riches en rimes meurtries ou déchirées.
De Guillaume d'Aquitaine à Jacques Prévert, tous ont souffert et n'ont pas craint de le faire savoir. C'est, pour moi, la meilleure des thérapies. Les blessures sèchent peut-être plus vite quand on les expose au soleil des autres.

> *« Et le poète dit qu'aux rayons des étoiles*
> *Tu viens chercher, la nuit, les fleurs que tu cueillis,*

Et qu'il a vu sur l'eau, couchée en ses longs voiles,
La blanche Ophélia flotter, comme un grand lys. »
Rimbaud, *Ophélie*

Mon Ophélie à moi n'a pas eu le temps de se nourrir assez de poésie. C'est à elle que j'offre donc le dernier volet de cette anthologie, *Les amours immortelles :*

« Ton rire entourait le col des collines
On le cherchait dans la vallée
Maintenant, quand je dis :
donne-moi la main, je sais que je me trompe et que tu n'es plus rien.
Avec ce souffle de douceur
Que je garde encore de la morte,
Puis-je refaire les cheveux,
Le front que ma mémoire emporte ? »
Jules Supervielle, *Gravitations*

La perte d'un être cher, celle, peut-être la plus cruelle, d'un enfant, je l'ai par deux fois éprouvée. La consolation n'existe pas, bien sûr, mais l'apaisement au goût de miel, je l'ai ressenti en me jetant à corps perdu dans les poèmes, ceux des autres, et en délaissant provisoirement les romans.

« Pourtant je chanterai comme toi tant que résonne
Le sang rouge en mon cœur qui sans fin t'aimera
Ce refrain peut paraître un tradéridéra
Mais peut-être qu'un jour les mots que murmura
Ce cœur usé ce cœur banal seront l'aura
D'un monde merveilleux où toi seule sauras
Que si le soleil brille et si l'amour frissonne
C'est que sans croire même au printemps dès l'automne
J'aurai dit tradéridéra comme personne. »
Louis Aragon, *Le Crève-cœur*

Dans ces moments d'effroi, spontanément, de nombreux correspondants, proches ou lointains, m'adressèrent des poèmes, parfois de leur composition ou plus souvent fétiches. Ils les gardaient sur leur bureau, dans un tiroir de leur table de chevet ou sur une rangée

Odes et ballades de Victor Hugo [détail] (Artigue, XIXe s.)

de livres, comme je l'ai fait dans ma bibliothèque pour ce texte de René Char :

> *« Un poète doit laisser des traces de son passage,*
> *non des preuves. Seules les traces font rêver. »*

À mon tour, je me mis à fouiller ces rayons pour trouver les baumes que ne m'apportaient plus les somnifères. J'étais fasciné par les textes qu'écrivent les suicidés avant de partir pour le « saut de l'ange ». J'en trouvai un qui m'accompagna assez longtemps. Il avait été déniché par Dominique de Roux, qui, prévenu de la mort de son ami le poète Louis Morin, découvrit en arrivant un poème *« posé contre un tas de petites bûches, à côté de ses piles de livres, feuillets, poèmes et non loin de l'image d'une jeune dame au-dessus de sacs de voyage » :*

« Ta parole n'atteint plus les ronces de mon jour inutile
Tandis que ma voix, fiévreuse d'inexister,
Ricoche sur le vacillement marin.
Ne t'ai-je pas assez appelée, barque libre,
Ô lit d'amour tourné vers la mer.
Un seul froissement peut-être et j'habiterai ton désert [...] »

Ce poème, « L'absence, la mer », écrit par un homme qui sait qu'il va mourir parce qu'il le veut, m'a aidé, avec le recul, à accompagner les dernières heures de celle qui avait décidé de nous quitter. On y lit mieux comment un écrivain à bout de souffle, à bout de forces, peut encore décrire l'enfermement qu'il ne pourrait autrement raconter, pas même à ses amis, que sous la forme d'un poème.

Allégorie de la mort [détail] (Ernst Stohr, v. 1910)

En relisant ces déclarations d'amour, et toutes celles qui auraient aisément pu prendre place dans dix autres volumes, je me dis que toutes ces belles dames et ces jeunes hommes à qui furent dédiés ces poèmes eurent bien de la chance. Grâce à Ronsard, nous savons qui fut Hélène de Surgères, fille d'honneur de la reine Marie de Médicis. Nous apprenons, grâce à ses *Sonnets pour Hélène*, comment un homme peut aimer une femme à en mourir, et inversement.

Ces amours sont immortelles. Elles nous appartiennent autant qu'à leurs auteurs et leur dédicataires. Paul Eluard a bien raison de marteler que le poète est celui qui inspire. Jeunes gens, continuez à inspirer l'amour, à vous inspirer de lui et de tous ceux qui l'ont chanté au fil des ans. Et, surtout, écrivez à votre tour. Sortez une page blanche, confiez-lui les errements de votre cœur. Vous faites déjà un acte poétique. Rêvez, aimez, écrivez. Comme Guillaume de Lorris, racontez :

« Je veux ce songe mettre en vers [...] »

Patrick Poivre d'Arvor

Le regard amoureux

Jeu de tauromachie (Pablo Picasso, 1954)

Au vingtième an...

Au vingtième an de mon âge,
Au temps où Amour prend le péage
Des jeunes gens, j'étais couché
Une nuit, selon ma coutume,
Et je dormais profondément ;
En mon sommeil, je vis un songe
Vraiment très beau et très plaisant.
Or de ce songe il n'y eut rien
Qui en tout ne soit advenu
Comme le songe le contait.
Je veux ce songe mettre en vers,
Pour vous réjouir le cœur,
Car Amour m'en prie et le commande ;
Et si l'un ou l'une demande
Comment je veux que ce Roman
Que je commence soit nommé,
Voici le *Roman de la Rose*
Où l'art d'Amour est tout enclos.
La matière en est bonne et neuve ;
Dieu fasse que l'accueille bien
Celle pour qui je l'ai entrepris :
C'est celle qui a tant de prix
Et est si digne d'être aimée
Qu'elle doit être appelée la Rose.

Guillaume de Lorris (début XIIIe s.-v. 1238)
Le Roman de la rose (1230-1240)

« L'allégorie combine étroitement le procédé de la personnification à celui de l'invention métaphorique. Dans notre roman il existe une métaphore directrice, la quête de la rose, dont le symbole résume, sans trop de difficulté, le mouvement du désir amoureux. La rose figure la beauté qui fait naître le désir, oriente la passion, règne sur la vie de l'amoureux. »
Daniel Poirion

Le Roman de la rose (anonyme, 1494)

Puisque je suis...

Puisque je suis un adepte de l'amour,
je dois donc l'exalter dans mes chansons;
bien plus, une raison exceptionnelle
me contraint à chanter le désir amoureux :
    en effet, à l'improviste,
    j'ai été frappé au corps
    par des yeux brillants et vifs,
    riants pour mieux assener leur coup,
    auxquels ne peuvent s'opposer
    cuirasse ni bouclier.

Mais ce coup ne m'épouvante pas,
et je ne cherche pas à l'atténuer,
car si le mal diminuait en moi,
il faudrait que l'amour diminuât,
    et, à bien juger,
    l'amour est semblable au feu :
    de près on le sent plus
    qu'à s'en éloigner;
    si l'on ne veut pas se brûler,
    il faut s'en écarter.

Si je veux donc aimer, je dois
m'approcher de la flamme qui me brûle,
pourvu que je sois fidèle à ma dame
comme maintenant, et qu'elle veuille m'aider.
    Je crains de l'irriter,
    mais jamais son cœur ne fut
    envers moi si fermé et muet
    que ses refus répétés,
    grâce à son doux regard,
    ne me semblassent jeu.

Voilà pourquoi je ne renonce pas
à la fréquenter et à la supplier :
quand sa bouche me chasse et que je la vois,
aussitôt parti il me faut revenir
    quitte à l'excéder.
    Dès que je suis venu,
    elle me dit : « Debout ! »
    avant que je puisse parler.
    Impossible de m'excuser,
    tant je suis éperdu.

Ah ! Fleur du monde à qui je consacre mes
reine d'amour qui réjouit les cœurs, [peines,
dame de bonté, sage et modeste,
très bel exemple pour corriger les âmes,
    vous pouvez bien
    me piétiner : je suis vaincu
    et tout entier à vous
    pour payer la rançon
    que vous saurez fixer,
    à vous plus que personne.

    Que mon chant soit agréé
    ou non, il faut aller
    vers celle qui l'a inspiré :
    telle est mon habitude.

Adam de la Halle (1240-v. 1285)
Traduction de Jean Dufournet

Adam surnommé « le Bossu », ou Adam d'Arras, a vécu dans la seconde moitié du XIIIe siècle. Maroie était le nom de celle que l'on considère comme sa femme et l'inspiratrice de ses poèmes d'amour.

Le Roman de la rose
(anonyme, XIVe s.)

« La chanson d'amour est le genre noble par excellence : la composer suivant les règles d'une technique précise est, pour le chanteur, la plus haute expérience spirituelle qu'il puisse faire. »
Pierre-Yves Badel

La gracieuse

Dieu, qu'il la fait bon regarder
La gracieuse, bonne et belle !
Pour les grands biens qui sont en elle,
Chacun est prêt de la louer.

Qui se pourrait d'elle lasser ?
Toujours sa beauté renouvelle.
Dieu, qu'il la fait bon regarder,
La gracieuse, bonne et belle !

Par deçà ni delà la mer,
Ni sais dame, ni damoiselle
Qui soit en tous biens parfaits telle ;
C'est un songe que d'y penser.
Dieu, qu'il la fait bon regarder !

Charles d'Orléans (1391-1465)
Chansons et rondeaux (1440)

Le Joueur de luth et la chanteuse
(Israël Van Meckenem, v. 1445-1503)

« Jamais on n'a dit des riens avec plus de grâce et de finesse ; jamais les sentiments doux, tendres sans vraie passion, mélancoliques sans vraie tristesse, n'ont trouvé un interprète plus délicat ; jamais l'ironie sur soi-même et les autres n'a été plus légère et plus bienveillante ; jamais avant lui le français n'avait été manié avec cette aisance et cette adresse. »

Gaston Paris

« Bien avant les Musset de l'époque romantique, il porte son cœur en écharpe et dit de lui-même : "Je suis celui au cœur vêtu de noir." »

Gustave Cohen

Sonnet

On voit mourir toute chose animée,
Lors que du corps l'âme subtile part :
Je suis le corps, toi la meilleure part :
Où es-tu donc, ô âme bien-aimée?

Ne me laissez pas si longtemps pâmée,
Pour me sauver après viendrais trop tard.
Las, ne mets point ton corps en ce hasard
Rends-lui sa part et moitié estimée.

Mais fais, Ami, que ne soit dangereuse
Cette rencontre et revue amoureuse,
L'accompagnant, non de sévérité,

Non de rigueur, mais de grâce amiable,
Qui doucement me rende ta beauté,
Jadis cruelle, à présent favorable.

Louise Labé (v. 1524-1566)
Sonnets (1555)

« [...] Car, sous tes doigts ingénieux,
Le luth ému pouvait dire tout ce qu'il voulait dire ! »
Marceline Desbordes-Valmore

Les vingt-quatre sonnets de Louise Labé forment un recueil organisé à la manière d'un canzoniere, *ou recueil de petits poèmes lyriques inspirés des auteurs de la Renaissance italienne.*

Louise Labé (anonyme)

Sonnet

Ma Dame se levait un beau matin d'été,
Quand le Soleil attache à ses chevaux la bride;
Amour était présent avec sa trousse vide,
Venu pour la remplir des traits de sa clarté.

J'entrevis dans son sein deux pommes de beauté,
Telles qu'on ne voit point au verger Hespéride;
Telles ne porte point la Déesse de Gnide,
Ni celle qui a Mars des siennes allaité.

Telle enflure d'ivoire en sa voûte arrondie,
Tel relief de Porphyre, ouvrage de Phidie,
Eut Andromède alors que Persée passa,

Quand il la vit liée à des roches marines,
Et quand la peur de mort tout le corps lui glaça,
Transformant ses tétins en deux boules marbrines.

Pierre de Ronsard (1524-1585)
Sonnets pour Hélène (1578)

Fille d'honneur de la reine Catherine de Médicis, Hélène de Surgères avait été promise à un capitaine des gardes qui fut tué pendant la troisième guerre de Religion.

« Ce qui me semble appartenir en propre à l'époque, c'est [...] cette acclimatation de l'antique au sein d'une réalité familière ; mais ce mélange est rendu possible par le fait que la poésie est conçue comme un grand jeu qui a pour fin de jeter sur cette réalité une lumière inhabituelle la rendant plus ou moins fabuleuse. »
Marcel Raymond

Te regardant...

Te regardant assise auprès de ta cousine,
Belle comme une Aurore, et toi comme un Soleil,
Je pensai voir deux fleurs d'un même teint pareil,
Croissantes en beauté, l'une à l'autre voisine.

La chaste sainte belle et unique Angevine,
Vite comme un éclair sur moi jeta son œil :
Toy comme paresseuse et pleine de sommeil,
D'un seul petit regard tu ne m'estimas digne.

Tu t'entretenais seule au visage abaissé,
Pensive tout à toi n'aimant rien que toi même,
Dédaignant un chacun d'un sourcil ramassé,

Comme une qui ne veut qu'on la cherche ou qu'on l'aime.
J'eus peur de ton silence, et m'en allai tout blême,
Craignant que mon salut n'eût ton œil offensé.

Pierre de Ronsard
Sonnets pour Hélène

« Quel poète ! Quelles ailes !
C'est plus grand que Virgile,
et ça vaut du Goethe,
au moins par moments,
comme éclats lyriques. »
Gustave Flaubert

Giovane Donna
(Léonard de Vinci)

Ô songe heureux...

Ô songe heureux et doux ! où fuis-tu si soudain,
Laissant à ton départ mon âme désolée ?
Ô douce vision, las ! où es-tu volée,
Me rendant de tristesse et angoisse si plein ?

Hélas ! somme trompeur, que tu m'es inhumain !
Que n'as-tu plus longtemps ma paupière sillée ?
Que n'avez-vous encor, ô vous, troupe étoilée,
Empêché le soleil de commencer son train ?

Ô dieu ! permettez-moi que toujours je sommeille,
Si je puis recevoir une autre nuit pareille,
Sans qu'un triste réveil me débande les yeux.

Le proverbe dit vrai : ce qui plus nous contente
Est suivi pas à pas d'un regret ennuyeux,
Et n'y a chose aucune en ce monde constante.

Philippe Desportes (1546-1606)
Les Amours de Diane (1573)

« De son vivant, Desportes a été considéré comme l'égal de Ronsard à qui on l'a souvent préféré. » Jacques Brosse

« Votre potage vaut mieux que vos psaumes. » Malherbe

Quand tu me vois…

Quand tu me vois baiser tes bras,
Que tu poses nus sur tes draps,
Biens plus blancs que le linge même,
Quand tu sens ma brûlante main
Se pourmener dessus ton sein,
Tu sens bien, Cloris, que je t'aime.

Comme un dévot devers les cieux,
Mes yeux tournés devers tes yeux,
À genoux auprès de ta couche,
Pressé de mille ardents désirs,
Je laisse sans ouvrir ma bouche,
Avec toi dormir mes plaisirs.

Le sommeil aise de t'avoir
Empêche tes yeux de me voir,
Et te retient dans son empire
Avec si peu de liberté,
Que ton esprit tout arrêté
Ne murmure ni ne respire.

La rose en rendant son odeur,
Le soleil donnant son ardeur,
Diane et le char qui la traîne,
Une Naïade dedans l'eau,
Et les Grâces dans un tableau,
Font plus de bruit que ton haleine.

Là je soupire auprès de toi,
Et considérant comme quoi
Ton œil si doucement repose,
Je m'écrie : ô Ciel! peux-tu bien
Tirer d'une si belle chose
Un si cruel mal que le mien ?

Théophile de Viau (1590-1626)
Stances (1621)

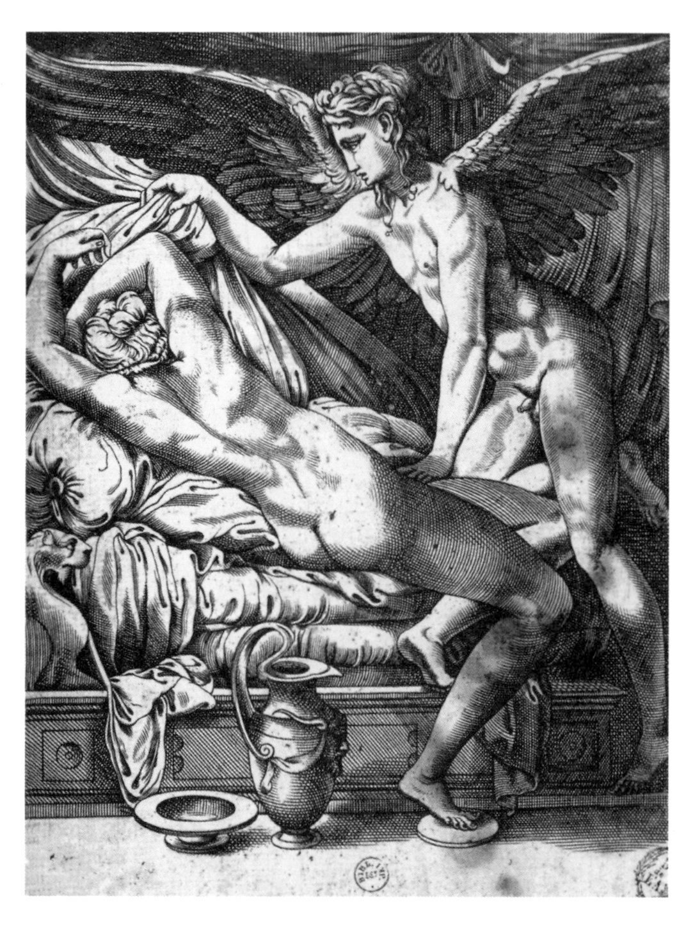

Cupidon et Psyché
(Jacoppo Caraglio, XVIe s.)

« Peut-être le seul esprit vraiment léger de son siècle, celui qui fait, par sa seule présence, que le mot grâce ne désigne pas uniquement telle opération de Dieu en l'homme, mais une qualité du cœur et de l'esprit, sensible dans le langage. »
Henri Thomas

La belle Égyptienne

Sombre divinité, de qui la splendeur noire
Brille de feux obscurs, qui peuvent tout brûler ;
La neige n'a plus rien qui te puisse égaler,
Et l'ébène aujourd'hui l'emporte sur l'ivoire.

De ton obscurité vient l'éclat de ta gloire ;
Et je vois dans tes yeux, dont je n'ose parler,
Un amour africain, qui s'apprête à voler,
Et qui d'un arc d'ébène, aspire à la victoire.

Sorcière sans démons, qui prédis l'avenir;
Qui regardant la main, nous viens entretenir ;
Et qui charmes nos sens d'une aimable
[imposture ;

Tu parais peu savante en l'art de deviner ;
Mais sans t'amuser plus à la bonne aventure,
Sombre divinité, tu nous la peux donner.

Georges de Scudéry (1601-1667)
Poésies diverses (1649)

Georges de Scudéry se plaisait à déclarer de façon assez provocante que la poésie lui tenait lieu de « divertissement agréable et notaire ».

Jeune Fille agenouillée
(Michel-Ange)

Jeune fille...

Jeune fille, ton cœur, avec nous, veut se taire.
Tu fuis, tu ne ris plus. Rien ne saurait te plaire.
La soie à tes travaux offre en vain des couleurs.
L'aiguille sous tes doigts n'anime plus des fleurs.
Tu n'aimes qu'à rêver, muette, seule, errante ;
Et la rose pâlit sur ta bouche mourante.
Ah ! mon œil est savant, et depuis plus d'un jour,
Et ce n'est pas à moi qu'on peut cacher l'amour.
Les belles font aimer. Elles aiment. Les belles
Nous charment tous. Heureux qui peut être
[aimé d'elles !
Sois tendre, même faible ; on doit l'être un
[moment ;
Fidèle, si tu peux. Mais conte-moi comment,
Quel jeune homme aux yeux bleus, empressé
[sans audace,
Aux cheveux noirs, au front plein de charme
[et de grâce ?...
Tu rougis ? On dirait que je t'ai dit son nom.
Tu vois ; je le connais. Autour de ta maison
C'est lui qui va, qui vient. Et, laissant ton ouvrage,
Tu vas, sans te montrer, épier son passage.
Il fuit vite ; et ton œil, sur sa trace accouru,
Le suit encor longtemps quand il a disparu.
Certes en ce bois voisin où trois fêtes brillantes
Font courir au printemps nos nymphes
[triomphantes,
Nul n'a sa noble aisance et son habile main
À soumettre un coursier aux volontés du frein.

André Chénier (1762-1794)
Élégie (1819)

« L'oreille poétique de Chénier est toujours aussi insatisfaite, aussi chercheuse que le crayon de David : sensuelle comme une main de peintre. »
Albert Thibaudet

La rose flamande

C'est là que j'ai vu Rose Dassonville,
Ce mouvant miroir d'une rose au vent.
Quand ses doux printemps erraient par la ville,
Ils embaumaient l'air libre et triomphant.

Et chacun disait en perçant la foule :
« Quoi ! belle à ce point ?... Je veux voir aussi... »
Et l'enfant passait comme l'eau qui coule
Sans se demander : "Qui voit-on ici ? "

Un souffle effeuilla Rose Dassonville.
Son logis cessa de fleurir la ville,
Et, triste aujourd'hui comme le voilà,
C'est là !

Rue de la Maison de Ville, à Douai.

Marceline Desbordes-Valmore (1786-1859)
Poésies inédites (1860)

Liqueur du droit du Seigneur
(anonyme, v. 1830)

« Premier en date des poètes du romantisme et notre plus géniale poétesse depuis Louise Labé, Marceline Desbordes-Valmore, en dépit d'une prolixité intermittente [...] est en réalité un précurseur inattendu des maîtres de notre poésie moderne, Rimbaud et surtout Verlaine. »
Yves-Gérard Le Dantec

Nymphes (B. Picard, d'après Poussin, 1708)

Mon bras pressait…

Mon bras pressait ta taille frêle
Et souple comme le roseau ;
Ton sein palpitait comme l'aile
D'un jeune oiseau.

Longtemps muets, nous contemplâmes
Le ciel où s'éteignait le jour.
Que se passait-il dans nos âmes ?
Amour ! Amour !

Comme un ange qui se dévoile,
Tu me regardais dans ma nuit,
Avec ton beau regard d'étoile
Qui m'éblouit.

Victor Hugo (1802-1885)
Les Contemplations (1856)

*« La morale n'entre pas dans cet art
à titre de but ;
elle s'y mêle et s'y confond
comme dans la vie elle-même.
Le poète est moraliste sans le vouloir,
par abondance et plénitude de nature. »*
Charles Baudelaire

Le lever (Victor Hugo)

Petite Fille
dans un paysage
(Camille Corot)

Myrtho

Je pense à toi, Myrtho, divine enchanteresse,
Au Pausilippe altier, de mille feux brillant,
À ton front inondé des clartés d'Orient,
Aux raisins noirs mêlés avec l'or de ta tresse.

C'est dans ta coupe aussi que j'avais bu l'ivresse,
Et dans l'éclair furtif de ton œil souriant,
Quand aux pieds d'Iacchus on me voyait priant,
Car la Muse m'a fait l'un des fils de la Grèce.

Je sais pourquoi là-bas le volcan s'est rouvert...
C'est qu'hier tu l'avais touché d'un pied agile,
Et de cendres soudain l'horizon s'est couvert.

Depuis qu'un duc normand brisa tes dieux d'argile,
Toujours, sous les rameaux du laurier de Virgile,
Le pâle Hortensia s'unit au Myrthe vert !

Gérard de Nerval (1808-1855)
Les Chimères (1854)

« Mythologie étonnamment proliférante : en lui
et hors de lui, dans la mémoire ou dans les livres,
dans l'histoire ou dans la légende, partout Gérard
projette et retrouve sa propre image. »
Jean-Pierre Richard

Cærulei oculi

Une femme mystérieuse,
Dont la beauté trouble mes sens,
Se tient debout, silencieuse,
Au bord des flots retentissants.

Ses yeux, où le ciel se reflète,
Mêlent à leur azur amer,
Qu'étoile une humide paillette,
Les teintes glauques de la mer

Dans les langueurs de leurs prunelles,
Une grâce triste sourit ;
Les pleurs mouillent les étincelles
Et la lumière s'attendrit ;

Et leurs cils comme des mouettes,
Qui rasent le flot aplani,
Palpitent, ailes inquiètes,
Sur leur azur indéfini.

Comme dans l'eau bleue et profonde,
Où dort plus d'un trésor coulé,
On y découvre à travers l'onde
La coupe du roi de Thulé.

Sous leur apparence verdâtre,
Brille parmi le goémon
L'autre perle de Cléopâtre
Près de l'anneau de Salomon.

La couronne au gouffre lancée
Dans la ballade de Schiller,
Sans qu'un plongeur l'ait ramassée,
Y jette encor son reflet clair.

Un pouvoir magique m'entraîne
Vers l'abîme de ce regard,
Comme au sein des eaux la sirène
Attirait Harald Harfagar.

Mon âme, avec la violence
D'un irrésistible désir,
Au milieu du gouffre s'élance
Vers l'ombre impossible à saisir.

Montrant son sein, cachant sa queue,
La sirène amoureusement
Fait ondoyer sa blancheur bleue
Sous l'émail vert d'un flot dormant.

L'eau s'enfle comme une poitrine
Aux soupirs de la passion ;
Le vent, de sa conque marine,
Murmure une incantation.

« Oh ! viens dans ma couche de nacre,
Mes bras d'onde t'enlaceront ;
Les flots, perdant leur saveur âcre,
Sur ta bouche, en miel couleront.

« Laissant bruire sur nos têtes,
La mer qui ne peut s'apaiser,
Nous boirons l'oubli des tempêtes
Dans la coupe de mon baiser. »

Ainsi parle la voix humide
De ce regard céruléen,
Et mon cœur, sous l'onde perfide,
Se noie et consomme l'hymen.

Théophile Gautier (1811-1872)
Émaux et camées (1852)

« L'art, c'est la liberté,
le luxe, l'efflorescence ;
c'est l'épanouissement
de l'âme dans l'oisiveté [...] »
Théophile Gautier

Manon Lescaut (Leloir, 1885)

Buste de femme (Pierre Paul Prud'hon, v. 1814)

Pantoum malais

L'éclair vibre sa flèche torse
À l'horizon mouvant des flots.
Sur ta natte de fine écorce
Tu rêves, les yeux demi clos.

À l'horizon mouvant des flots
La foudre luit sur les écumes.
Tu rêves, les yeux demi clos,
Dans la case que tu parfumes.

La foudre luit sur les écumes,
L'ombre est en proie au vent hurleur.
Dans la case que tu parfumes
Tu rêves et souris, ma fleur !

L'ombre est en proie au vent hurleur,
Il s'engouffre au fond des ravines.
Tu rêves et souris, ma fleur !
Le cœur plein de chansons divines.

Il s'engouffre au fond des ravines,
Parmi le fracas des torrents,
Le cœur plein de chansons divines,
Monte, nage aux cieux transparents !

Parmi le fracas des torrents
L'arbre éperdu s'agite et plonge.
Monte, nage aux cieux transparents,
Sur l'aile d'un amoureux songe !

L'arbre éperdu s'agite et plonge,
Le roc bondit déraciné.
Sur l'aile d'un amoureux songe
Berce ton cœur illuminé !

Le roc bondit déraciné
Vers la mer ivre de sa force.
Berce ton cœur illuminé !
L'éclair vibre sa flèche torse.

Charles Marie Leconte de Lisle (1818-1894)
Poèmes tragiques (1884)

Chimère portant une femme (Gustave Moreau)

Le pantoum est un poème à forme fixe que le romantisme avait mis à la mode et qui était inspiré par la poésie malaise : il s'agit d'une suite de quatrains à rimes croisées, dont le deuxième et le quatrième vers de chaque strophe forment le premier et le troisième de la strophe suivante ; le vers qui ouvre le poème est aussi celui qui le termine, suggérant un mouvement de circularité.

« Chez Leconte de Lisle on sent le besoin de solidité, fût-elle un peu massive. »
Marcel Proust

Le serpent qui danse

Que j'aime voir, chère indolente,
De ton corps si beau,
Comme une étoffe vacillante,
Miroiter la peau !

Sur ta chevelure profonde
Aux âcres parfums,
Mer odorante et vagabonde
Aux flots bleus et bruns,

Comme un navire qui s'éveille
Au vent du matin,
Mon âme rêveuse appareille
Pour un ciel lointain.

Tes yeux, où rien ne se révèle
De doux ni d'amer,
Sont deux bijoux froids où se mêle
L'or avec le fer.

Te voir marcher en cadence,
Belle d'abandon,
On dirait un serpent qui danse
Au bout d'un bâton.

Sous le fardeau de ta paresse
Ta tête d'enfant
Se balance avec la mollesse
D'un jeune éléphant,

Et ton corps se penche et s'allonge
Comme un fin vaisseau
Qui roule bord sur bord et plonge
Ses vergues dans l'eau.

Comme un flot grossi par la fonte
Des glaciers grondants,
Quand l'eau de ta bouche remonte
Au bord de tes dents,

Je crois boire un vin de Bohême,
Amer et vainqueur,
Un ciel liquide qui parsème
D'étoiles mon cœur !

Charles Baudelaire (1821-1867)
Les Fleurs du mal (1857)

Autoportrait (Charles Baudelaire)

« Le sinueux est un balancement en marche ; il combine un bercement et une avancée ; il conjugue une paresse et un élan ; c'est pourquoi il signale toujours chez Baudelaire la montée d'un désir ou le mouvement d'une joie sensuelle. »
Jean-Pierre Richard

Les bijoux

La très-chère était nue, et, connaissant mon cœur,
Elle n'avait gardé que ses bijoux sonores,
Dont le riche attirail lui donnait l'air vainqueur
Qu'ont dans leurs jours heureux les esclaves des Mores.

Quand il jette en dansant son bruit vif et moqueur,
Ce monde rayonnant de métal et de pierre
Me ravit en extase, et j'aime à la fureur
Les choses où le son se mêle à la lumière.

Elle était donc couchée et se laissait aimer
Et du haut du divan elle souriait d'aise
À mon amour profond et doux comme la mer,
Qui vers elle montait comme vers sa falaise.

Les yeux fixés sur moi, comme un tigre dompté,
D'un air vague et rêveur elle essayait des poses,
Et la candeur unie à la lubricité
Donnait un charme neuf à ses métamorphoses ;

Et son bras et sa jambe, et sa cuisse et ses reins,
Polis comme de l'huile, onduleux comme un cygne,
Passaient devant mes yeux clairvoyants et sereins ;
Et son ventre et ses seins, ces grappes de ma vigne,

S'avançaient, plus câlins que les Anges du mal,
Pour troubler le repos où mon âme était mise,
Et pour la déranger du rocher de cristal
Où, calme et solitaire, elle s'était assise.

Je croyais voir unis pour un nouveau dessin
Les hanches de l'Antiope au buste d'un imberbe,
Tant sa taille faisait ressortir son bassin.
Sur ce teint fauve et brun, le fard était superbe !

– Et la lampe s'étant résignée à mourir,
Comme le foyer seul illuminait la chambre,
Chaque fois qu'il poussait un flamboyant soupir,
Il inondait de sang cette peau couleur d'ambre !

Charles Baudelaire
Les Fleurs du mal

Échantillon de beauté antique [détail]
(Charles Baudelaire)

« L'Antiope en question est le magnifique tableau du Corrège au Louvre qui représente la fille de Nyctéus roi de Thèbes séduite pendant son sommeil par Zeus sous les traits d'un satyre. »
Michel Butor

Michel Butor voit aussi dans le personnage d'Antiope un souvenir de Racine :
« C'est évidemment de Phèdre *que vient ce prénom. Car Antiope, cette Antiope n'est pas seulement la mère d'un Hippolyte, mais aussi la sœur d'une Hippolyte, reine des Amazones. »*

Une mendiante rousse

Blanche fille aux cheveux roux,
Dont la robe par ses trous
Laisse voir la pauvreté
  Et la beauté.

Pour moi, poète chétif,
Ton jeune corps maladif,
Plein de taches de rousseur,
  A sa douceur.

Tu portes plus galamment
Qu'une reine de roman
Ses cothurnes de velours
  Tes sabots lourds.

Au lieu d'un haillon trop court,
Qu'un superbe habit de cour
Traîne à plis bruyants et longs
  Sur tes talons ;

En place de bas troués,
Que pour les yeux des roués
Sur ta jambe un poignard d'or
  Reluise encor ;

Que des nœuds mal attachés
Dévoilent nos péchés
Tes deux beaux seins, radieux
  Comme des yeux ;

Que pour te déshabiller
Tes bras se fassent prier
Et chassent à coups mutins
  Les doigts lutins,

Perles de la plus belle eau,
Sonnets de maître Belleau
Par tes galants mis aux fers
  Sans cesse offerts,

Valetaille de rimeur
Te dédiant leurs primeurs
En contemplant ton soulier
  Sous l'escalier.

Maint page épris du hasard,
Maint seigneur et maint Ronsard
Épieraient pour le déduit
  Ton frais réduit.

Tu compterais dans tes lits
Plus de baisers que de lis
Et rangerais sous tes lois
  Plus d'un Valois !

– Cependant tu vas gueusant
Quelque vieux débris gisant
Au seuil de quelque Véfour
  De carrefour ;

Tu vas lorgnant en dessous
Des bijoux de vingt-neuf sous
Dont je ne puis, oh ! pardon !
  Te faire don ;

Va donc, sans autre ornement.
Parfum, perles, diamant,
Que ta maigre nudité,
  Ô ma beauté !

Charles Baudelaire
Les Fleurs du mal

Ce poème a été très certainement écrit en 1843. La jeune personne qui a inspiré Baudelaire a aussi été chantée par Théodore de Banville dans ses Stalactites *(« Une petite chanteuse des rues »).*

« Les poètes trouvent le rebut de la société dans la rue, et leur sujet héroïque avec lui. »
Walter Benjamin

Les Confidences de Lamantine [détail]
(Tony Johannet, XIXe s.)

Apparition

La lune s'attristait. Des séraphins en pleurs
Rêvant, l'archet aux doigts, dans le calme des fleurs
Vaporeuses, tiraient de mourantes violes
De blancs sanglots glissant sur l'azur des corolles.
— C'était le jour béni de ton premier baiser.
Ma songerie aimant à me martyriser
S'enivrait savamment du parfum de tristesse
Que même sans regret et sans déboire laisse
La cueillaison d'un Rêve au cœur qui l'a cueilli.
J'errais donc, l'œil rivé sur le pavé vieilli
Quand avec du soleil aux cheveux, dans la rue
Et dans le soir, tu m'es en riant apparue
Et j'ai cru voir la fée au chapeau de clarté
Qui jadis sur mes beaux sommeils d'enfant gâté »
Passait, laissant toujours de ses mains mal fermées
Neiger de blancs bouquets d'étoiles parfumées.

Stéphane Mallarmé (1842-1898)
Poésies (1887)

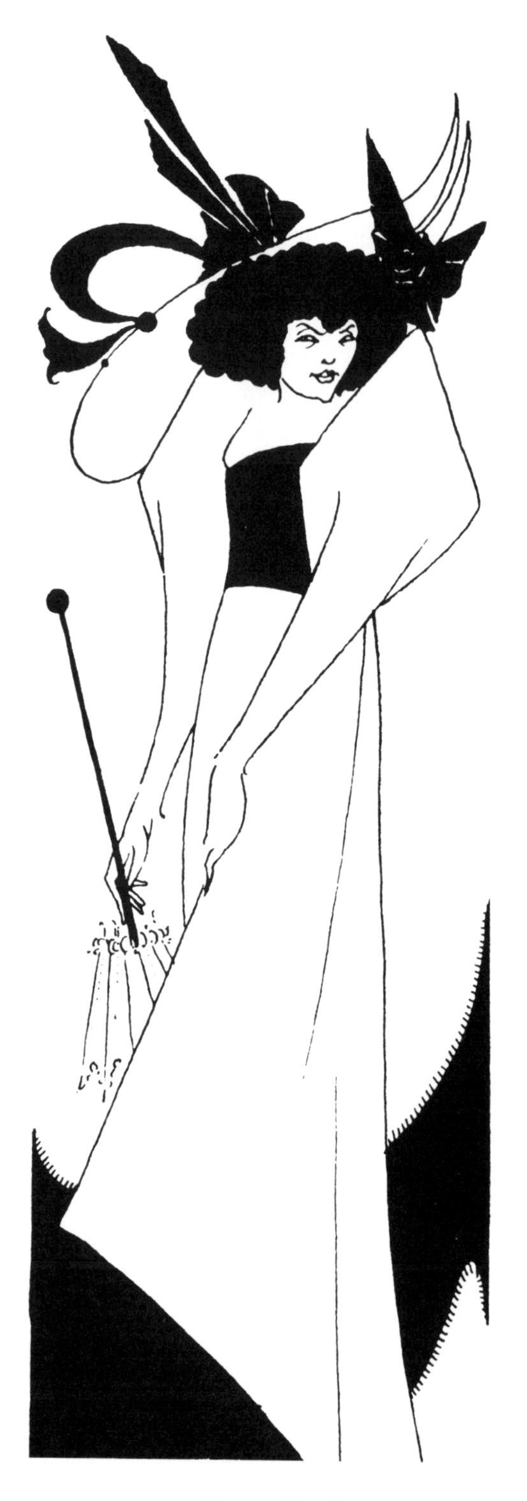

Keynotes [détail]
(Aubrey Beardsley, fin XIXe s.)

Il s'agit d'un poème de la première période mallarméenne d'inspiration symboliste et préraphaélite (écrit très certainement vers 1863).

*« L'inopportunité même de son œuvre fera qu'elle ne sera pas passagère.
Déjà d'avance hors du présent, elle apparaissait bien comme une œuvre lointaine, éprouvée déjà par le temps, sur quoi le temps n'a plus de prise. »*
André Gide

Anne

À André Lebey.

Anne qui se mélange au drap pâle et délaisse
Des cheveux endormis sur ses yeux mal
[ouverts
Mire ses bras lointains tournés avec mollesse
Sur la peau sans couleur du ventre découvert.

Elle vide, elle enfle d'ombre sa gorge lente,
Et comme un souvenir pressant ses propres
[chairs,
Une bouche brisée et pleine d'eau brûlante
Roule le goût immense et le reflet des mers.

Enfin désemparée et libre d'être fraîche,
La dormeuse déserte aux touffes de couleur
Flotte sur son lit blême, et d'une lèvre sèche,
Tette dans la ténèbre un souffle amer de fleur.

Et sur le linge où l'aube insensible se plisse,
Tombe, d'un bras de glace effleuré de carmin,
Toute une main défaite et perdant le délice
À travers ses doigts nus dénoués de l'humain.

Au hasard ! À jamais, dans le sommeil sans
[hommes
Pur des tristes éclairs de leurs embrassements,
Elle laisse rouler les grappes et les pommes
Puissantes, qui pendaient aux treilles
[d'ossements,

Qui riaient, dans leur ambre appelant les
[vendanges,
Et dont le nombre d'or de riches mouvements
Invoquait la vigueur et les gestes étranges
Que pour tuer l'amour inventent les amants...

Sur toi, quand le regard de leurs âmes s'égare,
Leur cœur bouleversé change comme leurs
[voix,
Car les tendres apprêts de leur festin barbare
Hâtent les chiens ardents qui tremblent dans
[ces rois...

À peine effleurent-ils de doigts errant ta vie,
Tout leur sang les accable aussi lourd que la
[mer,
Et quelque violence aux abîmes ravie
Jette ces blancs nageurs sur tes roches de
[chair...

Récifs délicieux, Île toute prochaine,
Terre tendre, promise aux démons apaisés,
L'amour t'aborde, armé des regards de la
[haine,
Pour combattre dans l'ombre une hydre de
[baisers !

Ah, plus nue et qu'imprègne une prochaine
[aurore,
Si l'or triste interroge un tiède contour,
Rentre au plus pur de l'ombre où le Même
[s'ignore,
Et te fais un vain marbre ébauché par le jour !

Laisse au pâle rayon ta lèvre violée
Mordre dans un sourire un long germe de
[pleur,
Masque d'âme au sommeil à jamais immolée
Sur qui la paix soudaine a surpris la douleur !

Plus jamais redorant tes ombres satinées,
La vieille aux doigts de feu qui fendent les
[volets
Ne viendra t'arracher aux grasses matinées
Et rendre au doux soleil tes joyeux bracelets...

Mais suave, de l'arbre extérieur, la palme
Vaporeuse remue au-delà du remords,
Et dans le feu, parmi trois feuilles, l'oiseau
[calme
Commence le chant seul qui réprime les
[morts.

Paul Valéry (1871-1945)
Album de vers anciens (1900)

« Et le plus bel éloge que ses admirateurs puissent faire de ce disciple intellectualiste de Mallarmé est justement que, parfois, il nous fait songer à la sensualité épurée de Racine. Les cent vers de Valéry que conservera l'avenir vaudront pour cela. »
Robert Brasillach

Femme mi-nue (Gustav Klimt, 1914)

La dormeuse

À Lucien Fabre.

Quels secrets dans ton cœur brûle ma jeune
[amie,
Âme par le doux masque aspirant une fleur ?
De quels vains aliments sa naïve chaleur
Fait ce rayonnement d'une femme endormie ?

Souffle, songes, silence, invincible accalmie,
Tu triomphes, ô paix plus puissante qu'un pleur,
Quand de ce plein sommeil l'onde grave et
[l'ampleur
Conspirent sur le sein d'une telle ennemie.

Dormeuse, amas doré d'ombres et d'abandons,
Ton repos redoutable est chargé de tels dons,
Ô biche avec langueur longue auprès d'une grappe,

Que malgré l'âme absente, occupée aux enfers,
Ta forme au ventre pur qu'un bras fluide drape,
Veille ; ta forme veille, et mes yeux sont ouverts.

Paul Valéry (1871-1945)
Charmes (1922)

À propos du sommeil, Valéry déclarait :
« Tiède et tranquille masse mystérieusement isolée, arche close de vie qui transporte vers le jour mon histoire et mes chances, tu m'ignores, tu me conserves, tu es ma présence inexprimable. »

Une seule femme endormie

Par un temps humide et profond tu étais plus belle
Par une pluie désespérée tu étais plus chaude
Par un jour de désert tu me semblais plus humide
Quand les arbres sont dans l'aquarium du temps
Quand la mauvaise colère du monde est dans les
[cœurs
Quand le malheur est las de tonner sur les feuilles
Tu étais douce
Douce comme les dents de l'ivoire des morts
Et pure comme le caillot de sang
Qui sortait en riant des lèvres de ton âme.

Par un temps humide et profond le temps est
[plus noir
Par un jour de désert le cœur est plus humide.

Pierre Jean Jouve (1887-1976)
Matière céleste (1937)

Converti au catholicisme en 1924, Jouve mesure bientôt le rôle de l'inconscient et de sa « structure », où sont intriquées l'impulsion de l'éros et l'impulsion de la mort.

« Dénonciateur du malheur, cette poésie est aussi prophétie d'un malheur qui passera toute mesure. Nostalgie du paradis perdu, elle est bien plus encore attente de la catastrophe. » Gaétan Picon

Marizibill

Dans la Haute-Rue à Cologne
Elle allait et venait le soir
Offerte à tous en tout mignonne
Puis buvait lasse de trottoirs
Très tard dans les brasseries borgnes

Elle se mettait sur la paille
Pour un maquereau roux et rose
C'était un juif il sentait l'ail
Et l'avait venant de Formose
Tirée d'un bordel de Changaï

Je connais gens de toutes sortes
Ils n'égalent pas leurs destins
Indécis comme feuilles mortes
Leurs yeux sont des feux mal éteints
Leurs cœurs bougent comme leurs portes.

Guillaume Apollinaire (1880-1918)
Alcools (1913)

« Il avait choisi pour devise : "J'émerveille" et j'estime encore aujourd'hui que de sa part ce n'était pas trop prétendre. »
André Breton

« Apollinaire pilote du cœur, laissons-nous seulement gouverner. »
André Breton

Ver Sacrum (Koloman Moser, 1905)

L'amour sans trêve

Ce triangle d'eau qui a soif
cette route sans écriture
Madame, et le signe de vos mâtures
sur cette mer où je me noie

Les messages de vos cheveux
le coup de fusil de vos lèvres
cet orage qui m'enlève
dans le sillage de vos yeux

Cette ombre enfin, sur le rivage
où la vie fait trêve, et le vent,
et l'horrible piétinement
de la foule sur mon passage.

Quand je lève les yeux vers vous
on dirait que le monde tremble,
et les feux de l'amour ressemblent
aux caresses de votre époux.

Antonin Artaud (1896-1948)
L'Ombilic des limbes (1925)

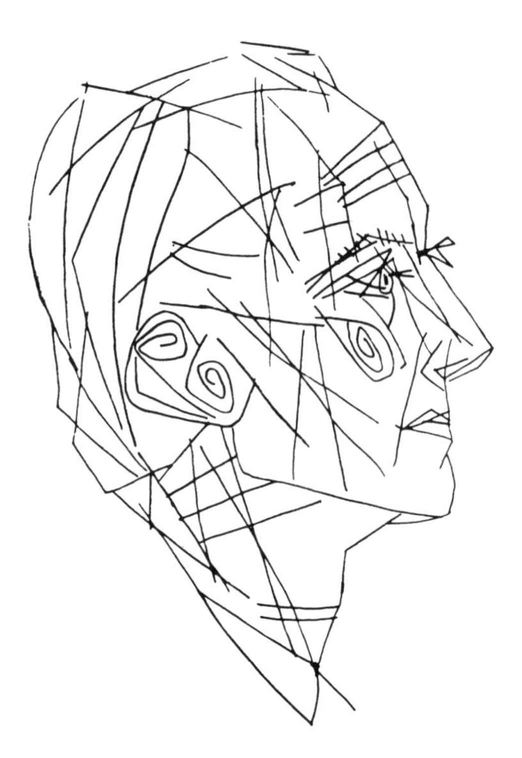

Paul Eluard (André Masson)

Pour Maurice Blanchot, Antonin Artaud a été l'homme d'un combat : « Combat entre la pensée comme manque et l'impossibilité de supporter ce manque, – entre la pensée comme néant et la plénitude de jaillissement qui se dérobe en elle, – entre la pensée comme séparation et la vie inséparable de la pensée. »

Marcel Arland disait de la poésie d'Eluard qu'elle était « éblouissement, cri, convulsion, scintillement d'images suscitées de toutes parts ».

« C'est de l'amour que les surréalistes attendent la grande révélation, et leur souci moral semble souvent se réduire à n'en pas démériter. »
Fernand Alquié

La courbe de tes yeux

La courbe de tes yeux fait le tour de mon cœur,
Un rond de danse et de douceur,
Auréole du temps, berceau nocturne et sûr,
Et si je ne sais plus tout ce que j'ai vécu
C'est que tes yeux ne m'ont pas toujours vu

Feuille de jour et mousse de rosée,
Roseaux du vent, sourires parfumés,
Ailes couvrant le monde de lumière,
Bateaux chargés du ciel et de la mer,
Chasseurs des bruits et sources des couleurs,

Parfums éclos d'une couvée d'aurores
Qui gît toujours sur la paille des astres,
Comme le jour dépend de l'innocence
Le monde entier dépend de tes yeux purs
Et tout mon sang coule dans leurs regards.

Paul Eluard (1895-1952)
Capitale de la douleur (1926)

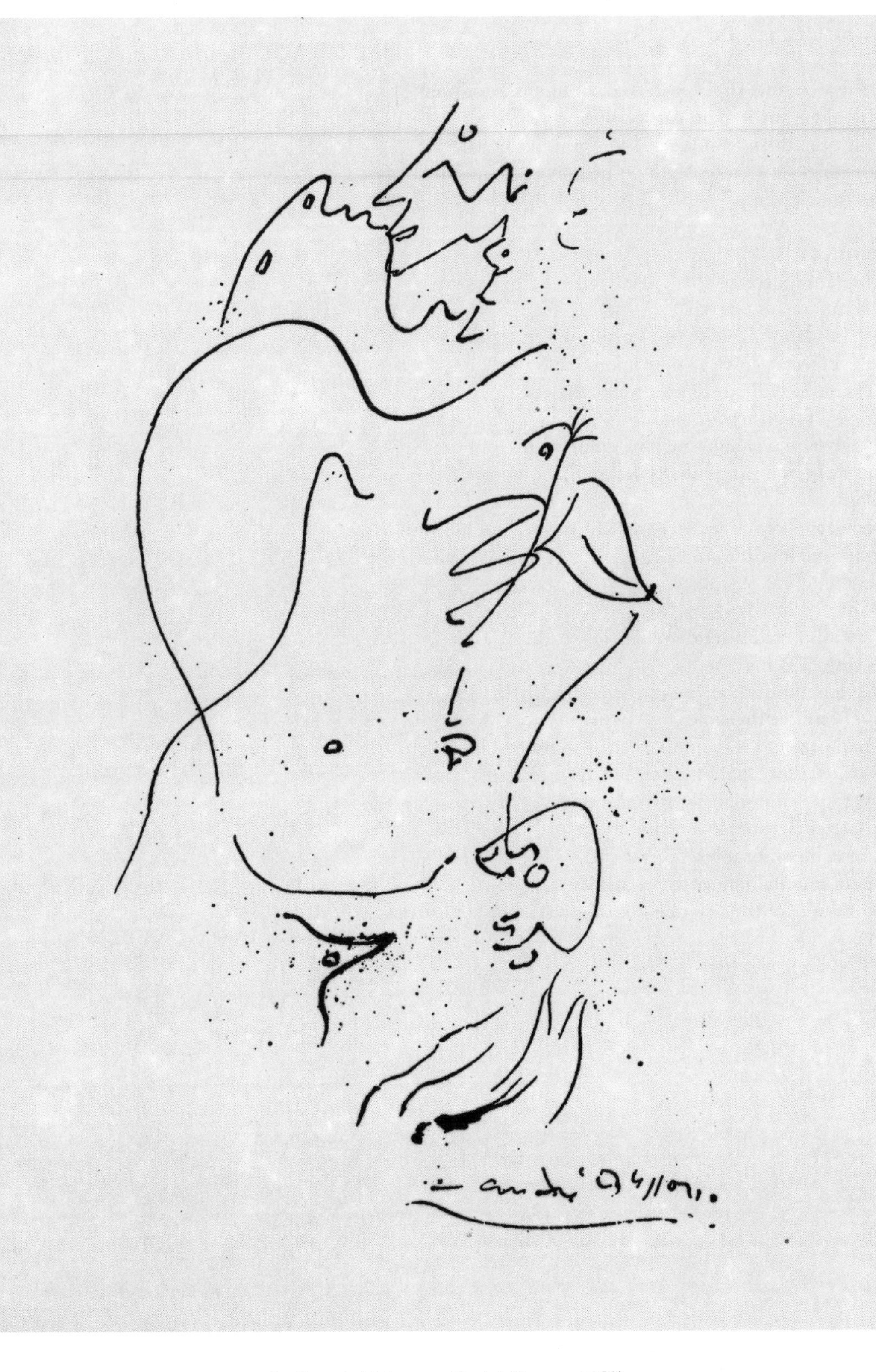

La Terre n'est à personne (André Masson, 1929)

Je rêve je te vois...

Je rêve je te vois superposée indéfiniment à toi-même
Tu es assise sur le haut tabouret de corail
Devant ton miroir toujours à son premier quartier
Deux doigts sur l'aile d'eau du peigne
Et en même temps
Tu reviens de voyage tu t'attardes la dernière dans la
grotte
Ruisselante d'éclairs
Tu ne me reconnais pas
Tu es étendue sur le lit tu t'éveilles ou tu t'endors
Tu t'éveilles où tu t'es endormie ou ailleurs
Tu es nue la balle de sureau rebondit encore
Mille balles de sureau bourdonnent au-dessus de toi
Si légères qu'à chaque instant ignorées de toi
Ton souffle ton sang sauvés de la folle jonglerie de
l'air
Tu traverses la rue les voitures lancées sur toi ne sont
plus que leur ombre
Et la même
Enfant
Prise dans un soufflet de paillettes
Tu sautes à la corde
Assez longtemps pour qu'apparaisse au haut
de l'escalier invisible
Le seul papillon vert qui hante les sommets de l'Asie
Je caresse tout ce qui fut toi
Dans tout ce qui doit l'être encore
J'écoute siffler mélodieusement
Tes bras innombrables
Serpent unique dans tous les arbres
Tes bras au centre desquels tourne le cristal de la rose
des vents
Ma fontaine vivante de Sivas.

André Breton (1896-1966)
L'Air de l'eau (1934)

« Breton voit dans le rêve
un argument capital prouvant
la tendance de l'homme à échapper
aux fins logiques. »
Alexandrian

Simulacre (André Masson, 1923)

L'aigle sexuel exulte...

L'aigle sexuel exulte il va dorer la terre encore une
fois
Son aile descendante
Son aile ascendante agite imperceptiblement les
manches de la menthe poivrée
Et tout l'adorable déshabillé de l'eau
Les jours sont comptés si clairement
Que le miroir a fait place à une nuée de frondes
Je ne vois du ciel qu'une étoile
Il n'y a plus autour de nous que le lait décrivant son
ellipse vertigineuse
D'où la molle intuition aux paupières d'agate œillée
Se soulève parfois pour piquer la pointe de son ombrelle
dans la boue de la lumière électrique
Alors des étendues jettent l'ancre se déploient au fond
de mon œil fermé
Icebergs rayonnant des coutumes de tous les mondes à
venir
Nés d'une parcelle de toi d'une parcelle inconnue et
glacée qui s'envole
Ton existence le bouquet géant qui s'échappe de mes
bras
Est mal liée elle creuse les murs déroule les escaliers
des maisons
Elle s'effeuille dans les vitrines de la rue
Aux nouvelles je pars sans cesse aux nouvelles
Le journal est aujourd'hui de verre et si les lettres
n'arrivent plus
C'est parce que le train a été mangé
La grande incision de l'émeraude qui donna naissance
au feuillage
Est cicatrisée pour toujours les scieries de neige
aveuglante
Et les carrières de chair bourdonnent seules au premier
rayon
Renversé dans ce rayon
Je prends l'empreinte de la mort et de la vie
À l'air liquide

André Breton
L'Air de l'eau

Dans le recueil L'Air de l'eau,
Breton évoque l'époque où
il a rencontré Jacqueline,
laquelle se produisait dans
un spectacle aquatique.

« André Breton propose de voir dans l'amour
la plus haute expérience humaine, celle qui
peut le mieux assouvir la soif d'absolu et faire
toucher à l'homme la limite de sa condition. »
Robert Bréchon

Il allait être...

Il allait être cinq heures du matin
La barque de buée tendait sa chaîne à faire éclater les
vitres
Et dehors
Un ver luisant
Soulevait comme une feuille Paris
Ce n'était qu'un cri tremblant continu
Un cri parti de l'hospice de la Maternité tout proche
FINIS FONDEUR FOU
Mais tout ce qui passait de joie dans l'exhalaison de
cette douleur
Il me semble que j'étais tombé longtemps
J'avais encore la main crispée sur une poignée d'herbes
Et soudain ce froissement de fleurs et d'aiguilles de
glace
Ces sourcils verts ce balancier d'étoile filante
De quelles profondeurs pouvait bien remonter la cloche
Hermétique
Dont rien la veille encore ne me faisait prévoir l'arrêt à
ce palier
La cloche aux parois de laquelle
Ondine
Tout en agitant pour t'élever la pédale du sagittaire en
fer de lance
Tu avais gravé les signes infaillibles
De mon enchantement
Au moyen d'un poignard dont le manche de corail
bifurque à l'infini
Pour que ton sang et le mien
N'en fassent qu'un

André Breton
L'Air de l'eau

« Car il y a une beauté surréaliste,
une beauté "convulsive",
fondée sur la merveille, l'insolite,
l'absurde. Il y a enfin une éthique
surréaliste – et sans doute est-il
possible de dire que le surréalisme
a été avant tout une entreprise
passionnée de libération. »
Gaétan Picon

« Le Philtre », Trophées érotiques
(André Masson, 1962)

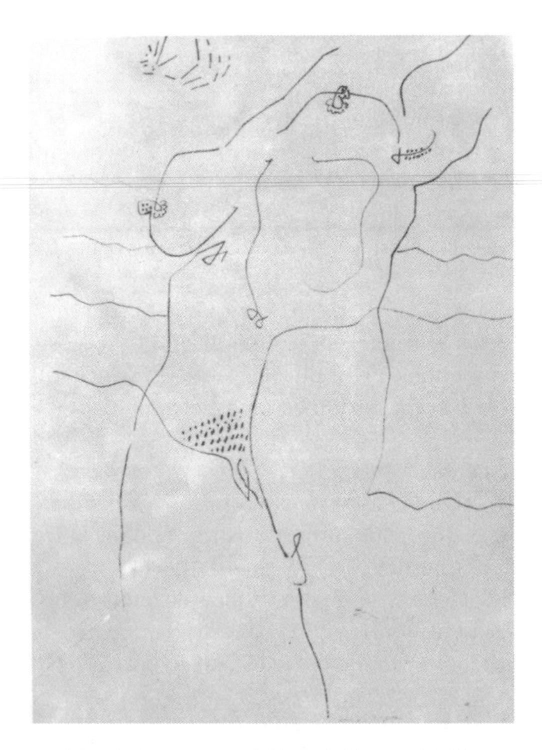

Torse de femme au soleil (André Masson, 1948)

Toujours pour la première fois...

Toujours pour la première fois
C'est à peine si je te connais de vue
Tu rentres à telle heure de la nuit dans une maison
oblique à ma fenêtre
Maison tout imaginaire
C'est là que d'une seconde à l'autre
Dans le noir intact
Je m'attends à ce que se produise une fois de plus la
déchirure fascinante
La déchirure unique
De la façade et de mon cœur
Plus je m'approche de toi
En réalité
Plus la clé chante à la porte de la chambre inconnue
Où tu m'apparais seule
Tu es d'abord tout entière fondue dans le brillant
L'angle fugitif d'un rideau
C'est un champ de jasmin que j'ai contemplé à l'aube
sur une route des environs de Grasse
Avec ses cueilleuses en diagonale
Derrière elles l'aile sombre tombante des plants
dégarnis

Devant elles l'équerre de l'éblouissant
Le rideau invisiblement soulevé
Rentrent en tumulte toutes les fleurs
C'est toi aux prises avec cette heure trop longue jamais
assez trouble jusqu'au sommeil
Toi comme si tu pouvais être
La même à cela près que je ne te rencontrerais peut-être
jamais
Tu fais semblant de ne pas savoir que je t'observe
Merveilleusement je ne suis plus sûr que tu le sais
Ton désœuvrement m'emplit les yeux de larmes
Une nuée d'interprétations entoure chacun de tes
gestes
C'est une chasse à la miellée
Il y a des rocking-chairs sur un pont il y a des bran-
chages qui risquent de t'égratigner dans la forêt
Il y a une vitrine rue Notre-Dame-de-Lorette
Deux belles jambes croisées prises dans de hauts bas
Qui s'évasent au centre d'un grand trèfle blanc
Il y a une échelle de soie déroulée sur le lierre
Il y a
Qu'à me pencher sur le précipice
De la fusion sans espoir de ta présence et de ton absence
J'ai trouvé le secret
De t'aimer
Toujours pour la première fois

André Breton
L'Air de l'eau

Pour Julien Gracq,
« le magnétisme secret
de Breton est dans cet index
tendu vers un point de fuite
qui dévore le paysage,
mais peut-être aussi à lui
seul, d'une manière profonde,
le fait vivre, de la seule vie
qui mérite pour Breton
d'être vécue, la vie à perdre
haleine ».

Le Décaméron (Salvador Dalí, 1972)

Barbara

Rappelle-toi Barbara
Il pleuvait sans cesse sur Brest ce jour-là
Et tu marchais souriante
Épanouie ravie ruisselante
Sous la pluie
Rappelle-toi Barbara
Il pleuvait sans cesse sur Brest
Et je t'ai croisée rue de Siam
Tu souriais
Et moi je souriais de même
Rappelle-toi Barbara
Toi que je ne connaissais pas
Toi qui ne me connaissais pas
Rappelle-toi
Rappelle-toi quand même ce jour-là
N'oublie pas

Un homme sous un porche s'abritait
Et il a crié ton nom
Barbara
Et tu as couru vers lui sous la pluie
Ruisselante ravie épanouie
Et tu t'es jetée dans ses bras
Rappelle-toi cela Barbara
Et ne m'en veux pas si je te tutoie
Je dis tu à tous ceux que j'aime
Même si je ne les ai vus qu'une seule fois
Je dis tu à tous ceux qui s'aiment
Même si je ne les connais pas
Rappelle-toi Barbara
N'oublie pas
Cette pluie sage et heureuse
Sur ton visage heureux
Sur cette ville heureuse
Cette pluie sur la mer
Sur l'arsenal
Sur le bateau d'Ouessant
Oh Barbara
Quelle connerie la guerre
Qu'es-tu devenue maintenant
Sous cette pluie de fer
De feu d'acier de sang
Et celui qui te serrait dans ses bras
Amoureusement
Est-il mort disparu ou bien encore vivant
Oh Barbara
Il pleut sans cesse sur Brest
Comme il pleuvait avant
Mais ce n'est plus pareil et tout est abîmé
C'est une pluie de deuil terrible et désolée
Ce n'est même plus l'orage
De fer d'acier de sang
Tout simplement des nuages
Qui crèvent comme des chiens
Des chiens qui disparaissent
Au fil de l'eau sur Brest
Et vont pourrir au loin
Au loin très loin de Brest
Dont il ne reste rien.

Jacques Prévert (1900-1977)
Paroles (1946)

Jeune Fille assise (Aristide Maillol, 1922)

Le poète évoque sa rencontre avec Barbara au lendemain de la destruction de Brest par les bonbardements.

« À travers le discours populaire, le jaillissement bigarré et vraiment créateur du langage parlé, Prévert retrouve la veine de la chanson, de la romance, de toutes les formes instinctuelles auxquelles, depuis des siècles, les hommes simples ont confié leur mélancolie et leur espoir. »

Gaétan Picon

La semaine pâle

Blonde blonde
était la femme disparue entre les pavés
si légers qu'on les aurait cru de feuilles
si grands qu'on eût dit des maisons

C'était je m'en souviens un lundi
jour où le savon fait pleurer les astronomes

Le mardi je la revis
semblable à un journal déplié
flottant aux vents de l'Olympe
Après un sourire qui fila comme une lampe
elle salua sa sœur la fontaine
et retourna dans son château

Mercredi nue blême et ceinte de roses
elle passa comme un mouchoir
sans regarder les ombres de ses semblables
qui s'étendaient comme la mer

Jeudi je ne vis que ses yeux
signaux toujours ouverts pour toutes les catastrophes
L'un disparut derrière quelque cervelle
et l'autre fut avalé par un savon

Vendredi quand on aime
est le jour des désirs
Mais elle s'éloigna en criant
Tilbury tilbury ma flûte est perdue
Va-t'en la rechercher sous la neige ou dans la mer

Samedi je l'attendais une racine à la main
prêt à brûler en son honneur
les astres et la nuit qui me séparaient d'elle
mais elle était perdue comme sa flûte
comme un jour sans amour

Et j'attendais dimanche
mais dimanche ne vint jamais
et je restai dans le fond de la cheminée
comme un arbre égaré

Benjamin Péret (1899-1959)
Le Grand Jeu (1928)

« [...] Une œuvre tout entière ouverte à l'humour et au merveilleux, et qui se caractérise par une invention perpétuelle à force de verve, de jeux de mots, d'allitérations et d'images neuves. »
Bernard Noël

Femme noire

Femme nue, femme noire
Vêtue de ta couleur qui est vie, de ta forme qui est beauté !
J'ai grandi à ton ombre ; la douceur de tes mains bandait
mes yeux.
Et voilà qu'au cœur de l'Été et de Midi, je te découvre,
Terre promise, du haut d'un haut col calciné
Et ta beauté me foudroie en plein cœur, comme l'éclair
d'un aigle.

Portrait de femme
(Henri Matisse)

Femme nue, femme obscure
Fruit mûr à la chair ferme, sombres extases du vin noir,
bouche qui fais lyrique ma bouche
Savane aux horizons purs, savane qui frémis aux caresses
ferventes du Vent d'Est
Tamtam sculpté, tamtam tendu qui grondes sous les doigts
du vainqueur
Ta voix grave de contralto est le chant spirituel de l'Aimée.

Femme nue, femme obscure
Huile que ne ride nul souffle, huile calme aux flancs de
l'athlète, aux flancs des princes du Mali
Gazelle aux attaches célestes, les perles sont étoiles sur
la nuit de ta peau
Délices des jeux de l'esprit, les reflets de l'or rouge sur ta
peau qui se moire
À l'ombre de ta chevelure, s'éclaire mon angoisse aux
soleils prochains de tes yeux.

Femme nue, femme noire
Je chante ta beauté qui passe, forme que je fixe dans l'Éternel
Avant que le Destin jaloux ne te réduise en cendres pour
nourrir les racines de la vie.

Léopold Sédar Senghor (né en 1906)
Chants d'ombre (1945)

*« Son œuvre s'efforce d'inscrire
dans notre langue la charge
d'images que les Noirs attachent à
chaque mot et à retrouver le caractère
symphonique de leurs compositions. »*
Danièle Boone

La chambre

Le miroir et le fleuve en crue, ce matin,
S'appelaient à travers la chambre, deux lumières
Se trouvent et s'unissent dans l'obscur
Des meubles de la chambre descellée.

Et nous étions deux pays de sommeil
Communiquant par leurs marches de pierre
Où se perdait l'eau non trouble d'un rêve
Toujours se reformant, toujours brisé.

La main pure dormait près de la main soucieuse.
Un corps un peu parfois dans son rêve bougeait.
Et loin, sur l'eau plus noire d'une table,
La robe rouge éclairante dormait.

Yves Bonnefoy (né en 1923)
Pierre écrite (1959)

« Cette œuvre est l'une des moins narcissiques qui soient. Elle est tout entière tournée vers l'objet extérieur qui lui importe, et dont la singularité, le caractère unique, impliquent toujours la possibilité du partage. »
Jean Starobinski

Sonnets d'amour
(Henri de Waroquier, 1943)

La rencontre

Apollon poursuivant Daphné
(Aubrey Beardsley, fin XIXe s.)

Cavalier (Villard de Honnecourt, v. 1240)

La princesse lointaine

La princesse lointaine
Quand le ruisseau de la fontaine
S'éclaircit et la marjolaine
Au joyeux soleil du printemps
Et que du rossignol le chant
S'élève et module et s'affine
Sur la branche de l'aubépine,
Il faut que j'entonne le mien.

Amour de la terre lointaine
Pour vous tout mon corps est dolent,
Car ce ne fut plus gente chrétienne.
Heureux pour qui elle est parlant.

De désir mon cœur est tiré
Vers cette dame qu'entre tous j'aime.
Pour elle ai toujours soupiré,
Mais ne veux pas que l'on me plaigne,
Car de la douleur naît la joie.

Lorsque les jours sont longs en mai,
Le doux chant des oiseaux me plaît
Et quand peu à peu il s'éteint
D'un amour lointain me souvient ;
Je marche alors tête baissée
Et non plus que saison glacée
Me plaît alors le chant d'oiseau
Ou le gazouillis du ruisseau.
Je le tiendrai pour vrai Seigneur
Par qui verrai l'amour lointain,

Mais malgré l'espoir de tel heur
J'ai mal, car il est trop lointain.
Ah ! que ne suis-je pèlerin
Là-bas pour porter le bourdon
Et recevoir le meilleur don
D'être contemplé par ses yeux.
Jamais d'amour ne jouirai
Sinon de cet amour lointain,

Car femme ne connais meilleure
Ni plus gracieuse en cette heure
De nulle part, ni près ni loin.
Pour elle et pour lui rendre soin
Je consens à être captif
Là-bas au pays sarrasin.

Il dit vrai celui qui m'appelle
Le désireux d'amour lointain,
Car nulle autre joie ne révèle
Que jouir de l'amour lointain,
Mais tous mes vœux sont inutiles
Et je suis voué à ce sort
D'aimer toujours sans être aimé.

Jaufré Rudel (XIIe siècle)
Chansons (traduction d'Alfred Jeanroy).

Rudel est un des héritiers de la conception amoureuse de Guillaume IX d'Aquitaine, lequel est considéré comme le premier des troubadours. Contrairement à ce que l'on pourrait croire en lisant ce poème, Rudel n'est pas mort en Orient dans les bras de la dame de Tripoli. Selon Jean-Charles Payen, le mythe de l'Orient lointain signifie que « l'amour, pour vivre, exige l'ombre, l'absence, le mystère ».

Homme assis à terre (Villard de Honnecourt, v. 1240)

Marie, levez-vous...

Marie, levez-vous, vous êtes paresseuse :
Jà la gaie alouette au ciel a fredonné,
Et jà le rossignol doucement jargonné,
Dessus l'épine assis, sa complainte amoureuse,

Sus ! debout ! allons voir l'herbelette perleuse,
Et votre beau rosier de boutons couronné,
Et vos œillets mignons, auxquels aviez donné,
Hier au soir, de l'eau d'une main si soigneuse.

Harsoir en vous couchant, vous jurâtes vos yeux
D'être plus tôt que moi ce matin éveillée ;
Mais le dormir de l'Aube, aux filles gracieux,

Vous tient d'un doux sommeil encor les yeux sillée,
Çà ! çà ! que je les baise et votre beau tétin,
Cent fois, pour vous apprendre à vous lever matin.

Pierre de Ronsard (1524-1585)
Les Amours de Marie (1555)

« L'éclat de l'aurore, la fraîcheur du matin, toutes les fleurs du jardinet, le miroir des sources viennent se fondre dans la célébration de la beauté d'un corps de jeune fille. »
Henri Weber

Les Amours de Ronsard
(Henri Matisse, 1948)

L'Adolescence (Abraham Bosse)

Beaux et grands bâtiments…

Beaux et grands bâtiments d'éternelle structure,
Superbes de matière, et d'ouvrages divers,
Où le plus digne roi qui soit en l'univers
Aux miracles de l'art fait céder la nature.

Beau parc, et beaux jardins, qui dans votre clôture,
Avez toujours des fleurs, et des ombrages verts,
Non sans quelque démon qui défend aux hivers
D'en effacer jamais l'agréable peinture.

Lieux qui donnez aux cœurs tant d'aimables désirs,
Bois, fontaines, canaux, si parmi vos plaisirs
Mon humeur est chagrine, et mon visage triste :

Ce n'est point qu'en effet vous n'ayez des appas,
Mais quoi que vous ayez, vous n'avez point Caliste :
Et moi je ne vois rien quand je ne la vois pas.

François de Malherbe (1555-1628)
Poésies (1608)

Le poète a composé ce sonnet à Fontainebleau. En l'absence de celle qu'il aime, Caliste, « la très belle », il évoque ces lieux qu'il admire (le château et les jardins avaient fait l'objet de travaux d'embellissement) : « Toute la composition est donc commandée par l'unité de point de vue et la rigueur acérée d'une construction partout apparente ; la poésie de Malherbe fait fi de l'inspiration, de l'incantation et du message ; elle veut être avant tout construction. »

Jean Rousset

Le promenoir des deux amants

Auprès de cette grotte sombre
Où l'on respire un air si doux,
L'onde lutte avec les cailloux,
Et la lumière avecque l'ombre.

Ces flots lassés de l'exercice
Qu'ils ont fait dessus ce gravier
Se reposent dans ce vivier
Où mourut autrefois Narcisse.

C'est un des miroirs où le Faune
Vient voir si son teint cramoisi
Depuis que l'amour l'a saisi
Ne serait point devenu jaune.

L'ombre de cette fleur vermeille,
Et celle de ces joncs pendants
Paraissent être là-dedans
Les songes de l'eau qui sommeille.

Les plus aimables influences
Qui rajeunissent l'univers
Ont relevé ces tapis verts
De fleurs de toutes les nuances.

Dans ce bois, ni dans ces montagnes
Jamais chasseur ne vint encor.
Si quelqu'un y sonne du cor,
C'est Diane avec ses compagnes.

Ce vieux chêne a des marques saintes.
Sans doute qui le couperait
Le sang chaud en découlerait,
Et l'arbre pousserait des plaintes.

Ce rossignol mélancolique
Du souvenir de son malheur
Tâche de charmer sa douleur
Mettant son histoire en musique.

Il reprend sa note première
Pour chanter d'un art sans pareil
Sous ce rameau que le soleil
A doré d'un trait de lumière.

Sur ce frêne deux tourterelles
S'entretiennent de leurs tourments,
Et font les doux appointements
De leurs amoureuses querelles.

Un jour Vénus avec Anchise
Parmi ces forts s'allait perdant,
Et deux Amours en l'attendant
Disputaient pour une cerise.

Dans toutes ces routes divines
Les Nymphes dansent aux chansons,
Et donnent la grâce aux buissons
De porter des fleurs sans épines.

Jamais les vents ni le tonnerre
N'ont troublé la paix de ces lieux,
Et la complaisance des cieux
Y sourit toujours à la terre.

Crois mon conseil, chère Climène,
Pour laisser arriver le soir,
Je te prie, allons nous asseoir
Sur le bord de cette fontaine.

Ne vois-tu pas soupirer Zéphyre
De merveille et d'amour atteint,
Voyant des roses sur ton teint
Qui ne sont pas de son empire ?

Sa bouche d'odeurs toute pleine
A soufflé sur notre chemin,
Mêlant un esprit de jasmin
À l'ambre de ta douce haleine.

Penche la tête sur cette onde
Dont le cristal paraît si noir,
Je t'y ferai apercevoir
L'objet le plus charmant du monde.

Tu ne dois pas être étonnée
Si vivant sous tes douces lois,
J'appelle ces beaux yeux mes rois,
Mes astres, et ma destinée.

Bien que ta froideur soit extrême,
Si dessous l'habit d'un garçon
Tu te voyais de la façon,
Tu mourrais d'amour pour toi-même.

Vois mille Amours qui se vont prendre
Dans les filets de tes cheveux,
Et d'autres qui cachent leurs feux
Dessous une si belle cendre.

Cette troupe jeune et folâtre,
Si tu pensais la dépiter,
S'irait soudain précipiter
Du haut de ces deux monts d'albâtre.

Je tremble en voyant ton visage
Flotter avecque mes désirs,
Tant j'ai de peur que mes soupirs
Ne lui fassent faire naufrage.

De crainte de cette aventure,
Ne commets pas si librement
Cet infidèle élément
Tous les trésors de la nature.

Veux-tu par un doux privilège
Me mettre au-dessus des humains ?
Fais-moi boire au creux de tes mains,
Si l'eau n'en dissout pas la neige.

Ah ! je n'en puis plus, je me pâme,
Mon âme est prête à s'envoler,
Tu viens de me faire avaler
La moitié moins d'eau que de flamme !

Ta bouche d'un baiser humide
Pourrait amortir ce grand feu,
De crainte de pécher un peu,
N'achève pas un homicide.

J'aurais plus de bonne fortune
Caressé d'un jeune Soleil
Que celui qui dans le sommeil
Reçut des faveurs de la Lune.

Climène, ce baiser m'enivre,
Cet autre me rend tout transi.
Si je ne meurs de celui-ci,
Je ne suis pas digne de vivre.

Tristan L'Hermite (v. 1601-1655)
Les Amours de Tristan (1638)

Tristan est surtout connu pour avoir écrit un roman autobiographique, Le Page disgracié, *et une pièce de théâtre,* Marianne, *qui eut presque autant de succès que* Le Cid.

« Le plus souvent, l'eau de Tristan, c'est l'eau figée, endormie ou paresseuse. »
Jean Rousset

Adam et Ève sous l'arbre de la connaissance du Bien et du Mal (Marc-Antoine Raimondi, d'après Raphaël, XVIe s.)

Adonis

(anonyme, XVIIe s.)

Ô Vous de qui les voix jusqu'aux astres montèrent,
Lorsque par vos chansons tout l'Univers charmé
Vous ouït célébrer ce couple bien-aimé,
Grands et nobles esprits, chantres incomparables,
Mêlez parmi ces sons vos accords admirables.
Écho, qui ne tait rien, vous conta ces amours ;
Vous les vîtes gravés au fond des antres sourds :
Faites que j'en retrouve au temple de Mémoire
Les monuments sacrés, sources de votre gloire,
Et que, m'étant formé sur vos savantes mains,
Ces vers puissent passer aux derniers des humains !
Tout ce qui naît de doux en l'amoureux empire,
Quand d'une égale ardeur l'un pour l'autre on soupire
Et que, de la contrainte ayant banni les lois,
On se peut assurer au silence des bois,
Jours devenus moments, moments filés de soie,
Agréables soupirs, pleurs enfants de la joie,
Vœux, serments et regards, transports, ravissements,
Mélange dont se fait le bonheur des amants,
Tout par ce couple heureux fut lors mis en usage.
Tantôt ils choisissaient l'épaisseur d'un ombrage :
Là, sous des chênes vieux où leurs chiffres gravés
Se sont avec les troncs accrus et conservés,
Mollement étendus ils consumaient les heures,
Sans avoir pour témoins en ces sombres demeures
Que les chantres des bois, pour confidents qu'Amour,
Qui seul guidait leurs pas en cet heureux séjour.
Tantôt sur des tapis d'herbe tendre et sacrée
Adonis s'endormait auprès de Cythérée,
Dont les yeux, enivrés par des charmes puissants,
Attachaient au héros leurs regards languissants.
Bien souvent ils chantaient les douceurs de leurs peines ;
Et quelquefois assis sur le bord des fontaines,
Tandis que cent cailloux, luttant à chaque bond,
Suivaient les longs replis du cristal vagabond,
« Voyez, disait Vénus, ces ruisseaux et leur course ;
Ainsi jamais le temps ne remonte à sa source :
Vainement pour les dieux il fuit d'un pas léger ;
Mais vous autres mortels le devez ménager,
Consacrant à l'Amour la saison la plus belle. »
Souvent, pour divertir leur ardeur mutuelle,
Ils dansaient aux chansons, de Nymphes entourés.
Combien de fois la lune a leurs pas éclairés,
Et, couvrant de ses rais l'émail d'une prairie,
Les a vus à l'envi fouler l'herbe fleurie !

Jean de La Fontaine (1621-1695)
Adonis (1658)

Dans une forêt de l'île de Chypre vit un bel adolescent, Adonis, dont Vénus est tombée amoureuse.

Dans Adonis, *déclarait P. Clarac, « La Fontaine révélait pour la première fois sa voix flexible et tendre et l'infaillible pureté de sa diction ».*

L'Amour au violon (Titien, XVIe s.)

Ô jeune adolescent

Ô jeune adolescent, tu rougis devant moi.
Vois mes traits sans couleur ; ils pâlissent pour toi.
C'est ton front virginal, ta grâce, ta décence.
Viens. Il est d'autres jeux que les jeux de l'enfance.
Ô jeune adolescent, viens savoir que mon cœur
N'a pu de ton visage oublier la douceur.
Bel enfant, sur ton front volupté réside.
Ton regard est celui d'une vierge timide.
Ton sein blanc, que ta robe ose cacher au jour,
Semble encore ignorer qu'on soupire d'amour.
Viens le savoir de moi. Viens. Je veux te l'apprendre.
Viens remettre en mes mains ton âme vierge et tendre,
Afin que mes leçons moins timides que toi,
Te fassent soupirer et languir comme moi ;
Et qu'enfin rassuré, cette joue enfantine
Doive à mes seuls baisers cette rougeur divine.
Ô, je voudrais qu'ici tu vinsses un matin
Reposer mollement ta tête sur mon sein.
Je te verrais dormir, retenant mon haleine,
De peur de t'éveiller ne respirant qu'à peine.
Mon écharpe de lin que je ferais flotter,
Loin de ton beau visage aurait soin d'écarter
Les insectes volants dont les ailes bruyantes
Aiment à se poser sur les lèvres dormantes.

Mon visage est flétri des regards du soleil.
Mon pied blanc sous la ronce est devenu vermeil.
J'ai suivi tout le jour le fond de la vallée.
Des bêlements lointains partout m'ont rappelée :
J'ai couru : tu fuyais sans doute loin de moi ;
C'était d'autres pasteurs. Où te chercher ? Ô toi,
Le plus beau des humains, dis-moi, fais-moi connaître
Où sont donc tes troupeaux, où les mènes-tu paître,
Pour que je cesse enfin de courir sur les pas
Des troupeaux étrangers que tu ne conduis pas.

Viens. Là, sur des joncs frais ta place est toute prête
Viens, viens. Sur mes genoux viens reposer ta tête.
Les yeux levés vers moi, tu resteras muet,
Et je te chanterai la chanson qui te plaît.
Comme on voit, au moment où Phœbus va renaître,
La nuit prête à s'enfuir, le jour prêt à paraître,
Je verrai tes beaux yeux, les yeux de mon ami,
En un demi-sommeil se fermer à demi.
Tu me diras : « Adieu, je dors, adieu, ma belle.
– Adieu, dirai-je, adieu, dors, mon ami fidèle,
Car le... aussi dort le front vers les cieux. »
Et j'irai te baiser et le front et les yeux.

La Nymphe l'aperçoit et l'arrête et soupire.
Vers un banc de gazon, tremblante, elle l'attire ;
Elle s'assied. Il vient, timide avec candeur,
Ému d'un peu d'orgueil, de joie, et de pudeur.
Les deux mains de la Nymphe errent à l'aventure
L'une sur son front blanc va de sa chevelure
Former les blonds anneaux. L'autre de son menton
Caresse lentement le mol et doux coton.
« Approche, bel enfant, approche, lui dit-elle.
Toi si jeune et si beau, près de moi jeune et belle.
Viens, ô mon bel ami, viens, assieds-toi sur moi.
Dis, quel âge, mon fils, s'est écoulé pour toi ?
Aux combats du gymnase as-tu quelque victoire ?
Aujourd'hui, m'a-t-on dit, tes compagnons de gloire
Trop heureux ! te pressaient entre leurs bras glissants,
Et l'olive a coulé sur tes membres luisants.

Tu baisses tes yeux noirs ? Bienheureuse la mère
Qui t'a formé si beau, qui t'a nourri pour plaire !
Sans doute elle est Déesse. Eh quoi ! ton jeune sein

Tremble et s'élève ? Enfant, tiens. Porte ici ta main.
Le mien plus arrondi s'élève davantage.
Ce n'est pas (le sais-tu ? déjà dans le bocage
Quelque voile de Nymphe est-il tombé pour toi ?)
Ce n'est pas cela seul qui diffère chez moi.
Tu souris ? tu rougis ? Que ta joue est brillante !
Que ta bouche est vermeille ! et ta peau transparente !
N'es-tu pas Hyacinthe au blond Phœbus si cher ?

Ou ce jeune Troyen ami de Jupiter ?
Entr'ouvrit de Myrrha l'écorce maternelle ?
Ami qui que tu sois, oh ! tes yeux sont charmants,
Bel enfant, aime-moi. Mon cœur de mille amants
Rejeta mille fois la poursuite enflammée ;
Mais toi seul, aime-moi, j'ai besoin d'être aimée. »

André Chénier (1762-1794)
Bucoliques (1819)

« Une sensualité furieuse qui touche à l'obsession.
L'amour chez lui n'est rien s'il n'est charnel. »
Julien Green

« On peut dater d'André Chénier la poésie moderne. »
Théophile Gautier

Les Fables de La Fontaine
(Jean Honoré Fragonard, v. 1770)

Adieux de l'hôtesse arabe

Habitez avec nous. La terre est en votre puissance;
cultivez-la, trafiquez-y, et possédez.
(Genèse, *chap. XXIV*)

Puisque rien ne t'arrête en cet heureux pays,
Ni l'ombre du palmier, ni le jaune maïs,
Ni le repos, ni l'abondance,
Ni de voir à ta voix battre le jeune sein
De nos sœurs, dont, les soirs, le tournoyant
[essaim
Couronne un coteau de sa danse,

Adieu, voyageur blanc ! J'ai sellé de ma main,
De peur qu'il ne te jette aux pierres du chemin,
Ton cheval à l'œil intrépide ;
Ses pieds fouillent le sol, sa croupe est belle à voir,
Ferme, ronde et luisante ainsi qu'un rocher noir
Que polit une onde rapide.

Tu marches donc sans cesse ! Oh ! que n'es-tu
[de ceux
Qui donnent pour limite à leurs pieds paresseux
Leur toit de branches ou de toiles !
Qui, rêveurs, sans en faire, écoutent les récits,
Et souhaitent, le soir, devant leur porte assis,
De s'en aller dans les étoiles !

Si tu l'avais voulu, peut-être une de nous,
Jeune homme, eût aimé te servir à genoux
Dans nos huttes toujours ouvertes ;
Elle eût fait, en berçant ton sommeil de ses chants,
Pour chasser de ton front les moucherons
[méchants,
Un éventail de feuilles vertes.

Mais tu pars ! Nuit et jour, tu vas seul et jaloux.
Le fer de ton cheval arrache aux durs cailloux
Une poussière d'étincelles ;
À ta lance qui passe et dans l'ombre reluit,
Les aveugles démons qui volent dans la nuit
Souvent ont déchiré leurs ailes.

Si tu reviens, gravis, pour trouver ce hameau,
Ce mont noir qui de loin semble un dos de
[chameau ;
Pour trouver ma hutte fidèle,
Songe à son toit aigu comme une ruche à miel,
Qu'elle n'a qu'une porte, et qu'elle s'ouvre au ciel
Du côté d'où vient l'hirondelle.

Si tu ne reviens pas, songe un peu quelquefois
Aux filles du désert, sœurs à la douce voix,
Qui dansent pieds nus sur la dune ;
Ô beau jeune homme blanc, bel oiseau passager,
Souviens-toi, car, peut-être, ô rapide étranger,
Ton souvenir reste à plus d'une !

Adieu donc ! – Va tout droit. Garde-toi du soleil
Qui dore nos fronts bruns, mais brûle un teint
[vermeil ;
De l'Arabie infranchissable ;
De la vieille qui va seule et d'un pas tremblant ;
Et de ceux qui le soir, avec un bâton blanc,
Tracent des cercles sur le sable !

24 novembre 1828

Victor Hugo (1802-1885)
Les Orientales (1829)

Quand le recueil des Orientales *parut en 1829, les contemporains considérèrent qu'il s'agissait d'une révélation tant la poésie rivalisait à son avantage avec la peinture. Leconte de Lisle (qui succéda au fauteuil de Victor Hugo à l'Académie) déclara ainsi : « Ces beaux vers, si nouveaux et si éclatants, furent pour toute une génération prochaine une révélation de la vraie poésie. »*

« Hugo l'avouera plus tard : il n'y a jamais chez lui un mouvement initial de la pensée ; il y a seulement un mouvement dans la pensée ; c'est-à-dire, dans le creux intérieur qui la constitue, l'apparition d'une sorte de noyau fait d'images confuses qui y ondulent, qui tendent à s'y déployer et à s'y multiplier. »
Georges Poulet

Kouramée [détail]
(Eugène Devéria, 1838)

Tête de jeune fille
(Dante Gabriel Rossetti,
v. 1850)

« Un singulier hasard
a fait que cet empereur
du style a manqué d'un
style de vie, sauf dans
l'ordre de l'amour. »
Albert Thibaudet

Vieille chanson du jeune temps

Je ne songeais pas à Rose ;
Rose au bois vint avec moi ;
Nous parlions de quelque chose,
Mais je ne sais plus de quoi.

J'étais froid comme les marbres ;
Je marchais à pas distraits ;
Je parlais des fleurs, des arbres ;
Son œil semblait dire : « Après ? »

La rosée offrait ses perles,
Le taillis ses parasols ;
J'allais ; j'écoutais les merles,
Et Rose les rossignols.

Moi, seize ans ; et l'air morose.
Elle vingt ; ses yeux brillaient.
Les rossignols chantaient Rose
Et les merles me sifflaient.

Rose, droite sur ses hanches,
Leva son beau bras tremblant
Pour prendre une mûre aux branches ;
Je ne vis pas son bras blanc.

Une eau courait, fraîche et creuse,
Sur les mousses de velours ;
Et la nature amoureuse
Dormait dans les grands bois sourds.

Rose défit sa chaussure,
Et mit, d'un air ingénu,
Son petit pied dans l'eau pure ;
Je ne vis pas son pied nu,

Je ne savais que lui dire ;
Je la suivais dans le bois,
La voyant parfois sourire
Et soupirer quelquefois.

Je ne vis qu'elle était belle
Qu'en sortant des grands bois sourds.
« Soit ; n'y pensons plus ! » dit-elle.
Depuis, j'y pense toujours.

Paris, juin 1831.

Victor Hugo
Les Contemplations (1856)

Elle était déchaussée...

Elle était déchaussée, elle était décoiffée,
Assise, les pieds nus, parmi les joncs penchants ;
Moi qui passais par là, je crus voir une fée,
Et je lui dis : Veux-tu t'en venir dans les champs ?

Elle me regarda de ce regard suprême
Qui reste à la beauté quand nous en triomphons,
Et je lui dis : Veux-tu, c'est le mois où l'on aime,
Veux-tu nous en aller sous les arbres profonds ?

Elle essuya ses pieds à l'herbe de la rive ;
Elle me regarda pour la seconde fois,
Et la belle folâtre alors devint pensive.
Oh ! comme les oiseaux chantaient au fond des bois !

Comme l'eau caressait doucement le rivage !
Je vis venir à moi, dans les grands roseaux verts,
La belle fille heureuse, effarée et sauvage,
Ses cheveux dans ses yeux, et riant au travers.

Victor Hugo
Les Contemplations

*« Même dans ces petits poèmes
consacrés à l'amour sensuel,
dans ces strophes
d'une mélancolie voluptueuse
et si mélodieuse, on entend,
comme l'accompagnement
permanent d'un orchestre,
la voix profonde de la charité. »*
Charles Baudelaire

Fantaisie

Il est un air pour qui je donnerais
Tout Rossini, tout Mozart et tout Weber,
Un air très vieux, languissant et funèbre,
Qui pour moi seul a des charmes secrets !

Or, chaque fois que je viens à l'entendre,
De deux cents ans mon âme rajeunit...
C'est sous Louis treize ; et je crois voir s'étendre
Un coteau vert, que le couchant jaunit ;

Puis un château de brique à coins de pierre,
Aux vitraux teints de rougeâtres couleurs,
Ceint de grands parcs, avec une rivière
Baignant ses pieds, qui coule entre des fleurs ;

Puis une dame, à sa haute fenêtre,
Blonde aux yeux noirs, en ses habits anciens,
Que, dans une autre existence peut-être,
J'ai déjà vue... et dont je me souviens !

Gérard de Nerval (1808-1855)
Odelettes (1832)

*« Le rêve est un habit tissé par les fées
et d'une délicieuse odeur. »*
Gérard de Nerval

*« Pour Nerval, comme pour Rimbaud,
le végétal constitue le signe non
équivoque d'une poussée vitale, d'une
émergence d'être. [...] De même
que la brique s'affirme en
s'enflammant, la terre se déclare
en se couvrant de feuilles. »*
Jean-Pierre Richard

Une allée du Luxembourg

Elle a passé, la jeune fille
Vive et preste comme un oiseau :
À la main une fleur qui brille,
À la bouche un refrain nouveau.

C'est peut-être la seule au monde
Dont le cœur au mien répondrait,
Qui venant dans ma nuit profonde
D'un seul regard l'éclaircirait !...

Mais, non, – ma jeunesse est finie...
Adieu, doux rayon qui m'as lui,
– Parfum, jeune fille, harmonie...
Le bonheur passait, – il a fui !

Gérard de Nerval
Odelettes

« Le vers de Nerval est cette preuve d'existence individuelle que donnent si peu, contre toute attente et contre la promesse de leur appellation, nos écrivains romantiques. » Jean Giraudoux

« Dans le romantisme, qu'il traverse, et auquel il paraît étranger, Gérard de Nerval semble une apparition, la source autonome de son être et de son œuvre s'écoule à part, comme s'il était à la fois en avant de son époque et en arrière. »
Pierre Jean Jouve

Sonnets d'amour (André Jacquemin, 1943)

Le colibri

Le vert colibri, le roi des collines,
Voyant la rosée et le soleil clair
Luire dans son nid tissé d'herbes fines,
Comme un frais rayon s'échappe dans l'air.

Il se hâte et vole aux sources voisines
Où les bambous font le bruit de la mer,
Où l'açoka rouge, aux odeurs divines,
S'ouvre et porte au cœur un humide éclair.

Vers la fleur dorée il descend, se pose,
Et boit tant d'amour dans la coupe rose,
Qu'il meurt, ne sachant s'il l'a pu tarir.

Sur ta lèvre pure, ô ma bien-aimée,
Telle aussi mon âme eût voulu mourir
Du premier baiser qui l'a parfumée !

Charles Marie Leconte de Lisle (1818-1894)
Poèmes barbares (1862)

Originaire de l'île Bourbon (île de la Réunion), Leconte de Lisle sut exploiter l'univers exotique dans lequel il avait vécu enfant. Ce poème a inspiré de nombreux compositeurs ; il a notamment été mis en musique par Ernest Chausson.

À une passante

La rue assourdissante autour de moi hurlait.
Longue, mince, en grand deuil, douleur majestueuse,
Une femme passa, d'une main fastueuse
Soulevant, balançant le feston et l'ourlet ;

Agile et noble, avec sa jambe de statue.
Moi, je buvais, crispé comme un extravagant,
Dans son œil, ciel livide où germe l'ouragan,
La douceur qui fascine et le plaisir qui tue.

Un éclair... puis la nuit ! — Fugitive beauté
Dont le regard m'a fait soudainement renaître,
Ne te verrais-je plus que dans l'éternité ?

Ailleurs, bien loin d'ici ! trop tard ! *jamais* peut-être !
Car j'ignore où tu fuis, tu ne sais où je vais,
Ô toi que j'eusse aimée, ô toi qui le savais !

Charles Baudelaire (1821-1867)
Les Fleurs du mal (1857)

Albert Thibaudet a bien souligné qu'un tel poème ne pouvait « éclore que dans le milieu d'une grande capitale où les hommes vivent ensemble, l'un à l'autre étrangers, et l'un près de l'autre voyageurs ».

« Le ravissement du citadin est moins l'amour du premier regard que celui du dernier. C'est un adieu à tout jamais, qui coïncide dans le poème avec l'instant de l'ensorcellement. »
Walter Benjamin

Silhouette de femme mettant ses gants noirs
(Gustave Moreau)

L'invitation au voyage

Mon enfant, ma sœur,
Songe à la douceur
D'aller là-bas vivre ensemble !
Aimer à loisir,
Aimer et mourir
Au pays qui te ressemble !
Les soleils mouillés
De ces ciels brouillés
Pour mon esprit ont les charmes
Si mystérieux
De tes traîtres yeux,
Brillant à travers leurs larmes.

Là, tout n'est qu'ordre et beauté,
Luxe, calme et volupté.

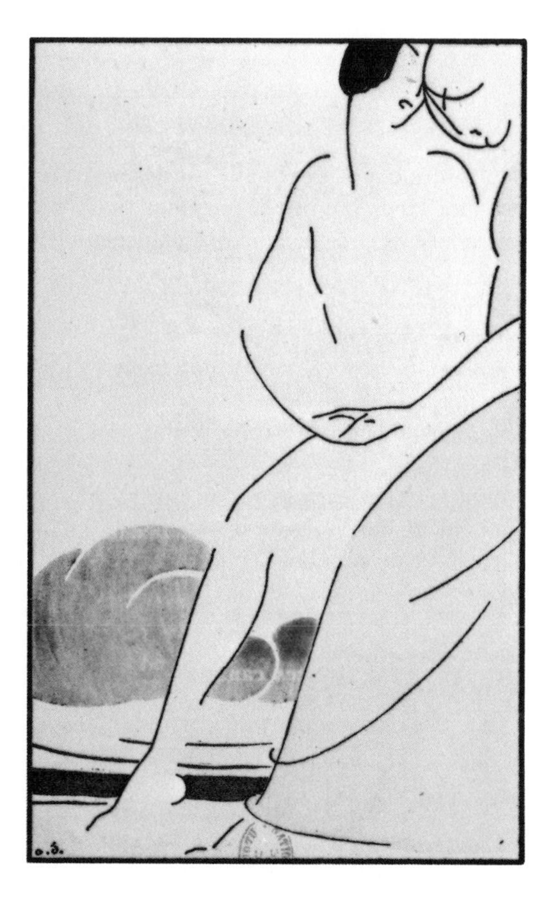

L'Invitation au voyage
(André Domin, 1920)

Des meubles luisants,
Polis par les ans,
Décoreraient notre chambre ;
Les plus rares fleurs
Mêlant leurs odeurs
Aux vagues senteurs de l'ambre,
Les riches plafonds,
Les miroirs profonds,
La splendeur orientale,
Tout y parlerait
À l'âme en secret
Sa douce langue natale.

Là, tout n'est qu'ordre et beauté,
Luxe, calme et volupté.

Vois sur ces canaux
Dormir ces vaisseaux
Dont l'humeur est vagabonde ;
C'est pour assouvir
Ton moindre désir
Qu'ils viennent du bout du monde ;
— Les soleils couchants
Revêtent les champs,
Les canaux, la ville entière,
D'hyacinthe et d'or ;
Le monde s'endort
Dans une chaude lumière.

Là, tout n'est qu'ordre et beauté,
Luxe, calme et volupté.

Charles Baudelaire
Les Fleurs du mal

Ce poème parut pour la première fois en 1855 dans « La Revue des Deux Mondes » ; il appartient au cycle de poèmes inspirés par Marie Daubrun.

Dans les deux vers du refrain André Gide, voyait « la parfaite définition de l'œuvre d'art. [...]
1. Ordre (logique, disposition raisonnable des parties) ;
2. Beauté (ligne, élan, profil de l'œuvre) ;
3. Luxe (abondance disciplinée) ;
4. Calme (tranquillisation du tumulte) ;
5. Volupté (sensualité, charme adorable de la matière, attrait). »

Promenade galante

À Edmond Morin

Dans le parc au noble dessin
Où s'égarent les Cidalises
Parmi les fontaines surprises
Dans le marbre du clair bassin,

Iris, que suit un jeune essaim,
Philis, Églé, nymphes éprises,
Avec leurs plumes indécises,
En manteau court, montrant leur sein,

Lycaste, Myrtil et Sylvandre
Vont, parmi la verdure tendre,
Vers les grands feuillages dormants.

Ils errent dans le matin blême,
Tous vêtus de satin, charmants
Et tristes comme l'Amour même.

Théodore de Banville (1823-1891)
Rimes dorées (1868)

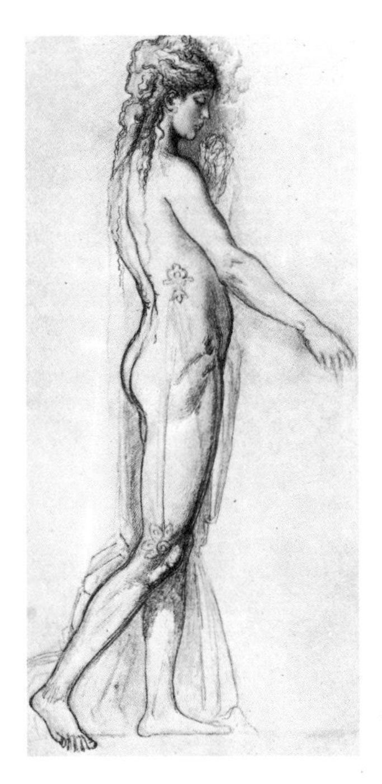

Salomé
(Gustave Moreau)

Il fut l'ami de Baudelaire, l'un des représentants les plus en vue de l'école parnassienne, puis celui de Mallarmé. Ce poème ne manque pas de faire penser aux Fêtes galantes *de Verlaine ; il illustre ce souci de la forme qui, selon Albert Thibaudet, était associé chez Banville à une « facilité ovidienne ».*

Étude pour « Le Sommeil »
(Puvis de Chavannes, 1867)

Green

Voici des fruits, des fleurs, des feuilles et des branches
Et puis voici mon cœur, qui ne bat que pour vous.
Ne le déchirez pas avec vos deux mains blanches
Et qu'à vos yeux si beaux l'humble présent soit doux.

J'arrive tout couvert encore de rosée
Que le vent du matin vient glacer à mon front
Souffrez que ma fatigue, à vos pieds reposée,
Rêve des chers instants qui la délasseront.

Sur votre jeune sein laissez rouler ma tête
Toute sonore encore de vos derniers baisers ;
Laissez-la s'apaiser de la bonne tempête,
Et que je dorme un peu puisque vous reposez.

Paul Verlaine (1844-1896)
Romances sans paroles (1873)

Verlaine compose le recueil de Romances sans paroles *tandis qu'il séjourne successivement à Bruxelles, à Londres et à Jéhonville : période de « la double crise sentimentale et sensuelle que déterminèrent la rencontre de Rimbaud et la mésentente de Verlaine et de sa femme ».*

Yves-Gérard Le Dantec

La poésie de Verlaine « est bien loin d'être naïve, étant impossible à un vrai poète d'être naïf. On oublie très aisément que, par nécessité de son état, le poète doit être le dernier des hommes à se payer de mots.»

Paul Valéry

En sourdine

Calmes dans le demi-jour
Que les branches hautes font,
Pénétrons bien notre amour
De ce silence profond.

Fondons nos âmes, nos cœurs
Et nos sens extasiés,
Parmi les vagues langueurs
Des pins et des arbousiers.

Ferme tes yeux à demi,
Croise tes bras sur ton sein,
Et de ton cœur endormi
Chasse à jamais tout dessein.

Laissons-nous persuader
Au souffle berceur et doux
Qui vient à tes pieds rider
Les ondes et le gazon roux.

Et quand, solennel, le soir
Des chênes noirs tombera,
Voix de notre désespoir,
Le rossignol chantera.

Paul Verlaine
Fêtes galantes (1869)

Étude pour « The Blessed Damozel », (Dante Gabriel Rossetti, v. 1873)

Dans les Contemplations, *Verlaine admirait la fameuse élégie de Hugo intitulée « La fête chez Thérèse », où l'on entend aussi le rossignol chanter « comme un poète et comme un amoureux ».*
« Vous êtes un des premiers, un des plus puissants, un des plus charmants, dans cette nouvelle légion sacrée des poètes que je salue et que j'aime, moi, le vieux pensif des solitudes. »

Lettre de Victor Hugo à Verlaine,
avril 1869

Soleil et chair

Intitulé primitivement « Credo in unam », ce poème fut adressé à Théodore de Banville en mai 1870 et publié en 1891. Il est inspiré par la poésie cosmique des Anciens. « En Grèce, rappelle Rimbaud, vers et lyre rythment l'Action. »

Le Soleil, le foyer de tendresse et de vie,
Verse l'amour brûlant à la terre ravie,
Et, quand on est couché sur la vallée, on sent
Que la terre est nubile et déborde de sang;
Que son immense sein, soulevé par une âme,
Est d'amour comme Dieu, de chair comme la femme,
Et qu'il renferme, gros de sève et de rayons,
Le grand fourmillement de tous les embryons !

Et tout croît, et tout monte ! [...]

Arthur Rimbaud (1854-1891)
Poésies complètes (1870)

Aube

J'ai embrassé l'aube d'été.

Rien ne bougeait encore au front des palais. L'eau était morte. Les camps d'ombres ne quittaient pas la route du bois. J'ai marché, réveillant les haleines vives et tièdes, et les pierreries regardèrent, et les ailes se levèrent sans bruit.

La première entreprise fut, dans le sentier déjà empli de frais et blêmes éclats, une fleur qui me dit son nom.

Je ris au wasserfall* blond qui s'échevela à travers les sapins : à la cime argentée je reconnus la déesse.

Alors je levai un à un les voiles. Dans l'allée, en agitant les bras. Par la plaine, où je l'ai dénoncée au coq. À la grand'ville elle fuyait parmi les clochers et les dômes, et courant comme un mendiant sur les quais de marbre, je la chassais.

En haut de la route, près d'un bois de lauriers, je l'ai entourée avec ses voiles amassés, et j'ai senti un peu son immense corps. L'aube et l'enfant tombèrent au bas du bois.

Au réveil il était midi.

Arthur Rimbaud
Illuminations (1886)

*Wasserfall : cascade

« Je pose la plume, et je revois ce pays qui fut le sien et que je viens de parcourir : la Meuse pure et noire, Mézières, la vieille forteresse coincée entre de dures collines, Charleville dans sa vallée pleine de fournaises et de tonnerres. »

Paul Claudel

« Mais si je savais ce qu'est Rimbaud pour moi, je saurais ce qu'est la poésie devant moi, et je n'aurais plus à l'écrire... »

René Char

Chanson de fou

Le crapaud noir sur le sol blanc
Me fixe indubitablement
Avec des yeux plus grands que n'est grande sa tête ;]
Ce sont les yeux qu'on m'a volés
Quand mes regards s'en sont allés,
Un soir, que je tournai la tête.

Mon frère ? – il est quelqu'un qui ment,
Avec de la farine entre ses dents ;
C'est lui, jambes et bras en croix,
Qui tourne au loin, là-bas,
Qui tourne au vent,
Sur ce moulin de bois.

Et celui-ci, c'est mon cousin
Qui fut curé et but si fort du vin
Que le soleil en devint rouge ;
J'ai su qu'il habitait un bouge,
Avec des morts, dans ses armoires.

Car nous avons pour génitoires
Deux cailloux
Et pour monnaie un sac de poux,
Nous, les trois fous,
Qui épousons, au clair de lune,
Trois folles dames, sur la dune.

Émile Verhaeren (1855-1916)
Les Campagnes hallucinées (1893)

Poète de la Flandre, Verhaeren n'appartient que de très loin au mouvement symboliste, dont il a su, il est vrai, mettre en œuvre une des caractéristiques principales : le vers libre. Verhaeren écrit à une époque où « une certaine idée de l'homme change véritablement de sens au profit d'une certaine idée de masse. Ce n'est certes pas un hasard si des hommes aussi différents que Louis II [...], et Nietzsche, et Van Gogh furent, pour ainsi dire ensemble, touchés de l'aile de la folie, et tous trois si tragiquement. Poète plus sensible que d'autres aux souffles du dehors, Verhaeren fut alors soumis à ce grand vent fou de l'époque. »

Gérard Prévot

Maldoror...

Maldoror passait avec son bouledogue ; il voit une jeune fille qui dort à l'ombre d'un platane, et il la prit d'abord pour une rose. On ne peut dire qui s'éleva le plus tôt dans son esprit, ou la vue de cette enfant, ou la résolution qui en fut la suite. Il se déshabille rapidement, comme un homme qui sait ce qu'il va faire. Nu comme une pierre, il s'est jeté sur le corps de la jeune fille, et lui a levé la robe pour commettre un attentat à la pudeur... à la clarté du soleil ! Il ne se gênera pas, allez !... N'insistons pas sur cette action impure. L'esprit mécontent, il se rhabille avec précipitation, jette un regard de prudence sur la route poudreuse, où personne ne chemine, et ordonne au bouledogue d'étrangler, avec le mouvement de ses mâchoires, la jeune fille ensanglantée. Il indique au chien de la montagne la place où respire et hurle la victime souffrante, et se retire à l'écart, pour ne pas être témoin de la rentrée des dents pointues dans les veines roses. L'accomplissement de cet ordre put paraître sévère au bouledogue. Il crut qu'on lui demanda ce qui avait été déjà fait, et se contenta, ce loup, au mufle monstrueux, de violer à son tour la virginité de cette enfant délicate. De son ventre déchiré, le sang coule de nouveau le long de ses jambes, à travers la prairie. Ses gémissements se joignent aux pleurs de l'animal. La jeune fille lui présente la croix d'or qui ornait son cou, afin qu'il l'épargne ; elle n'avait pas osé le présenter aux yeux farouches de celui qui, d'abord, avait eu la pensée de profiter de la faiblesse de son âge.

Comte de Lautréamont (1846-1870)
Les Chants de Maldoror (1869)
(Chant troisième, extrait)

« Comment ne pas reconnaître dans Maldoror *l'œuvre la plus imprégnée de sommeil, celle qui représente le plus fortement la tragédie de la lutte paralysée au sein de la nuit ? »*
Maurice Blanchot

« Les Chants de Maldoror manifestent assez d'un bout à l'autre ce viol des lois de la nature dont parle Walpole (androgynie – homosexualité – bestialité) pour que nous n'ayons pas à insister sur cet aspect de la culture de Lautréamont. »
Marcelin Pleynet

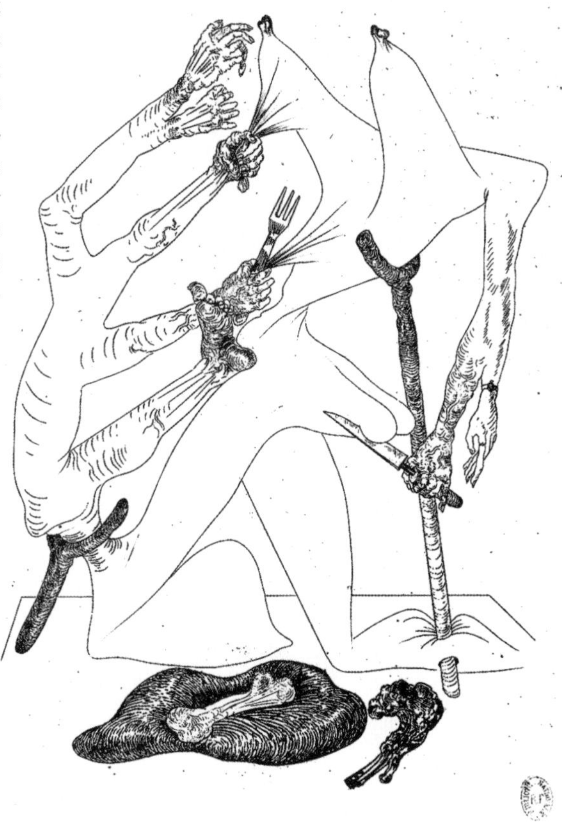

Les Chants de Maldoror
(Salvador Dalí, 1934)

Celle qui passe

Celle qui passe m'a souri
– L'azur est plus pâle et l'air est rose –
Celle qui passe sans une pause,
Vaguement tendre comme une chose ;
Comme un ruisseau, comme un pré fleuri :
– Celle qui passe m'a souri –

Tout est joie, et tout chante et prie
– Celle qui passe a rayonné –
L'Avant hier est pardonné,
La messe d'amour a sonné
Aux clochettes de la prairie :
– Celle qui passe a rayonné !

Rien n'est plus du jour et de l'heure :
Celle qui passe a souri des rayons ;
Mon âme flotte par les sillons
Avec la brise et les papillons,
Je suis le jour même qui chante et pleure,
– Celle qui passe a souri des rayons –

Avec un peu de gaieté blonde,
En rayon par la route qui grimpe ;
Avec un peu de ton rire – (une onde
        Qui jaillit et poudroie !) –
Avec, ô, ton doux rire où se fonde
Mon rêve déchu de son vieil Olympe
        Et qui pleure de joie ;
Avec un froufrou de jupe – (une aile !) –
Avec un éclat des yeux – (ô rayons !) –
La vie est légère et la vie est belle
Et mon âme chante en les carillons.

Francis Vielé-Griffin (1864-1937)
Joies (1889)

Ce poème permet de remarquer l'allégement qu'implique la rime féminine dans la laisse de Vielé-Griffin et qui faisait l'admiration du critique Albert Thibaudet.

« Vielé-Griffin a une place à part dans le mouvement symboliste, non seulement par la parfaite maîtrise avec laquelle il utilisa le vers libre, mais par ses thèmes : il est le seul des symbolistes français à préférer la joie, la vie, l'avenir à la nostalgie et à l'évasion. »
Michel Décaudin

Affiche pour « La Revue illustrée » (Paul Berthon)

L'amour au Luxembourg

(Crépuscule d'été)

Le couchant violet tremble au fond du jour rouge. Le Luxembourg exhale une odeur d'oranger. Et Manon s'arrête à mon bras : plus rien ne bouge, les arbres, les passants, ce nuage éloigné.

Que cherchez-vous, Manon, qui relevez la tête, et que rêver de plus à notre enchantement ? Paris entre les feuilles s'illumine peut-être. La vie est où nous sommes, et c'est Paris qui ment.

Il n'est plus une fleur où l'air lourd ne se pose, et qui ne sente en elle un cœur battre et mourir, un cœur d'air étouffant sa corolle ; et les roses défaillent vers la terre, sous le poids du zéphyr.

Il semble que le monde entier n'ait plus qu'une âme. La poussière du jour retombe parfumée ; et le bassin respire un jet d'eau qui se pâme et, sur sa propre image, en mourant, vient chanter.

Tout meurt, et tout renaît pour une vie chantante, aromatique, éparse et mêlée aux nuances, et comme dans la bouche un fruit délicieux, les arbres veloutés me fondent dans les yeux.

Et le jet d'eau s'est tu : c'est la rosée qui chante, là-bas, dans les gazons où rêvent les statues, et pour rendre, ô sens-tu ?, la nuit plus défaillante, les orangers en fleurs ont enivré la nue.

Manon, près de mon cœur, et devant tout l'espace que prennent les étoiles pour graviter vers nous, de vos beaux yeux voilés, Manon, regardez-vous flotter dans la nuit bleue la blancheur des terrasses ?

C'est aux lueurs dernières que l'ombre est embaumée, et Manon sur mon bras couche son front pâmé, et je lui crois une âme en cette heure irréelle, lui faisant une part dans l'âme universelle.

Le Repos de la nuit
(Alphonse Mucha, 1899)

Viens trouver dans mes bras le plus doux des séjours. N'est-ce pas, leur bercement, qu'il ajoute au silence ? Dans tes yeux agrandis, dans tes yeux où tu penses, je vois le ciel d'étoiles sur tout le Luxembourg !

Oh ! si c'était, ce soir, le plus beau soir du monde, ou que le monde ne fût créé que pour cette heure ! Comme deux nuages d'orage nos deux cœurs se confondent. Oh ! défaillir d'amour, ton cœur contre mon cœur.

Lointaine, à Saint-Sulpice, une cloche résonne. – « C'est rue de Médicis, Paul, que l'on va manger ? » – L'ombre s'accroît. Aux doux parfums des orangers se mêle la senteur amère des géraniums.

Paul Fort (1872-1960)
Ballades françaises (1897-1949)

Poète issu de l'école symboliste, il restera fidèle à la formule de la ballade en prose, composée d'alexandrins suivis et disposée en brefs paragraphes.

« Une revue d'alors comme Vers et Prose, *que dirigeait Paul Fort, pouvait, sans qu'il y eût rien là d'abusif, porter en exergue de ses numéros : "Défense et illustration de la haute littérature et du lyrisme en prose et en poésie." [...] L'important est que la promesse était tenue. »*
André Breton

Ce jour-là...

Ce jour-là, quand je t'ai vue,
j'étais comme quand on regarde le soleil;
j'avais un grand feu dans la tête,
je ne savais plus ce que je faisais,
j'allais tout de travers comme un qui a trop bu,
et mes mains tremblaient.

Je suis allé tout seul par le sentier des bois,
je croyais te voir marcher devant moi,
et je te parlais,
mais tu ne me répondais pas.

J'avais peur de te voir, j'avais peur de t'entendre,
j'avais peur du bruit de tes pieds dans l'herbe,
j'avais peur de ton rire dans les branches;
et je me disais : « Tu es fou,
ah ! si on te voyait, comme on se moquerait de toi ! »]
Ça ne servait à rien du tout.

Et, quand je suis rentré, c'était minuit passé,
mais je n'ai pas pu m'endormir.
Et le lendemain, en soignant mes bêtes,
je répétais ton nom, je disais : « Marianne... »
Les bêtes tournaient la tête pour entendre;
je me fâchais, je leur criais : « Ça vous regarde ?
allons tranquilles, eh ! Comtesse, eh ! la Rousse. »
et je les prenais par les cornes.

Ça a duré ainsi trois jours
et puis je n'ai plus eu la force.
Il a fallu que je la revoie.
Elle est venue, elle a passé,
elle n'a pas pris garde à moi.

Charles-Ferdinand Ramuz (1878-1947)
Le Petit Village (1903)

Le Pèlerinage de la petite Elfe (Joseph Váchal, v. 1900)

Le froid de l'air sur l'esprit et sur le visage

Il n'y avait plus autour de son corps immatériel et noir que des débris, que des lambeaux d'étoffe noire.

Elle se tenait entre la maison et le ciel et, plus précisément, contre le côté droit de la fenêtre.

Mais le ciel lui paraissait si grand, les trous du ciel, la nuit, qui se cachaient, le jour, derrière les nuages, qu'elle regardait toujours du côté de ma chambre. Et cette lumière sous la cheminée, ce feu qui baissait au souffle bruyant de la cheminée – il me semble qu'elle aurait pu croire ou que j'ai cru – que ce pouvait être une étoile.

Et ses deux yeux derrière le carreau avec
ce vent.

Pierre Reverdy (1889-1960)
Flaques de verre (1929)

« La nature pressent, et pressentant, elle prépare, elle procède par images, non par prédictions. Il n'y aurait qu'à savoir se servir de ses yeux, mais on ne sait plus, et de son cœur, mais on ne sait plus. »
Ramuz, *Journal*

« La poésie est dans ce qui n'est pas. Dans ce qui nous manque. Dans ce que nous voudrions qui fût. Elle est en nous à cause de ce que nous ne sommes pas. »
Pierre Reverdy

Première du monde

À Pablo Picasso

Captive de la plaine, agonisante folle,
La lumière sur toi se cache, vois le ciel :
Il a fermé les yeux pour s'en prendre à ton rêve,
Il a fermé ta robe pour briser tes chaînes.

Devant les roues toutes nouées
Un éventail rit aux éclats.
Dans les traîtres filets de l'herbe
Les routes perdent leur reflet.

Ne peux-tu donc prendre les vagues
Dont les barques sont les amandes
Dans ta paume chaude et câline
Ou dans les boucles de ta tête ?

Ne peux-tu prendre les étoiles ?
Écartelée, tu leur ressembles,
Dans leur nid de feu tu demeures
Et ton éclat s'en multiplie.

De l'aube bâillonnée un seul cri veut jaillir,
Un soleil tournoyant ruisselle sous l'écorce.
Il ira se fixer sur tes paupières closes.
Ô douce, quand tu dors, la nuit se mêle au jour.]

Paul Eluard (1895-1952)
Capitale de la douleur (1926)

« Depuis 1924 environ, la pensée d'Eluard gravite autour de la réalité de l'amour, ou autour de la réalité de la solitude, qui n'est qu'absence de l'amour. »
Marcel Raumond

À propos de la barque (comme image liée à la découverte de l'espace dans la poésie d'Eluard), Raymond Jean remarque que « le glissement silencieux de la barque sur l'eau est à la fois effleurement et pénétration. Une surface est parcourue, caressée, mais en même temps une déchirure ouvre des voies vers un monde transparent et obscur. »

Premièrement

La terre est bleue comme une orange
Jamais une erreur les mots ne mentent pas
Ils ne vous donnent plus à chanter
Au tour des baisers de s'entendre
Les fous et les amours
Elle sa bouche d'alliance
Tous les secrets tous les sourires
Et quels vêtements d'indulgence
À la croire toute nue.

Les guêpes fleurissent vert
L'aube se passe autour du cou
Un collier de fenêtres
Des ailes couvrent les feuilles
Tu as toutes les joies solaires
Tout le soleil sur la terre
Sur les chemins de ta beauté.

Paul Eluard
L'Amour, la poésie (1929)

L'Amour, la poésie *est dédié à Gala, la première femme d'Éluard, comme un « livre sans fin ».*

« Chez Eluard, c'est le propre de l'image aimée d'aboutir à l'image du monde, de se confondre avec elle en se généralisant. »
Georges Poulet

Sans titre (Pablo Picasso, 1971)

« Jupiter et Sémélé », Les Métamorphoses d'Ovide
(Pablo Picasso, 1931)

La nuit d'exil

Qu'importe à l'exilé que les couleurs soient fausses
On jurerait dit-il que c'est Paris si on
Ne refusait de croire aux apparitions
J'entends le violon préluder dans la fosse

C'est l'Opéra dit-il ce feu follet changeant
J'aurais voulu fixer dans mes yeux mal ouverts
Ces balcons embrasés ces bronzes ce toit vert
Cette émeraude éteinte et ce renard d'argent

Je reconnais dit-il ces danseuses de pierre
Celle qui les conduit brandit un tambourin
Mais qui met à leur front ces reflets sous-marins
Le dormeur-éveillé se frotte les paupières

Des méduses dit-il les lunes des halos
Sous mes doigts fins sans fin déroulent leurs pâleurs
Dans l'Opéra paré d'opales et de pleurs
L'orchestre au grand complet contrefait mes sanglots

J'aurais voulu fixer dans ma folle mémoire
Cette rose dit-il cette mauve inconnue
Ce domino fantôme au bout de l'avenue
Qui changeait pour nous seuls de robe tous les soirs

Ces nuits t'en souvient-il – Me souvenir me nuit –
Avaient autant d'éclairs que l'œil noir des colombes
Rien ne nous reste plus de ces bijoux de l'ombre
Nous savons maintenant ce que c'est que la nuit

Ceux qui s'aiment d'amour n'ont qu'elle pour adresse
Et tes lèvres tenaient tous les soirs le pari
D'un ciel de cyclamen au-dessus de Paris
Ô nuits à peine nuits couleur de la tendresse

Le firmament pontait ses diamants pour toi
Je t'ai joué mon cœur sur les chances égales
Soleil tournant des boulevards feux de Bengale
Que d'étoiles à terre et par-dessus les toits

Quand j'y songe aujourd'hui les étoiles trichèrent
Le vent charriait trop de rêves dérivés
Et les pas des rêveurs sonnaient sur les pavés
Des amants s'enlaçaient sous les portes cochères

« L'Elsa du poète entraîne maintenant avec elle les souvenirs, les analogies, les traditions, les symboles, les refus, les espoirs. »
Claude Roy

Couple assis (Egon Schiele, 1915)

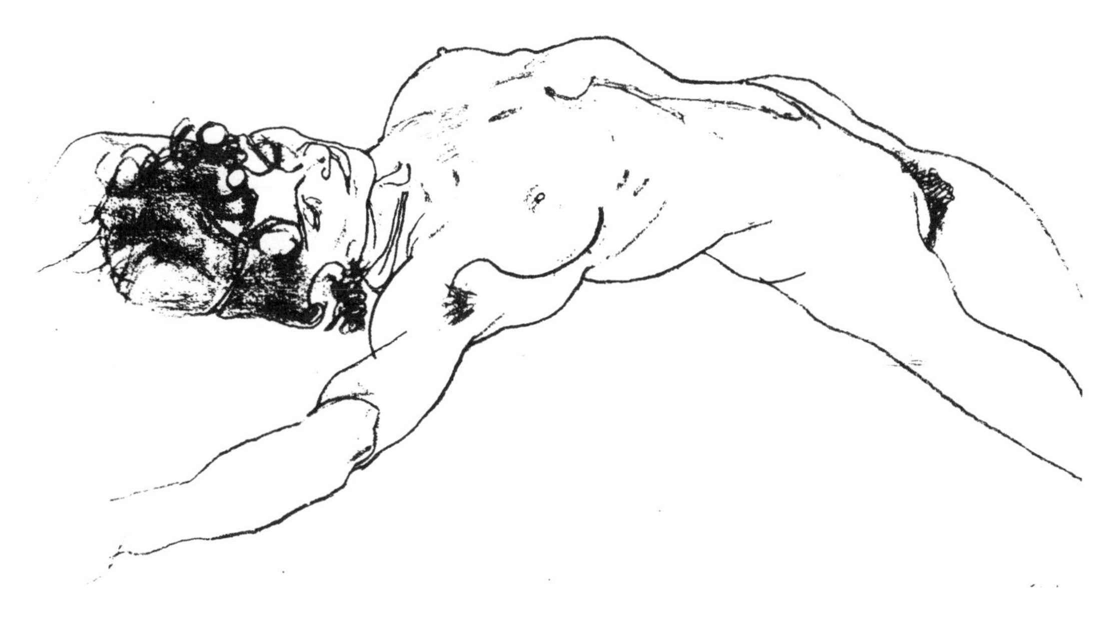

Nu allongé (Egon Schiele, 1918)

Nous peuplions à deux l'infini de nos bras
Ta blancheur enflammait la pénombre éternelle
Et je ne voyais pas au fond de tes prunelles
Les yeux d'or des trottoirs qui ne s'éteignaient pas

Passe-t-il toujours des charrettes de légumes
Alors les percherons s'en allaient lentement
Avec dans les choux-fleurs des hommes bleus dormant
Les chevaux de Marly se cabraient dans la brume

Les laitiers y font-ils une aube de fer-blanc
Et pointe Saint-Eustache aux crochets des boutiques
Les bouchers pendent-ils des bêtes fantastiques
Épinglant la cocarde à leurs ventres sanglants

A-t-il à tout jamais décidé de se taire
Quand la douceur d'aimer un soir a disparu
Le phono mécanique au coin de notre rue
Qui pour dix sous français chantait un petit air

Reverrons-nous jamais le paradis lointain
Les Halles l'Opéra la Concorde et le Louvre
Ces nuits t'en souvient-il quand la nuit nous recouvre
La nuit qui vient du cœur et n'a pas de matin.

Louis Aragon (1897-1982)
Il ne m'est Paris que d'Elsa (1975)

Elsa et Louis Aragon se sont rencontrés dans le bar « à moitié vide » de La Coupole, à Montparnasse, le 6 novembre 1928.

Évadné

L'été et notre vie étions d'un seul tenant
La campagne mangeait la couleur de ta jupe odorante
Avidité et contrainte s'étaient réconciliées
Le château de Maubec s'enfonçait dans l'argile
Bientôt s'effondrerait le roulis de sa lyre
La violence des plantes nous faisait vaciller
Un corbeau rameur sombre déviant de l'escadre
Sur le muet silex de midi écartelé
Accompagnait notre entente aux mouvements tendres
La faucille partout devait se reposer
Notre rareté commençait un règne
(Le vent insomnieux qui nous ride la paupière
En tournant chaque nuit la page consentie
Veut que chaque part de toi que je retienne
Soit étendue à un pays d'âge affamé et de
larmier géant)

C'était au début d'adorables années
La terre nous aimait un peu je me souviens.

René Char (1907-1988)
Seuls demeurent (1945)

« Le poème va vers l'absence,
mais c'est pour recomposer
avec elle la réalité totale ;
il est tension vers l'imaginaire,
mais c'est qu'il vise
à "la connaissance productive
du Réel". »

Maurice Blanchot

« Vertumne poursuivant Pomone de son amour »,
Les Métamorphoses d'Ovide (Pablo Picasso, 1931)

Artine 1930

Au silence de celle qui laisse rêveur

Dans le lit qu'on m'avait préparé il y avait : un animal sanguinolent et meurtri, de la taille d'une brioche, un tuyau de plomb, une rafale de vent, un coquillage glacé, une cartouche tirée, deux doigts d'un gant, une tache d'huile ; il n'y avait pas de porte de prison, il y avait le goût de l'amertume, un diamant de vitrier, un cheveu, un jour, une chaise cassée, un ver à soie, l'objet volé, une chaîne de pardessus, une mouche verte apprivoisée, une branche de corail, un clou de cordonnier, une roue d'omnibus.

Offrir au passage un verre d'eau à un cavalier lancé à bride abattue sur un hippodrome envahi par la foule suppose, de part et d'autre, un manque absolu d'adresse ; Artine apportait aux esprits qu'elle visitait cette sécheresse monumentale.

L'impatient se rendait parfaitement compte de l'ordre des rêves qui hanteraient dorénavant son cerveau, surtout dans le domaine de l'amour où l'activité dévorante se manifestait couramment en dehors du temps sexuel ; l'assimilation se développant, la nuit noire, dans les serres bien closes.

Artine traverse sans difficulté le nom d'une ville. C'est le silence qui détache le sommeil.

Les objets désignés et rassemblés sous le nom de nature-précise font partie du décor dans lequel se déroulent les actes d'érotisme des *suites fatales*, épopée quotidienne et nocturne. Les mondes imaginaires chauds qui circulent sans arrêt dans la campagne à l'époque des moissons rendent l'œil agressif et la solitude intolérable à celui qui dispose du pouvoir de destruction. Pour les extraordinaires bouleversements il est tout de même préférable de s'en remettre entièrement à eux.

L'état de léthargie qui précédait Artine apportait les éléments indispensables à la projection d'impressions saisissantes sur l'écran de ruines flottantes : édredon en flammes précipité dans l'insondable gouffre de ténèbres en perpétuel mouvement.

Artine gardait en dépit des animaux et des cyclones une intarissable fraîcheur. À la promenade, c'était la transparence absolue.

A beau surgir au milieu de la plus active dépression l'appareil de la beauté d'Artine, les esprits curieux demeurent des esprits furieux, les esprits indifférents des esprits extrêmement curieux.

Les apparitions d'Artine dépassaient le cadre de ces contrées du sommeil, où le *pour* et le *pour* sont animés d'une égale et meurtrière violence. Elles évoluaient dans les plis d'une soie brûlante peuplée d'arbres aux feuilles de cendre.

La voiture à chevaux lavée et remise à neuf l'emportait presque toujours sur l'appartement tapissé de salpêtre lorsqu'il s'agissait d'accueillir durant une soirée interminable la multitude des ennemis mortels d'Artine. Le visage de bois mort était particulièrement odieux. La course haletante de deux amants au hasard des grands chemins devenait tout à coup une distraction suffisante pour permettre au drame de se dérouler, derechef, à ciel ouvert.

Quelquefois une manœuvre maladroite faisait tomber sur la gorge d'Artine une tête qui n'était pas la mienne. L'énorme bloc de soufre se consumait alors lentement, sans fumée, présence en soi et immobilité vibrante.

Le livre ouvert sur les genoux d'Artine était seulement lisible les jours sombres.
À intervalles irréguliers les héros venaient apprendre les malheurs qui allaient à nouveau fondre sur eux, les voies multiples et terrifiantes dans lesquelles leur irréprochable destinée allait à nouveau s'engager.

Uniquement soucieux de la Fatalité, ils étaient pour la plupart d'un physique agréable. Ils exprimaient leurs désirs à l'aide de larges mouvements de tête imprévisibles. Ils paraissaient en outre s'ignorer totalement entre eux.

Le poète a tué son modèle.

René Char
Le Marteau sans maître (1930)

Ce poème parut lorsque René Char avait vingt-trois ans. Ses amis, Breton et Eluard, l'ont fait publier en lui associant une « petite annonce » : « Poète cherche modèle pour poèmes... »

« Artine s'est fait à partir de deux personnages : cette jeune morte noyée, Lola Abba, et la jeune fille que j'avais rencontrée, trois ou quatre ans auparavant, sur la pelouse d'un hippodrome, lieu fascinant entre tous, que je fréquentais comme une terre magnétique. »
René Char

Congé au vent

À flancs de coteau du village bivouaquent des champs fournis de mimosas. À l'époque de la cueillette, il arrive que, loin de leur endroit, on fasse la rencontre extrêmement odorante d'une fille dont les bras se sont occupés durant la journée aux fragiles branches. Pareille à une lampe dont l'auréole de clarté serait de parfum, elle s'en va, le dos tourné au soleil couchant.

Il serait sacrilège de lui adresser la parole.

L'espadrille foulant l'herbe, cédez-lui le pas du chemin. Peut-être aurez-vous la chance de distinguer sur ses lèvres la chimère de l'humidité de la Nuit ?

René Char
Fureur et mystère (1948)

Moisson érotique (André Masson, 1937)

La Vague (Aristide Maillol, 1898)

Ensemble

Dans la paume des chemins, dans l'éclatement de l'herbe,
Ton visage tout défait d'aimer.

Tes mains au soleil couchant
Pétrissant l'argile, caressant les cous des chiens
Mouillés de la boue des pâturages.

Écoute : le pollen des rochers,
L'abri au fond de la mer.

C'est ta paume qui s'épanouit,
C'est la peau de tes seins
Tendue comme une voile au soleil couchant.

Écoute encore : ton pollen au pollen des rochers
Se mélange sur mer,
Ton ventre amène et retire les marées,
Ton sexe occupe les sables chauds des profondeurs.

Eugène Guillevic (né en 1907)
Terraqué (1942)

« J'estime que toute ma production est érotique, est communion, pénétration. Mais je n'ai jamais écrit de sonnet à Hélène, comme Ronsard [...]. »
Eugène Guillevic

« La meilleure façon d'approcher l'objet, l'être de l'objet, n'est-ce pas dès lors de l'oublier, de regarder ailleurs, de penser à autre chose ? Autre chose qui, par un détour, nous ramènerait à lui... Ce médiateur, ce sera par exemple une femme, une femme aimée : à la fois mienne et autre que moi, intime et étrangère, elle me reliera directement au monde. »
Jean-Pierre Richard

L'aveu dans l'obscurité

Les mouvements et les travaux du jour cachent le jour.
Que cette nuit s'approche et dévoile donc nos visages.
Une porte a peut-être été poussée en ces parages,
une étendue offerte en silence à notre séjour.

Parle, amour, maintenant. Parle, qui n'avais plus parlé
depuis des ans d'inattention ou d'insolence.
Emprunte à la légère obscurité sa patience
et dis ceci, telle une haleine dans les peupliers :

« Une douceur ardente en ce lieu me fut accordée,
nul ne m'en disjoindra qu'il ne m'arrache aussi la main,
je n'ai pas d'autre guide qui me guide en ce chemin,
sa fraîcheur et ses feux brillent tour à tour sur les haies... »

Mais que reste caché ce qui fait notre compagnie,
amour : c'est le plus sombre de la nuit qui est clarté,
innommable est la source de nos gestes entêtés,
au plus bas de la terre est le vol ombreux de nos vies.

Dis encore, seulement : « Cire brûlant sous d'autres cires,
conduis-moi, je te prie, vers cette vitre à l'horizon,
pousse avec moi cette légère et coupante cloison,
vois comme nous passons sans peiner dans l'obscur empire... »

Puis rends grâce brûlante à la voisine de la nuit.

Philippe Jaccottet (né en 1925)
L'Ignorant (1952-1956)

Cette vie dont rend compte la poésie de Philippe Jaccottet, « nous serons tenté de la surprendre, dit Jean-Pierre Richard, au plus près de son énigme, dans l'opération qui à chaque moment nous fait et nous défait, nous efface et nous crée de cet effacement lui-même ».

« Un paradoxe apparent associe, dans cette œuvre, ignorance et vérité, fait de l'ignorance le réceptacle de la plus précieuse vérité – à condition que le non-savoir demeure perpétuellement inquiet, et ouvert à tous les accidents de la lumière du monde. » Jean Starobinski

Les Travaux et les jeux (André Derain, 1929)

La saison des amours

Ève (Le Corrège, 1re moitié XVIe s.)

Naguère il arriva en un autre pays...

Naguère il arriva en un autre pays
qu'un chevalier aima une dame.
Tant que la dame fut dans toute sa beauté,
elle refusa et repoussa son amour.
Puis arriva un jour qu'elle lui dit : – « Ami,
je vous ai longtemps amusé par mes paroles ;
votre amour est maintenant reconnu et [prouvé.
Désormais, je suis tout à vous. »

Le chevalier, regardant son visage,
la vit très pâle et sans couleur.
– « Madame, fait-il, à coup sûr, quel malheur [pour moi
que cette pensée ne vous soit pas venue plus tôt !
Votre beau visage, qui semblait fleur de lis,
s'est tellement flétri, Madame,
que j'ai l'impression de vous avoir perdue.
C'est trop tard, Madame, que vous avez pris [cette décision. »

Quand la dame s'entendit ainsi railler,
elle en eut honte et s'écria dans sa folie :
– « Par Dieu, vassal, je l'ai dit pour me moquer [de vous.
Croyez-vous que je parle sérieusement ?
Jamais telle idée ne me vint à l'esprit.
Sauriez-vous donc aimer une dame de qualité ?
Non, par Dieu ! vous auriez plutôt envie
d'embrasser et d'enlacer un bel adolescent. »

– « Dame, fait-il, j'ai bien entendu parler
de votre valeur, mais ce n'est pas maintenant ;
de Troie j'ai même entendu dire
que ce fut jadis une très grande puissance ;
or maintenant on n'en peut retrouver que les [traces.
Pour ce, je vous conseille
de faire accuser de sodomie
ceux qui désormais ne voudront vous aimer. »

– « Par Dieu, vassal, vous avez été insensé
de me reprocher mon âge.
Même si ma jeunesse était tout à fait passée,
je suis riche et de si haut rang
qu'on m'aimerait avec peu de beauté.
Il n'y a pas encore un mois,
le Marquis m'a envoyé un message,
et le Barrois a jouté pour l'amour de moi. »

– « Par Dieu, Madame, vous avez beaucoup [perdu
à compter toujours sur votre rang ;
mais grand nombre de ceux qui ont soupiré [pour vous,
même si vous étiez la fille du Roi de Carthage,
ne voudraient plus le faire.
L'on n'aime pas une dame pour sa parenté,
mais pour sa beauté, sa courtoisie et sa sagesse.
Vous en reconnaîtrez bientôt la vérité. »

Conon de Béthune (milieu du XIIe s., v. 1220)
Traduction de Jean Dufournet

Poésies de Guillaume de Machaut (XVe s.)

Né au milieu du XIIe siècle, Conon de Béthune, d'origine Picarde, fréquente la cour de Marie de Champagne ; c'est un grand seigneur qui participera à la troisième et à la quatrième croisade.

Prenez tôt ce baiser...

Prenez tôt ce baiser, mon cœur,
Que ma maîtresse vous présente,
La belle, bonne, jeune et gente,
Par sa très grand grâce et douceur.

Bon guet ferai, sur mon honneur,
Afin que Dangier rien n'en sente.
Prenez tôt ce baiser, mon cœur,
Que ma maîtresse vous présente.

Dangier, toute nuit, en labeur,
A fait guet ; or gît en sa tente.
Accomplissez bref votre entente,
Tandis qu'il dort : c'est le meilleur.
Prenez tôt ce baiser, mon cœur.

Charles d'Orléans (1391-1465)
Chansons et rondeaux (1440)

Fait prisonnier par les Anglais à la bataille d'Azincourt, Charles d'Orléans resta vingt ans en exil. À son retour, il anima la cour de Blois, où il accueillit notamment François Villon.

« Par-delà les petits compliments galants et le madrigal avant la lettre, il y a chez Charles d'Orléans l'expression d'un ennui déjà romantique, traduction peut-être d'une société décadente et d'une civilisation à bout de souffle, mais qui n'est pas si éloignée de ce désespoir dont Villon se fait le chantre sans concession. »

Jean-Charles Payen

De l'amour du siècle antique

Au bon vieux temps un train d'amours régnait,
Qui sans grand art et dons se démenait,
Si qu'un bouquet donné d'amour profonde,
C'était donné toute la terre ronde,
Car seulement au cœur on se prenait.

Et si, par cas, à jouir on venait,
Savez-vous bien comme on s'entretenait ?
Vingt ans, trente ans : cela durait un monde,
Au bon vieux temps.

Or est perdu ce qu'Amour ordonnait :
Rien que pleurs feints, rien que changes on n'ait.
Qui voudra donc qu'à aimer je me fonde,
Il faut premier que l'Amour on refonde,
Et qu'on la mène ainsi qu'on la menait
Au bon vieux temps.

Clément Marot (1496-1544)
L'Adolescence clémentine (1532)

« Il avait une veine grandement fluide, un vers non affecté, un sens fort bon [...] »

Étienne Pasquier

« Chantez-nous/ Non pas du sérieux, du tendre, ni du doux ;/ Mais ce qu'en français on nomme bagatelle,/ Un jeu dont je voudrais Voiture pour modèle,/ Il excelle en cet art : Maître Clément et lui/ S'y prenaient beaucoup mieux que nos gens d'aujourd'hui. »

La Fontaine

Le Livre du champion des dames (Martin le Franc, XVe s.)

Minerve et Proserpine (Muller, 1593)

Quand au temple…

Quand au temple nous serons
Agenouillés, nous ferons
Les dévots selon la guise
De ceux qui pour louer Dieu
Humbles se courbent au lieu
Le plus secret de l'église.
Mais quand au lit nous serons
Entrelacés, nous ferons
Les lascifs selon les guises
Des Amants qui librement
Pratiquent folâtrement
Dans les draps cent mignardises.
Pourquoi donque, quand je veux
Ou mordre tes beaux cheveux,
Ou baiser ta bouche aimée,
Ou toucher à ton beau sein,
Contrefais-tu la nonnain
Dedans un cloître enfermée ?
Pour qui gardes-tu tes yeux
Et ton sein délicieux,
Ton front, ta lèvre jumelle ?
En veux-tu baiser Pluton
Là-bas, après que Charon
T'aura mise en sa nacelle ?
Après ton dernier trépas,
Grêle, tu n'auras là-bas
Qu'une bouchette blêmie ;
Et quand mort je te verrais
Aux Ombres je n'avouerais
Que jadis tu fus m'amie.
Ton test n'aura plus de peau,
Ni ton visage si beau
N'aura veines ni artères :
Tu n'auras plus que les dents
Telles qu'on les voit dedans
Les têtes de cimetères.
Donque tandis que tu vis,
Change, Maîtresse, d'avis,
Et ne m'épargne ta bouche.
Incontinent tu mourras,
Lors tu te repentiras
De m'avoir été farouche.
Ah, je meurs ! ah, baise-moi !
Ah, Maîtresse, approche-toi !
Tu fuis comme un faon qui tremble.
Au moins souffre que ma main
S'ébatte un peu dans ton sein,
Ou plus bas, si bon te semble.

Pierre de Ronsard (1524-1585)
Les Amours de Cassandre (1552)

« Amour de tête, amour de cœur, amour de rêve, amour de corps parfois (Genèvre), amour de cour, amour de circonstance, amour de commande même, amour sensuel, amour déçu, amour timide parfois, amour sarcastique : il n'y en a guère que Ronsard n'ait chanté. »
Yvonne Bellenger

Portrait de Cassandre Salviati
(anonyme)

Ce jour de Mai...

Ce jour de Mai, qui a la tête peinte
D'une gaillarde et gentille verdeur,
Ne doit passer sans que ma vive ardeur
De vôtre grâce un peu ne soit éteinte.

De vôtre part si vous êtes atteinte
Autant que moi d'amoureuse langueur,
D'un feu pareil soulageons nôtre cœur.
Qui aime bien ne doit point avoir crainte.

Le temps s'enfuit : cependant ce beau jour
Nous doit apprendre à démener l'amour,
Et le pigeon qui sa femelle baise.

Baisez-moi donc, et faisons tout ainsi
Que les oiseaux sans nous donner souci :
Après la mort on ne voit rien qui plaise.

Pierre de Ronsard
Les Amours de Cassandre

« Certes, pouvons-nous bien dire pour le moins de la poésie française, qu'elle a accompli son tour et sa révolution dans le cercle et dans la période de sa vie. Il l'a vue en son orient, il l'a vue en son occident, il l'a vue naître, il l'a vue mourir avec lui ; elle a eu même berceau, elle aura le même sépulcre. »

Du Perron, *Oraison funèbre de Pierre de Ronsard*

Couple d'amants (Romanino)

Au mois d'Avril...

Au mois d'Avril quand l'an se renouvelle,
L'Aube ne sort si belle de la mer,
Ni hors des flots la Déesse d'aimer
Ne vint à Chypre en sa conque si belle,

Comme je vis la beauté que j'appelle
Mon Astre saint, au matin s'éveiller,
Rire le ciel, la terre s'émailler,
Et les Amours voler à l'entour d'elle.

Beauté jeunesse et les Grâces qui sont
Filles du Ciel, lui pendaient sur le front :
Mais ce qui plus redoubla mon service,
C'est qu'elle avait un visage sans art.
La femme laide est belle d'artifice,
La femme belle est belle sans au fard.

Pierre de Ronsard
Sonnets et madrigals pour Astrée (1578)

« Cet homme, le nez sur ses livres latins, arrachant des griffes et des dents les lambeaux de l'Antiquité, rimait le jour, la nuit, sans lâcher prise. Jeune encore, mais devenu sourd, d'autant plus solitaire, il poursuivait la muse de son brutal amour [...] »

Michelet

À sa maîtresse

Ode XVII

Mignonne, allons voir si la rose
Qui ce matin avait déclose
Sa robe de pourpre au Soleil,
A point perdu cette vêprée
Les plis de sa robe pourprée,
Et son teint au votre pareil.

Las ! voyez comme en peu d'espace,
Mignonne, elle a dessus la place
Las ! las ! ses beautés laissé choir !
Ô vraiment marâtre Nature,
Puis qu'une telle fleur ne dure
Que du matin jusques au soir !

Donc, si vous me croyez mignonne,
Tandis que votre âge fleuronne
En sa plus verte nouveauté,
Cueillez cueillez votre jeunesse :
Comme à cette fleur la vieillesse
Fera ternir votre beauté.

Pierre de Ronsard
Les Odes (1550)

« La poésie française n'a plus retrouvé, depuis lors, cette sensualité si humaine, ce culte et des corps et des amours, ces douces arabesques, cette fraîcheur d'eau vive jusque dans le plus subtil artifice, ce goût admirable du bonheur [...] » Thierry Maulnier

C'était un jour d'été...

C'était un jour d'été de rayons éclairci,
J'en ai toujours au cœur la souvenance [empreinte,
Quand le ciel nous lia d'une si ferme étreinte
Que la mort ne saurait nous séparer d'ainsi.

L'an était en sa force et notre amour aussi,
Nous faisions l'un à l'autre une aimable [complainte,
J'étais jaloux de vous, de moi vous aviez crainte,
Mais rien qu'affection ne causait ce souci.

Amours, qui voletiez à l'entour de nos [flammes
Comme gais papillons, où sont deux autres [âmes
Qui redoutent si peu les efforts envieux ?

Où la foi soit si ferme ? où tant d'amour [s'assemble ?
N'ayant qu'un seul vouloir, toujours d'accord [ensemble,
Fors qu'ils se font la guerre à qui s'aimera [mieux !

Philippe Desportes (1546-1606)
Diverses Amours (1583)

« La simplicité et la clarté du style et de la langue, la facilité, la légèreté, la suavité. »

« Il [Philippe Desportes] a débarrassé la poésie française des complications et des préciosités dont elle s'était encombrée et annoncé le classicisme. »
Jacques Brosse

Ève et un putto tenant une pomme (Le Corrège)

Nymphe et putti chevauchant un dauphin (Luca Cambiono, milieu XVIe s.)

« La Dame voilée à l'éventail »
Le Jardin de la noblesse française (Abraham Bosse, XVIIe s.)

À la belle vieille

Ce n'est pas d'aujourd'hui que je suis ta conquête :
Huit lustres ont suivi le jour que tu me pris ;
Et j'ai fidèlement aimé ta belle tête
Sous des cheveux châtains et sous des cheveux gris.

C'est de tes jeunes yeux que mon ardeur est née ;
C'est de leurs premiers traits que je fus abattu :
Mais, tant que tu brûlas du flambeau d'hyménée,
Mon amour se cacha pour plaire à ta vertu.

Je sais de quel respect il faut que je t'honore,
Et mes ressentiments ne l'ont pas violé.
Si quelquefois j'ai dit le soin qui me dévore,
C'est à des confidents qui n'ont jamais parlé.

Pour adoucir l'aigreur des peines que j'endure
Je me plains aux rochers et demande conseil
À ces vieilles forêts dont l'épaisse verdure
Fait de si belles nuits en dépit du soleil.

L'âme pleine d'amour et de mélancolie,
Et couché sur des fleurs, et sous des orangers,
J'ai montré ma blessure aux deux mers d'Italie,
Et fait dire ton nom aux échos étrangers.

Ce fleuve impérieux à qui tout fit hommage,
Et dont Neptune même endura le mépris,
A su qu'en mon esprit j'adorais ton image,
Au lieu de chercher Rome en ces vastes débris.

Cloris, la passion que mon cœur t'a jurée
Ne trouve point d'exemple aux siècles les plus vieux.
Amour et la Nature admirent la durée
Du feu de mes désirs, et du feu de tes yeux.

La beauté, qui te suit depuis ton premier âge,
Au déclin de tes jours ne veut pas te laisser;
Et le temps, orgueilleux d'avoir fait ton visage,
En conserve l'éclat, et craint de l'effacer.

Regarde sans frayeur la fin de toutes choses.
Consulte le miroir avec des yeux contents.
On ne voit point tomber ni tes lys, ni tes roses;
Et l'hiver de ta vie est ton second printemps.

François Maynard (1582 ou 1583-1646)
(À la belle vieille, extrait)
Poésies (1646)

Ces stances ont très certainement un caractère autobiographique ; Maynard aurait attendu un an après la disparition de sa femme pour chanter sous le pseudonyme de Cloris un amour de jeunesse qui restait toujours aussi vivace.

« À la belle vieille » est, selon l'expression de Jacques Vier, un « vertueux défi au temps » ; et le critique de préciser : « parce qu'habituellement les poètes ne chantent pas les vieilles et parce que la belle vieille de Maynard n'a pas vieilli. »

Nymphes
(anonyme, XVIe-XVIIe s.)

Le silence régnait...

Le silence régnait sur la terre et sur l'onde;
L'air devenait serein et l'Olympe vermeil,
Et l'amoureux Zéphyr affranchi du sommeil
Ressuscitait les fleurs d'une haleine féconde.

L'Aurore déployait l'or de sa tresse blonde
Et semait de rubis le chemin du Soleil;
Enfin ce Dieu venait au plus grand appareil
Qu'il soit jamais venu pour éclairer le monde,

Quand la jeune Phyllis au visage riant,
Sortant de son palais plus clair que l'Orient,
Fit voir une lumière et plus vive et plus belle.

Sacré flambeau du jour, n'en soyez point jaloux!
Vous parûtes alors aussi peu devant elle
Que les feux de la nuit avaient fait devant vous.

Claude de Malleville (1597 ? - 1647)

Malleville fut considéré comme un maître de la poésie et de l'écriture épistolaire amoureuse de son temps. Il fut aussi le traducteur de romans italiens.

Marquise, si mon visage...

Marquise, si mon visage
A quelques traits un peu vieux,
Souvenez-vous qu'à mon âge
Vous ne vaudrez guère mieux.

Le temps aux plus belles choses
Se plaît a faire un affront,
Et saura faner vos roses
Comme il a ridé mon front.

Le même cours des planètes
Règle nos jours et nos nuits :
On m'a vu ce que vous êtes
Vous serez ce que je suis.

Cependant j'ai quelques charmes
Qui sont assez éclatants
Pour n'avoir pas trop d'alarmes
De ces ravages du temps.

Vous en avez qu'on adore ;
Mais ceux que vous méprisez
Pourraient bien durer encore ;
Quand ceux-là seront usés.

Ils pourront sauver la gloire
Des yeux qui me semblent doux,
Et dans mille ans faire croire
Ce qu'il me plaira de vous.

Chez cette race nouvelle,
Où j'aurai quelque crédit,
Vous ne passerez pour belle
Qu'autant que je l'aurai dit.

Pensez-y, belle Marquise.
Quoiqu'un grison fasse effroi,
Il vaut bien qu'on le courtise,
Quand il est fait comme moi.

Pierre Corneille (1606 - 1684)
Poésies

« Dans l'effort
du personnage cornélien,
le seul être qui compte,
c'est l'être plus grand
qu'il n'est pas encore, mais
qu'il va devenir parce qu'il
en profère le langage et qu'il
en accomplit déjà
les actes. »
Jean Starobinski

Le Gentilhomme saluant
(Jacques Callot, début XVIIe s.)

Stances galantes

Souffrez qu'Amour cette nuit vous réveille ;
Par mes soupirs laissez-vous enflammer :
Vous dormez trop, adorable merveille,
Car c'est dormir que de ne point aimer.

Ne craignez rien : dans l'amoureux empire,
Le mal n'est pas si grand que l'on le fait ;
Et, lorsqu'on aime et que le cœur soupire,
Son propre mal souvent le satisfait.

Le mal d'aimer, c'est de le vouloir taire ;
Pour l'éviter, parlez en ma faveur.
Amour le veut, n'en faites point mystère ;
Mais vous tremblez et ce dieu vous fait peur !

Peut-on souffrir une plus douce peine ?
Peut-on souffrir une plus douce loi ?
Qu'estant des cœurs la douce souveraine,
Dessus le vôtre, Amour agisse en roi.

Rendez-vous donc, ô divine Amarante,
Soumettez-vous aux volontés d'Amour ;
Aimez pendant que vous êtes charmante,
Car le temps passe et n'a point de retour.

Molière (1622-1673)
Stances galantes (1666)

« Molière s'est plu à peindre la vie en beauté et même en splendeur, d'accord avec son siècle sur qui rayonnaient la jeunesse et le faste de la cour et qu'imprégnaient de fortes traditions d'humanisme optimiste. N'invente-t-il pas, en prose ou en vers, le langage de l'adolescence galante ? »

Jacques Vier

« Il importe de considérer que la lutte entre classicisme et romantisme existe aussi bien à l'intérieur de chaque esprit ; et c'est de cette lutte même que doit naître l'œuvre ; l'œuvre d'art classique raconte le triomphe de l'ordre et de la mesure sur le romantisme intérieur. L'œuvre est d'autant plus belle que la chose soumise était d'abord plus révoltée. »

André Gide

La jeune fille et le ramier

Les rumeurs du jardin disent qu'il va pleuvoir;
Tout tressaille, averti de la prochaine ondée;
Et toi qui ne lis plus, sur ton livre accoudée,
Plains-tu l'absent aimé qui ne pourra te voir ?

Là-bas, pliant son aile et mouillé sous l'ombrage,
Banni de l'horizon qu'il n'atteint que des yeux,
Appelant sa compagne et regardant les cieux,
Un ramier, comme toi, soupire de l'orage.

Laissez pleuvoir, ô cœurs solitaires et doux !
Sous l'orage qui passe il renaît tant de choses.
Le soleil sans la pluie ouvrirait-il les roses ?
Amants, vous attendez, de quoi vous plaignez vous ?

Marceline Desbordes-Valmore (1786-1859)
Poésies inédites (1860)

Jeune Homme assis (Eugène Delacroix)

« Ses vers passionnés vont au cœur ; qu'elle leur imprime un caractère religieux, ils iront à l'âme. »
Victor Hugo

« Jamais aucun poète ne fut plus naturel, aucun ne fut jamais moins artificiel. »
Charles Baudelaire

Les roses de Saadi

J'ai voulu ce matin te rapporter des roses;
Mais j'en avais tant pris dans mes ceintures closes
Que les nœuds trop serrés n'ont pu les contenir.

Les nœuds ont éclaté. Les roses envolées
Dans le vent, à la mer s'en sont toutes allées.
Elles ont suivi l'eau pour ne plus revenir.

La vague en a paru rouge et comme enflammée.
Ce soir, ma robe encore en est tout embaumée...
Respires-en sur moi l'odorant souvenir.

Marceline Desbordes-Valmore
Poésies inédites

Don Juan [détail] (Nicolas Maurin, 1837)

« Nous proclamons à haute et intelligible voix que Mme Desbordes-Valmore est tout bonnement la seule femme de génie et de talent de ce siècle et de tous les siècles, en compagnie de Sappho peut-être et de sainte Thérèse. »
Paul Verlaine

La branche d'amandier

De l'amandier tige fleurie,
Symbole, hélas ! de la beauté,
Comme toi, la fleur de la vie
Fleurit et tombe avant l'été.

Qu'on la néglige ou qu'on la cueille,
De nos fronts, des mains de l'Amour,
Elle s'échappe feuille à feuille,
Comme nos plaisirs jour à jour !

Savourons ces courtes délices ;
Disputons-les même au zéphyr,
Épuisons les riants calices
De ces parfums qui vont mourir.

Souvent la beauté fugitive
Ressemble à la fleur du matin,
Qui, du front glacé du convive,
Tombe avant l'heure du festin.

Un jour tombe, un autre se lève ;
Le printemps va s'évanouir ;
Chaque fleur que le vent enlève
Nous dit : Hâtez-vous de jouir.

Et, puisqu'il faut qu'elles périssent,
Qu'elles périssent sans retour !
Que ces roses ne se flétrissent
Que sous les lèvres de l'amour !

Alphonse de Lamartine (1790-1869)
Nouvelles Méditations poétiques (1823)

« C'est à lui que nous devons tous les embêtements bleuâtres du lyrisme poitrinaire [...] »
Gustave Flaubert

Amours ligotés (anonyme, XVIIe s.)

« [...] Cet homme-là n'a jamais pu entendre parler d'un sujet quelque peu pathétique sans se répandre en eau. On aurait dû l'endiguer. »
Mark Twain

Diane et Pan (Androuet du Cerceau, milieu XVIe s.)

À El ***

*« Ce qui pâlit,
ce qui se tait, ce qui
tombe avec le jour,
c'est chaque minute
de l'existence. »*
Georges Poulet

Lorsque seul avec toi, pensive et recueillie,
Tes deux mains dans la mienne, assis à tes côtés,
J'abandonne mon âme aux molles voluptés
Et je laisse couler les heures que j'oublie ;
Lorsqu'au fond des forêts je t'entraîne avec moi,
Lorsque tes doux soupirs charment seuls mon oreille,
Ou que, te répétant les serments de la veille,
Je te jure à mon tour de n'adorer que toi ;
Lorsqu'enfin, plus heureux, ton front charmant repose
Sur mon genou tremblant qui lui sert de soutien,
Et que mes doux regards sont suspendus au tien
Comme l'abeille avide aux feuilles de la rose ;
Souvent alors, souvent, dans le fond de mon cœur
Pénètre comme un trait une vague terreur ;
Tu me vois tressaillir ; je pâlis, je frissonne,
Et troublé tout à coup dans le sein du bonheur,
Je sens couler des pleurs dont mon âme s'étonne.
Tu me presses soudain dans tes bras caressants,
Tu m'interroges, tu t'alarmes,
Et je vois de tes yeux s'échapper quelques larmes
Qui viennent se mêler aux pleurs que je répands.
« De quel ennui secret ton âme est-elle atteinte ?
Me dis-tu : cher amour, épanche ta douleur ;
J'adoucirai ta peine en écoutant ta plainte,
Et mon cœur versera le baume dans ton cœur. »
Ne m'interroge plus, ô moitié de moi-même !
Enlacé dans tes bras, quand tu me dis : « Je t'aime » ;
Quand mes yeux enivrés se soulèvent vers toi,
Nul mortel sous les cieux n'est plus heureux que moi !
Mais jusque dans le sein des heures fortunées
Je ne sais quelle voix que j'entends retentir
Me poursuit, et vient m'avertir
Que le bonheur s'enfuit sur l'aile des années,
Et que de nos amours le flambeau doit mourir !
D'un vol épouvanté, dans le sombre avenir
Mon âme avec effroi se plonge,
Et je me dis : ce n'est qu'un songe
Que le bonheur qui doit finir.

Alphonse de Lamartine
Nouvelles Méditations poétiques

Vénus (Pierre Paul Prud'hon, v. 1810)

Henri Guillemin, à propos de la poésie lamartinienne : « Un long bercement pareil à celui de la mer, et en même temps une montée ; et des images qui se dissolvent dans la lumière. »

Tristesse

Adonis (Pierre Paul Prud'hon, v. 1810)

Ramenez-moi, disais-je, au fortuné rivage
Où Naples réfléchit dans une mer d'azur
Ses palais, ses coteaux, ses astres sans nuage,
Où l'oranger fleurit sous un ciel toujours pur.
Que tardez-vous ? Partons ! Je veux revoir encore
Le Vésuve enflammé sortant du sein des eaux ;
Je veux de ses hauteurs voir se lever l'aurore ;
Je veux, guidant les pas de celle que j'adore,
Redescendre, en rêvant, de ces riants coteaux ;
Suis-moi dans les détours de ce golfe tranquille ;
Retournons sur ces bords à nos pas si connus,
Aux jardins de Cinthie, au tombeau de Virgile,
Près des débris épars du temple de Vénus :
Là, sous les orangers, sous la vigne fleurie,
Dont le pampre flexible au myrte se marie,
Et tresse sur ta tête une voûte de fleurs,
Au doux bruit de la vague ou du vent qui murmure,
Seuls avec notre amour, seuls avec la nature,
La vie et la lumière auront plus de douceurs.

De mes jours pâlissants le flambeau se consume,
Il s'éteint par degrés au souffle du malheur,
Ou, s'il jette parfois une faible lueur,
C'est quand ton souvenir dans mon sein le rallume ;
Je ne sais si les dieux me permettront enfin
D'achever ici-bas ma pénible journée.
Mon horizon se borne, et mon œil incertain
Ose l'étendre à peine au-delà d'une année.
    Mais s'il faut périr au matin,
S'il faut, sur une terre au bonheur destinée,
    Laisser échapper de ma main
    Cette coupe que le destin
Semblait avoir pour moi de roses couronnée,
Je ne demande aux dieux que de guider mes pas
Jusqu'aux bords qu'embellit ta mémoire chérie,
De saluer de loin ces fortunés climats,
Et de mourir aux lieux où j'ai goûté la vie.

Alphonse de Lamartine
Nouvelles Méditations poétiques

« Son patronyme évoque assurément des images : cheveux au vent, un jeune homme soupire au bord d'un lac ; ou, debout sur une chaise, un ministre repousse le drapeau rouge. »
Marius-François Guyard

« M. de Lamartine a fait sans doute de beaux vers ; mais il veut toujours paraître avoir rêvé sur une autre planète que la nôtre. »
Paul Claudel

Puisque j'ai mis ma lèvre...

Puisque j'ai mis ma lèvre à ta coupe encor pleine,
Puisque j'ai dans tes mains posé mon front pâli,
Puisque j'ai respiré parfois la douce haleine
De ton âme, parfum dans l'ombre enseveli ;

Puisqu'il me fut donné de t'entendre me dire
Les mots où se répand le cœur mystérieux,
Puisque j'ai vu pleurer, puisque j'ai vu sourire
Ta bouche sur ma bouche et tes yeux sur mes yeux ;

Puisque j'ai vu briller sur ma tête ravie
Un rayon de ton astre, hélas ! voilé toujours,
Puisque j'ai vu tomber dans l'onde de ma vie
Une feuille de rose arrachée à tes jours ;

Je puis maintenant dire aux rapides années :
– Passez ! passez toujours ! je n'ai plus à vieillir !
Allez-vous-en avec vos fleurs toutes fanées ;
J'ai dans l'âme une fleur que nul ne peut cueillir !

Votre aile en le heurtant ne fera rien répandre
Du vase où je m'abreuve et que j'ai bien rempli.
Mon âme a plus de feu que vous n'avez de cendre !
Mon cœur a plus d'amour que vous n'avez d'oubli !

Victor Hugo (1802-1885)
Les Chants du crépuscule (1835)

En 1833, Victor Hugo conçoit une vive passion, payée de retour, pour Juliette Drouet (l'une des interprètes de son drame Lucrèce Borgia*). C'est l'occasion pour le poète d'annoncer un thème qui sera repris dans « Tristesse d'Olympio » : le souvenir qui vaincra le temps et l'oubli.*

« Non seulement il exprime nettement, il traduit littéralement la lettre nette et claire ; mais il exprime, avec l'obscurité indispensable, ce qui est obscur et confusément révélé. »
Charles Baudelaire

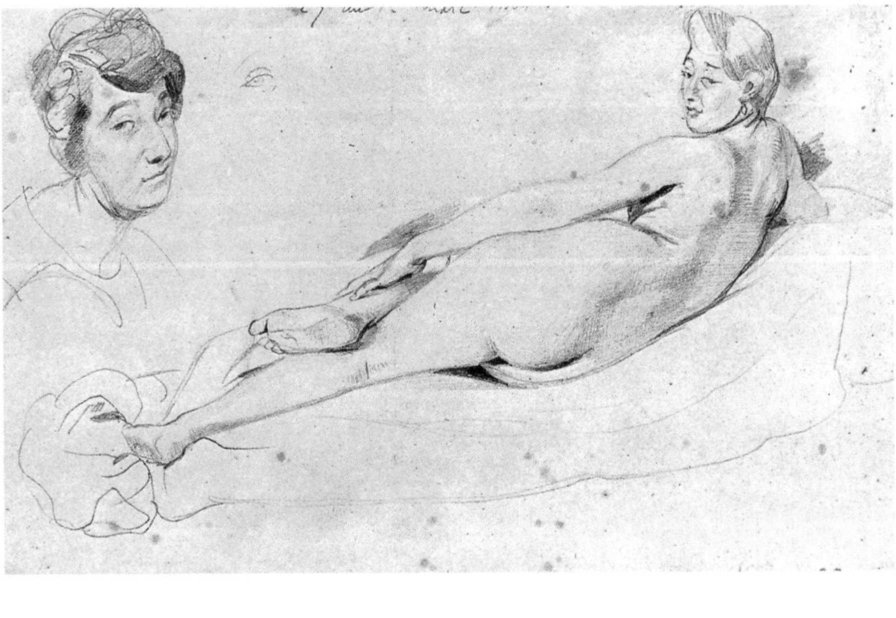

Étude pour « Odalisque étendue sur un divan » (Eugène Delacroix, v. 1826)

Lise

J'avais douze ans ; elle en avait bien seize.
Elle était grande, et, moi, j'étais petit.
Pour lui parler le soir plus à mon aise,
Moi j'attendais que sa mère sortît ;
Puis je venais m'asseoir près de sa chaise
Pour lui parler le soir plus à mon aise.

Que de printemps passés avec leurs fleurs !
Que de feux morts, et que de tombes closes !
Se souvient-on qu'il fut jadis des cœurs ?
Se souvient-on qu'il fut jadis des roses ?
Elle m'aimait. Je l'aimais. Nous étions
Deux purs enfants, deux parfums, deux rayons.

Dieu l'avait faite ange, fée et princesse.
Comme elle était bien plus grande que moi,
Je lui faisais des questions sans cesse
Pour le plaisir de lui dire : pourquoi ?
Et par moments elle évitait, craintive,
Mon œil rêveur qui la rendait pensive.

Puis j'étalais mon savoir enfantin,
Mes jeux, la balle et la toupie agile ;
J'étais tout fier d'apprendre le latin ;
Je lui montrais mon Phèdre et mon Virgile ;
Je bravais tout ; rien ne me faisait mal ;
Je lui disais : Mon père est général.

Quoiqu'on soit femme, il faut parfois qu'on lise
Dans le latin, qu'on épelle en rêvant ;
Pour lui traduire un verset, à l'église,
Je me penchais sur son livre souvent.
Un ange ouvrait sur nous son aile blanche,
Quand nous étions à vêpres le dimanche.

Jeune Couple d'amoureux [détail]
(Debucourt, XVIIIe s.)

Elle disait de moi : C'est un enfant !
Je l'appelais mademoiselle Lise.
Pour lui traduire un psaume, bien souvent,
Je me penchais sur son livre à l'église ;
Si bien qu'un jour, vous le vîtes, mon Dieu !
Sa joue en fleur toucha ma lèvre en feu.

Jeunes amours, si vite épanouies,
Vous êtes l'aube et le matin du cœur.
Charmez l'enfant, extases inouïes !
Et, quand le soir vient avec la douleur,
Charmez encor nos âmes éblouies,
Jeunes amours, si vite évanouies !

Victor Hugo
Les Contemplations (1843)

« Hugo est un lyrique personnel, le plus grand des lyriques personnels, à la personne de qui, à tort ou à raison (plutôt à tort), on ne parvient pas généralement à s'intéresser, et il n'arrive jamais de rêver. »
Albert Thibaudet

La fête chez Thérèse

La chose fut exquise et fort bien ordonnée.
C'était au mois d'avril, et dans une journée
Si douce, qu'on eût dit qu'amour l'eût faite
[exprès.
Thérèse la duchesse à qui je donnerais,
Si j'étais roi, Paris, si j'étais Dieu, le monde,
Quand elle ne serait que Thérèse la blonde,
Cette belle Thérèse, aux yeux de diamant,
Nous avait conviés dans son jardin charmant.
On était peu nombreux. Le choix faisait la fête.
Nous étions tous ensemble et chacun tête à
[tête.
Des couples pas à pas erraient de tous côtés.
C'étaient les fiers seigneurs et les rares beautés,
Les Amyntas rêvant auprès des Léonores,
Les marquises riant avec les monsignores;
Et l'on voyait rôder dans les grands escaliers
Un nain qui dérobait leur bourse aux cavaliers.
À midi, le spectacle avec la mélodie.
Pourquoi jouer Plautus la nuit? La comédie
Est une belle fille et rit mieux au grand jour.
Or on avait bâti, comme un temple d'amour,
Près d'un bassin dans l'ombre habité par un
[cygne,
Un théâtre en treillage où grimpait une vigne.
Un cintre à claire-voie en anse de panier,
Cage verte où sifflait un bouvreuil prisonnier,
Couvrait toute la scène, et sur leurs gorges
[blanches,
Les actrices sentaient errer l'ombre des
[branches.
On entendait au loin de magiques accords;
Et, tout en haut, sortant de la frise à mi-corps,
Pour attirer la foule aux lazzis qu'il répète,
Le blanc Pulcinella sonnait de la trompette.
Deux faunes soutenaient le manteau
[d'Arlequin;
Trivelin leur riait au nez comme un faquin.
Parmi les ornements sculptés dans le treillage,
Colombine dormait dans un gros coquillage,
Et, quand elle montrait son sein et ses bras nus,
On eût cru voir la conque, et l'on eût dit Vénus.
Le seigneur Pantalon, dans une niche, à droite,
Vendait des limons doux sur une table étroite,
Et criait par instants : – Seigneurs, l'homme
[est divin.
Dieu n'avait fait que l'eau, mais l'homme a
[fait le vin.
Scaramouche en un coin harcelait de sa batte
Le tragique Alcantor, suivi du triste Arbate;
Crispin, vêtu de noir, jouait de l'éventail;
Perché, jambe pendante, au sommet du portail,
Carlino se penchait, écoutant les aubades,
Et son pied ébauchait de rêveuses gambades.
Le soleil tenait lieu de lustre; la saison
Avait brodé de fleurs un immense gazon,
Vert tapis déroulé sous maint groupe folâtre.
Rangés des deux côtés de l'agreste théâtre,
Les vrais arbres du parc, les sorbiers, les lilas,
Les ébéniers qu'avril charge de falbalas,
De leur sève embaumée exhalant les délices,
Semblaient se divertir à faire les coulisses,
Et, pour nous voir, ouvrant leurs fleurs comme
[des yeux,
Joignaient aux violons leur murmure joyeux;
Si bien qu'à ce concert gracieux et classique,
La nature mêlait un peu de sa musique.
Tout nous charmait, les bois, le jour serein,
[l'air pur,
Les femmes tout amour et le ciel tout azur.
Pour la pièce, elle était fort bonne, quoique
[ancienne.
C'était, nonchalamment assis sur l'avant-scène,
Pierrot qui haranguait dans un grave entretien
Un singe timbalier à cheval sur un chien.
Rien de plus. C'était simple et beau. – Par
[intervalles,
Le singe faisait rage et cognait ses timbales;
Puis Pierrot répliquait. – Écoutait qui voulait.
L'un faisait apporter des glaces au valet;
L'autre, galant drapé d'une cape fantasque,
Parlait bas à sa dame en lui nouant son
[masque;
Trois marquis attablés chantaient une chanson.
Thérèse était assise à l'ombre d'un buisson,
Les roses pâlissaient à côté de sa joue,
Et, la voyant si belle, un paon faisait la roue.
Moi, j'écoutais pensif un profane couplet
Que fredonnait dans l'ombre un abbé violet.
La nuit vint; tout se tut; les flambeaux
[s'éteignirent;
Dans les bois assombris les sources se
[plaignirent;
Le rossignol, caché dans son nid ténébreux,
Chanta comme un poète et comme un
[amoureux.

Chacun se dispersa sous les profonds
[feuillages;
Les folles en riant entraînèrent les sages;
L'amante s'en alla dans l'ombre avec l'amant;
Et, troublés comme on l'est en songe,
[vaguement,
Ils sentaient par degrés se mêler à leur âme,
À leurs discours secrets, à leurs regards de
[flamme,
À leur cœur, à leurs sens, à leur molle raison,
Le clair de lune bleu qui baignait l'horizon.

Victor Hugo
Les Contemplations

L'inspiratrice de ce poème n'est autre que Juliette Drouet et la fête costumée est peut-être une de celles que donnait Laure Junot duchesse d'Abrantès. Hugo goûtait par ailleurs les peintures dans le genre de Watteau et de Boucher.

« Le propre du poète, c'est précisément d'aider par l'acte de sa vision rétrospective à tout ce mouvement confus par lequel le passé s'efforce de redevenir présent. On a toujours l'impression, dans le poème hugolien, d'un vaste front d'approche des images, pareil à celui d'une armée en marche vers l'actuel. »

Georges Poulet

Les Caprices de Marianne
(d'après E. Lamy, 1885)

« Sa poésie, concise et brillante,
s'impose à l'esprit comme
une image forte et logique. »
Charles Asselineau

Harmonie du soir

Voici venir les temps où vibrant sur sa tige
Chaque fleur s'évapore ainsi qu'un encensoir;
Les sons et les parfums tournent dans l'air du soir;
Valse mélancolique et langoureux vertige !

Chaque fleur s'évapore ainsi qu'un encensoir;
Le violon frémit comme un cœur qu'on afflige;
Valse mélancolique et langoureux vertige !
Le ciel est triste et beau comme un grand reposoir.

Le violon frémit comme un cœur qu'on afflige,
Un cœur tendre, qui hait le néant vaste et noir !
Le ciel est triste et beau comme un grand reposoir;
Le soleil s'est noyé dans son sang qui se fige.

Un cœur tendre, qui hait le néant vaste et noir,
Du passé lumineux recueille tout vestige !
Le soleil s'est noyé dans son sang qui se fige...
Ton souvenir en moi luit comme un ostensoir !

Charles Baudelaire (1821-1867)
Les Fleurs du mal (1857)

« Vous êtes, Monsieur, un noble
esprit et un généreux cœur.
Vous écrivez des choses profondes
et souvent sereines.
Vous aimez le Beau.
Donnez-moi la main. »
Victor Hugo

Manon Lescaut
(Maurice Leloir, 1883)

Distrayeuse

La chambre est pleine de parfums. Sur la table basse, dans des corbeilles, il y a du réséda, du jasmin et toutes sortes de petites fleurs rouges, jaunes et bleues.

Blondes émigrantes du pays des longs crépuscules, du pays des rêves, les visions débarquent dans ma fantaisie. Elles y courent, y crient et s'y pressent tant, que je voudrais les en faire sortir.

Je prends des feuilles de papier bien blanc et bien lisse, et des plumes couleur d'ambre qui glissent sur le papier avec des cris d'hirondelles. Je veux donner aux visions inquiètes l'abri du rythme et de la rime.

« Il avait voulu fixer l'apparence des choses, la voix des êtres. Il rêvait à la victoire de l'homme sur le temps ennemi. Il a passé – comme il dit – des portes ouvertes sur l'imaginaire. »
Hubert Juin

Mais voilà que sur le papier blanc et lisse, où glissait ma plume en criant comme une hirondelle sur un lac, tombent des fleurs de réséda, de jasmin et d'autres petites fleurs rouges, jaunes et bleues.

C'était *Elle*, que je n'avais pas vue et qui secouait les bouquets des corbeilles sur la table basse.

Mais les visions s'agitaient toujours et voulaient repartir. Alors, oubliant qu'*Elle* était là, belle et blanche, j'ai soufflé contre les petites fleurs semées sur le papier et je me suis repris à courir après les visions, qui, sous leurs manteaux de voyageuses, ont des ailes traîtresses.

J'allais en emprisonner une, – sauvage fille au regard vert, – dans une étroite strophe,

Quand *Elle* est venue s'accouder sur la table basse, à côté de moi, si bien que ses seins irritants caressaient le papier lisse.

Le dernier vers de la strophe restait à souder. C'est ainsi qu'*Elle* m'en a empêché, et que la vision au regard vert s'est enfuie, ne laissant dans la strophe ouverte que son manteau de voyageuse et un peu de la nacre de ses ailes.

Oh ! la distrayeuse !... J'allais lui donner le baiser qu'elle attendait, quand les visions remuantes, les chères émigrantes aux odeurs lointaines ont reformé leurs danses dans ma fantaisie.

Aussi, j'ai oublié encore qu'*Elle* était là, blanche et nue. J'ai voulu clore l'étroite strophe par le dernier vers, indestructible chaîne d'acier idéal, niellée d'or stellaire, qu'incrustaient les splendeurs des couchants cristallisées dans ma mémoire.

Et j'ai un peu écarté de la main ses seins gonflés de désirs irritants, qui masquaient sur le papier lisse la place du dernier vers. Ma plume a repris son vol, en criant comme l'hirondelle qui rase un lac tranquille, avant l'orage.

Mais voilà qu'*Elle* s'est étendue, belle, blanche et nue, sur la table basse, au-dessous des corbeilles, cachant sous *son* beau corps alangui la feuille entière de papier lisse.

Alors les visions se sont envolées toutes bien loin, pour ne plus revenir.

Mes yeux, mes lèvres et mes mains se sont perdus dans l'aromatique broussaille de sa nuque, sous l'étreinte obstinée de ses bras et sur ses seins gonflés de désirs.

Et je n'ai plus vu que ce beau corps alangui, tiède, blanc et lisse où tombaient, des corbeilles agitées, les résédas, les jasmins et d'autres petites fleurs rouges, jaunes et bleues.

Charles Cros (1842-1888)
Le Coffret de santal (1873)

« Le pur enjouement de certaines parties toutes fantaisistes de son œuvre ne doit pas faire oublier qu'au centre de quelques-uns des plus beaux poèmes de Cros un révolver est braqué.»
André Breton

Danseuse orientale
(Aubrey Beardsley, fin XIXe s.)

Pluriel féminin

Je suis encombré des amours perdues,
Je suis effaré des amours offertes.
Vous voici pointer, jeunes feuilles vertes.
Il faut vous payer, noces qui sont dues.

La neige descend, plumes assidues,
Hiver en retard, tu me déconcertes.
Froideur des amis, tu m'étonnes, certes.
Et mes routes sont désertes, ardues.

Amours neuves, et vous amours passées,
Vous vous emmêlez trop dans mes pensées
En des discordances éoliennes.

Printemps, viens donc vite et de tes poussées
D'un balai d'églantines insensées
Chasse de mon cœur les amours anciennes !

Charles Cros
Le Collier de griffes (1908)

Vent d'été...

À Ulysse Rocq, peintre.

Vent d'été, tu fais les femmes plus belles
En corsage clair, que les seins rebelles
Gonflent. Vent d'été, vent des fleurs, doux rêve
Caresse un tissu qu'un beau sein soulève.

Dans les bois, les champs, corolles, ombelles
Entourent la femme ; en haut, les querelles
Des oiseaux, dont la romance est trop brève,
Tombent dans l'air chaud. Un moment de trêve.

Et l'épine rose a des odeurs vagues,
La rose de mai tombe de sa tige,
Tout frémit dans l'air, chant d'un doux vertige.

Quittez votre robe et mettez des bagues ;
Et montrez vos seins, éternel prodige.
Baisons-nous, avant que mon sang se fige.

Charles Cros
Le Collier de griffes

« L'unité de sa vocation, en tant que poète et en tant que savant, tient à ce que, pour lui, il s'est toujours agi d'arracher à la nature une partie de ses secrets. »
André Breton

« Il fait partie de cette classe d'esprits qui ont à leur sommet les Léonard de Vinci et les Pascal et à leurs derniers rangs, les monomanes et les fous. »
Émile Verhaeren

Rêve de Sabbat (Eugène Devéria, 1re moitié XIXe s.)

« La poésie de Verlaine, forme et pensée, est toute spontanée ; c'est fondu à la cire perdue ; elle est ou n'est pas. Rien n'y indique la retouche [...] »
Rémy de Gourmont

Circonspection

À Gaston Sénéchal.

Donne ta main, retiens ton souffle, asseyons-nous
Sous cet arbre géant où vient mourir la brise
En soupirs inégaux sous la ramure grise
Que caresse le clair de lune blême et doux.

Immobiles, baissons nos yeux vers nos genoux.
Ne pensons pas, rêvons. Laissons faire à leur guise
Le bonheur qui s'enfuit et l'amour qui s'épuise,
Et nos cheveux frôlés par l'aile des hiboux.

Oublions d'espérer. Discrète et contenue,
Que l'âme de chacun de nous deux continue
Ce calme et cette mort sereine du soleil.

Restons silencieux parmi la paix nocturne :
Il n'est pas bon d'aller troubler dans son sommeil
La nature, ce dieu féroce et taciturne.

Paul Verlaine (1844-1896)
Jadis et naguère (1884)

Étude de draperie classique (Ingres, v. 1835)

Féminin singulier

Éternel Féminin de l'éternel Jocrisse !
Fais-nous sauter, pantins nous payons les décors !
Nous éclairons la rampe... Et toi, dans la coulisse,
Tu peux faire au pompier le pur don de ton corps.

Fais claquer sur nos dos le fouet de ton caprice,
Couronne tes genoux !... et nos têtes dix-cors ;
Ris ! montre tes dents !... mais... nous avons la police,
Et quelque chose en nous d'eunuque et de recors.

... Ah tu ne comprends pas !... – Moi non plus – Fais la belle,
Tourne : nous sommes soûls ! Et plats : Fais la cruelle !
Cravache ton pacha, ton humble serviteur !...

Après sache tomber ! – mais tomber avec grâce –
Sur notre sable fin ne laisse pas de trace !...
– C'est le métier de femme et de gladiateur. –

Tristan Corbière (1845-1875)
Les Amours jaunes (1873)

« Le 1er mars 1875, dans la trentième année de son âge, s'éteignait à Morlaix un pauvre être falot, rongé, perclus de rhumatismes et si long et si maigre et si jaune que les marins bretons, ses amis, l'avaient baptisé "an ankou" (la Mort). »
Charles Le Goffic

« Son vers vit, rit, pleure très peu, se moque bien et blague encore mieux, amer d'ailleurs et salé comme son cher Océan [...] »
Paul Verlaine

A Full and True Account of the Wonderful Mission of Earl Lavender
(Aubrey Beardsley, fin XIXe s.)

Étude pour « Les Sources »
(Gustave Moreau, v. 1856)

Sensation

Par les soirs bleus d'été, j'irai dans les sentiers,
Picoté par les blés, fouler l'herbe menue :
Rêveur, j'en sentirai la fraîcheur à mes pieds.
Je laisserai le vent baigner ma tête nue.

Je ne parlerai pas, je ne penserai rien :
Mais l'amour infini me montera dans l'âme,
Et j'irai loin, bien loin, comme un bohémien,
Par la Nature, – heureux comme avec une
femme.

Arthur Rimbaud (1854-1891)
Poésies (1895)

Ce poème fut publié pour la première fois dans « La Revue indépendante » en janvier 1889, mais il fut écrit en 1870. On y voit déjà comment l'ivresse des sens, dans la poésie rimbaldienne, ouvre sur l'inconnu.

Le rôle de la Nature dans la poésie de Rimbaud inspire ces lignes à René Char : « Nature non statique [...] mais associée au courant du poème où elle intervient avec fréquence comme matière, fond lumineux, force créatrice, support de démarches inspirées ou pessimistes, grâce. »

Roman

I

On n'est pas sérieux, quand on a dix-sept ans.
– Un beau soir, foin des bocks et de la limonade,
Des cafés tapageurs aux lustres éclatants !
– On va sous les tilleuls verts de la promenade.

Les tilleuls sentent bon dans les bons soirs de juin !
L'air est parfois si doux, qu'on ferme la paupière ;
Le vent chargé de bruits, – la ville n'est pas loin, –
A des parfums de vigne et des parfums de bière...

II

– Voilà qu'on aperçoit un tout petit chiffon
D'azur sombre, encadré d'une petite branche,
Piqué d'une mauvaise étoile, qui se fond
Avec de doux frissons, petite et toute blanche...

Nuit de juin ! Dix-sept ans ! – On se laisse griser.
La sève est du champagne et vous monte à la tête...
On divague ; on se sent aux lèvres un baiser
Qui palpite là, comme une petite bête...

III

Le cœur fou Robinsonne à travers les romans,
– Lorsque, dans la clarté d'un pâle réverbère,
Passe une demoiselle aux petits airs charmants,
Sous l'ombre du faux col effrayant de son père...

Et, comme elle vous trouve immensément naïf,
Tout en faisant trotter ses petites bottines,
Elle se tourne, alerte et d'un mouvement vif...
– Sur vos lèvres alors meurent les cavatines...

IV

Vous êtes amoureux. Loué jusqu'au mois d'août.
Vous êtes amoureux. – Vos sonnets La font rire.
Tous vos amis s'en vont, vous êtes *mauvais goût*.
– Puis l'adorée, un soir, a daigné vous écrire... !

– Ce soir-là,... – vous rentrez aux cafés éclatants,
Vous demandez des bocks ou de la limonade...
– On n'est pas sérieux, quand on a dix-sept ans
Et qu'on a des tilleuls verts sur la promenade.

29 septembre 1870.

Arthur Rimbaud
Poésies

« Rimbaud a résolu le problème
en possédant la vérité dans
son corps et ne voyant de réel
que ce qui coïncidait avec
les sensations, avec les plaisirs,
avec les peines, les jouissances
et les tristesses de ce corps individuel.
Le rêve, ce qui n'était pas senti
immédiatement, cela ne comptait
plus pour lui [...] »
Albert Thibaudet

Petite Fille
(Gustave Moreau)

Rêvé pour l'hiver

À... Elle.

L'hiver, nous irons dans un petit wagon rose
Avec des coussins bleus.
Nous serons bien. Un nid de baisers fous repose
Dans chaque coin moelleux.

Tu fermeras l'œil, pour ne point voir, par la glace,
Grimacer les ombres des soirs,
Ces monstruosités hargneuses, populace
De démons noirs et de loups noirs.

Puis tu te sentiras la joue égratignée...
Un petit baiser, comme une folle araignée,
Te courra par le cou...

Et tu me diras : « Cherche ! » en inclinant la tête,
– Et nous prendrons du temps à trouver cette bête
– Qui voyage beaucoup...

En wagon, le 7 octobre 1870.

Arthur Rimbaud
Poésies

« De ses mains juvéniles, il a érigé un monument aussi durable que les grandes cathédrales. C'est une œuvre qui défie tout malentendu. »
Henry Miller

L'Air (G. Bourgeot, v. 1900)

Arles

Dans Arles, où sont les Aliscamps,
Quand l'ombre est rouge, sous les roses,
Et clair le temps,

Prends garde à la douceur des choses,
Lorsque tu sens battre sans cause
Ton cœur trop lourd ;

Et que se taisent les colombes :
Parle tout bas, si c'est d'amour,
Au bord des tombes.

Paul-Jean Toulet (1867-1920)
Les Contrerimes (1921)

« On ne lit pas Toulet sans quelque plaisir pervers. Il y faut connivence. »
Bernard Delvaille

Jeune Fille nue
(Gustav Klimt, v. 1900)

Éloge de la Jeune Fille

Magistrats! dévouez aux épouses vos arcs triomphaux. Enjambez les routes avec la louange des veuves obstinées. Usez du ciment, du faux marbre et de la boue séchée pour dresser les mérites de ces dames respectables, – c'est votre emploi.

Je garde le mien qui est d'offrir à une autre un léger tribut de paroles, une arche de buée dans les yeux, un palais trouble dansant au son du cœur et de la mer.

Ceci est réservé à la seule Jeune Fille. À celle à qui tous les maris du monde sont promis, – mais qui n'en tient pas encore.

À celle dont les cheveux libres tombent en arrière, sans empois, sans fidélité – et les sourcils ont l'odeur de la mousse.

À celle qui a des seins et n'allaite pas; un cœur et n'aime pas; un ventre pour les fécondités, mais décemment demeure stérile.

À celle riche de tout ce qui viendra; qui va tout choisir, tout recevoir, tout enfanter peut-être.

À celle qui, prête à donner ses lèvres à la tasse des épousailles, tremble un peu, ne sait que dire, consent à boire, – et n'a pas encore bu.

Victor Segalen (1878-1919)
Stèles (1912)

Comme Malraux ou Claudel, c'est en Extrême-Orient que Victor Segalen a puisé une partie de son inspiration : « Dans ce moule chinois, déclara-t-il, j'ai placé simplement ce que j'avais à exprimer. » Dans cette « religion des signes » qu'est la Chine selon Claudel, Segalen a voulu plonger au plus profond et s'est tourné vers la stèle, « témoin de deux mille ans du passé chinois ». Paradoxalement, cet intérêt pour ces pierres anonymes suscite en lui « une impression de possession personnelle, d'œuvre personnelle ».

Carpe diem...

Cueille ce triste jour d'hiver sur la mer grise,
D'un gris doux, la terre est bleue et le ciel bas
Semble tout à la fois désespéré et tendre ;
Et vois la salle de la petite auberge
Si gaie et si bruyante en été, les dimanches,
Et où nous sommes seuls aujourd'hui, venus
De Naples, non pour voir Baïes et l'entrée des Enfers,
Mais pour nous souvenir mélancoliquement.
Cueille ce triste jour d'hiver sur la mer grise,
Mon amie, ô ma bonne amie, ma camarade !
Je crois qu'il est pareil au jour
Où Horace composa l'ode à Leuconoé.
C'était aussi l'hiver, alors, comme l'hiver
Qui maintenant brise sur les rochers adverses la mer
Tyrrhénienne, un jour où l'on voudrait
Écarter le souci et faire d'humbles besognes,
Être sage au milieu de la nature grave,
Et parler lentement en regardant la mer...
Cueille ce triste jour d'hiver sur la mer grise...
Te souviens-tu de Marienlyst ? (Oh, sur quel rivage,
Et en quelle saison sommes-nous ? je ne sais.)
On y va d'Elseneur, en été, sur des pelouses
Pâles ; il y a le tombeau d'Hamlet et un hôtel
Éclairé à l'électricité, avec tout le confort moderne.
C'était l'été du Nord, lumineux, doux voilé.
Souviens-toi : on voyait la côte suédoise, en face,
Bleue, comme ce profil lointain de l'Italie.
Oh ! aimes-tu ce jour autant que moi je l'aime ?
Cueille ce triste jour d'hiver sur la mer grise...
Oh ! que n'ai-je passé ma vie à Elseneur !
Le petit port danois est tranquille, près de la gare.
Comme le port définitif des existences.
Vivre danoisement dans la douceur danoise
De cette ville où est un château avec des dômes en bronze
Vert-de-grisés ; vivre dans l'innocence, oui,
De n'importe quelle petite ville, quelque part,
Où tout le monde serait pensif et silencieux,
Et où l'on attendrait paisiblement la mort.
Cueille ce triste jour d'hiver sur la mer grise,
Et laisse-moi cacher mes yeux dans tes mains fraîches ;
J'ai besoin de douceur et de paix, ô ma sœur.
Sois mon jeune héros, ma Pallas protectrice,
Sois mon certain refuge et ma petite ville ;
Ce soir, mi Socorro, je suis une humble femme
Qui ne sait plus qu'être inquiète et être aimée.

Valery Larbaud (1881-1957)
A. O. Barnabooth (1913)

À côté de son œuvre poétique et romanesque il fut passionné par les voyages, le cosmopolitisme ; il s'est plu à se placer sous l'invocation de saint Jérôme, patron des adaptateurs, et a traduit de nombreux auteurs étrangers, dont James Joyce, Italo Svevo, Samuel Butler...

« Larbaud n'admet pas de séparation entre la poésie et la prose. Il semble avoir fait sien le mot de Baudelaire : " Sois toujours poète, même en prose." »
Ernest R. Curtuis

Femme nue de face,
les cheveux épars
(Auguste Rodin, v. 1899)

La belle au bois dormant

Amphidontes, carinaires, coquillages
Vous qui ne parlez qu'à l'oreille,
Révélez-moi la jeune fille
Qui se réveillera dans mille ans,
Que je colore la naissance
De ses lèvres et de ses yeux,
Que je lui dévoile le son
De sa jeunesse et de sa voix,
Que je lui apprenne son nom,
Que je la coiffe, la recoiffe
Selon mes mains et leur plaisir,
Et qu'enfin je la mesure avec mon âme flexible !
Je la reconnais, jouissant de sa claire inexistence
Dans le secret d'elle-même comme font les joies à venir,
Composant son sourire, en essayant plusieurs,
Disposant ses étamines
Sous un feuillage futur,
Où mille oiseaux, où mille plumes
Essaient déjà de se tenir,
Allumant des feux d'herbages,
Charmant l'eau loin de ses rives
Et jouant sur les montagnes
À les faire évanouir.

Jules Supervielle (1884-1960)
Gravitations (1925)

« Vous êtes un grand constructeur de ponts dans l'espace », écrivait Rilke à Supervielle.

« Comme les auteurs de science-fiction, qui décrivent un temps futur de ruine universelle, Supervielle imagine un oubli devenu général, immense, cosmique ; l'oubli régnera sur la Terre à la disparition de toute mémoire humaine. »
Georges Poulet

Le Modèle accroupi et la tête sculptée
(Pablo Picasso, 1933)

Couple allongé et enlacé (Auguste Rodin)

La chambre dans l'espace

Tel le chant du ramier quand l'averse est prochaine – l'air se poudre de pluie, de soleil revenant –, je m'éveille lavé, je fonds en m'élevant ; je vendange le ciel novice.

Allongé contre toi, je meus ta liberté. Je suis un bloc de terre qui réclame sa fleur.

Est-il gorge menuisée plus radieuse que la tienne ? Demander c'est mourir !

L'aile de ton soupir met un duvet aux feuilles. Le trait de mon amour ferme ton fruit, le boit.

Je suis dans la grâce de ton visage que mes ténèbres couvrent de joie.

Comme il est beau ton cri qui me donne ton silence !

René Char (1907-1988)
La Parole en archipel (1962)

« Poésie, éthique, poétique, tels sont les trois vocables autour desquels s'articule l'œuvre de René Char. »
Guy Le Clec'h

Le myrte

Parfois je te savais la terre, je buvais
Sur tes lèvres l'angoisse des fontaines
Quand elle sourd des pierres chaudes, et l'été
Dominait haut la pierre heureuse et le buveur.

Parfois je te disais de myrte et nous brûlions
L'arbre de tous tes gestes tout un jour.
C'étaient de grands feux brefs de lumière vestale,
Ainsi je t'inventais parmi tes cheveux clairs.

Tout un grand été nul avait séché nos rêves,
Rouillé nos voix, accru nos corps, défait nos fers.
Parfois le lit tournait comme une barque libre
Qui gagne lentement le plus haut de la mer.

Yves Bonnefoy (1923)
Pierre écrite (1959)

*« Images, l'éclat qui manque
à la grisaille des jours,
mais que permet le langage
quand le recourbe sur soi,
quand le pétrit comme
un sein natal, la soif
constante du rêve. »*

*« La poésie en Europe,
ç'aura été l'impossible :
ce qui échappe au destin
comme l'immédiat
à nos mots. »*
Yves Bonnefoy

Sans titre (Jean Cocteau, 1952)

J'ai tant rêvé de toi...

J'ai tant rêvé de toi que tu perds ta réalité.
Est-il encore temps d'atteindre ce corps vivant et de baiser sur cette bouche la naissance de la voix qui m'est chère ?

J'ai tant rêvé de toi que mes bras habitués, en étreignant ton ombre, à se croiser sur ma poitrine ne se plieraient pas au contour de ton corps, peut-être.

Et que, devant l'apparence réelle de ce qui me hante et me gouverne depuis des jours et des années, je deviendrais une ombre sans doute.

Ô balances sentimentales.

J'ai tant rêvé de toi qu'il n'est plus temps sans doute que je m'éveille. Je dors debout, le corps exposé à toutes les apparences de la vie et de l'amour et toi, la seule qui compte aujourd'hui pour moi, je pourrais moins toucher ton front et tes lèvres que les premières lèvres et le premier front venus.

J'ai tant rêvé de toi, tant marché, parlé, couché avec ton fantôme qu'il ne me reste plus peut-être, et pourtant, qu'à être fantôme parmi les fantômes et plus ombre cent fois que l'ombre qui se promène et se promènera allégrement sur le cadran solaire de ta vie.

Robert Desnos (1900-1945)
Corps et biens (1930)

Desnos comptait, dans les caractères essentiels du rêve, « la sensualité, la liberté absolue, le baroque même et une certaine atmosphère qui évoque précisément l'infini et l'éternité ».

Ce qui, dans le rêve, intéresse surtout les surréalistes, dit Robert Bréchon, c'est « son étoffe même, ses matériaux, sa mise en scène, son jeu, c'est-à-dire en fin de compte les images qu'il recueille ou délivre ».

Nu (Marcel Gromaire, 1958)

L'empire des sens

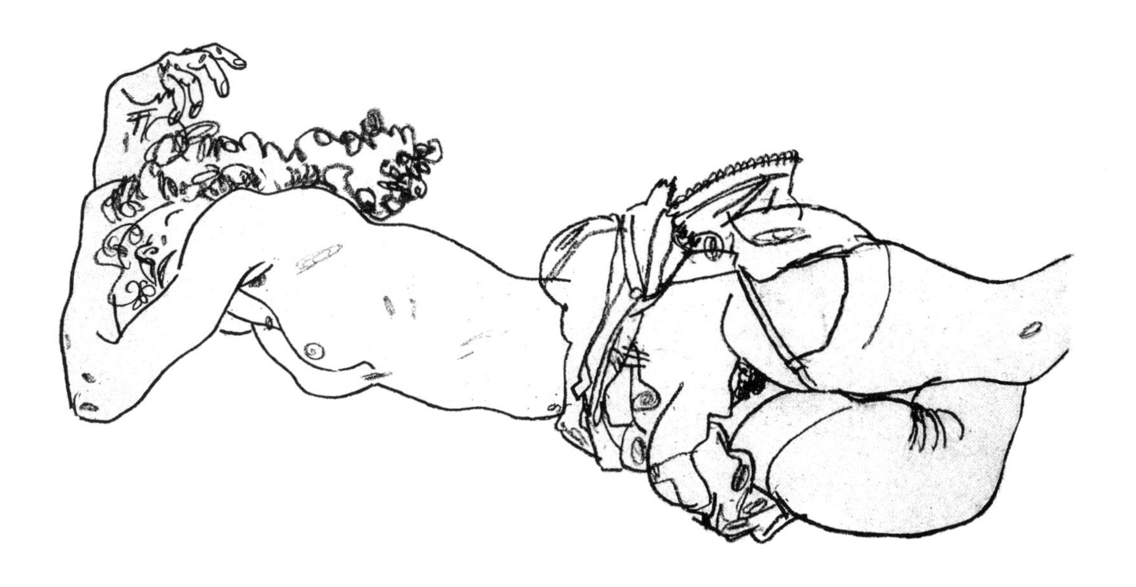

Nu couché (Egon Schiele, 1918)

Ô beaux yeux

Ô beaux yeux bruns, ô regards détournés,
Ô chauds soupirs, ô larmes épandues,
Ô noires nuits vainement attendues,
Ô jours luisants vainement retournés !

Ô tristes plaints, ô désirs obstinés,
Ô temps perdu, ô peines dépendues,
Ô mille morts en mille rets tendues,
Ô pires maux contre moi destinés !

Ô ris, ô front, cheveux, bras, mains et doigts !
Ô luth plaintif, viole, archet et voix !
Tant de flambeaux pour ardre une femelle !

De toi me plains, que tant de feux portant,
En tant d'endroits d'iceux mon cœur tatant,
N'en est sur toi volé quelque étincelle.

Louise Labé (1520-1565)
Sonnets (1555)

Louise Labé, surnommée « la Belle Cordière », publia une série de sonnets que lui inspira son amour pour le poète Olivier de Magny.

« On ne saurait trouver dans toute notre littérature des poèmes d'amour plus pudiques. Il est vrai que Louise Labé n'a pas le sens du péché : elle a l'innocence du cœur et de la chair. Elle reste la plus grande poétesse qui soit née en France. »

Léopold Sédar Senghor

Oh si j'étais...

Oh si j'étais en ce beau sein ravie
De celui-là pour lequel vais mourant ;
Si avec lui vivre le demeurant
De mes courts jours ne m'empêchait envie ;

Si m'accolant me disait, chère Amie,
Contentons-nous l'un l'autre, s'assurant
Que jà tempête, Euripe, ni courant
Ne nous pourra déjoindre en notre vie ;

Si de mes bras le tenant accolé,
Comme du lierre est l'arbre encercelé,
La mort venait, de mon aise envieuse :

Lors que soif plus il me baiserait,
Et mon esprit sur ses lèvres fuirait,
Bien je mourrais, plus que vivante, heureuse.

Louise Labé
Sonnets

Louise Labé, issue d'une famille de cordiers lyonnais, et appartenant donc à la petite bourgeoisie commerçante, est parvenue à s'imposer comme un grand poète de son temps, dans une œuvre à la fois savante et expressive qui bousculait les normes traditionnelles de la poésie lyrique.

« Elle était mondaine, ardente, à la page. Et pourtant elle reste révolutionnaire. Cette princesse d'école lyonnaise demeure une Antigone, une délicieuse rebelle. »

Léon-Paul Fargue

Léda (anonyme, 1542)

Je vis, je meurs…

Je vis, je meurs ; je me brûle et me noie.
J'ai chaud extrême en endurant froidure ;
La vie m'est et trop molle et trop dure.
J'ai grands ennuis entremêlés de joie.

Tout à un coup je ris et je larmoie,
Et en plaisir maint grief tourment j'endure ;
Mon bien s'en va, et à jamais il dure ;
Tout en un coup je sèche et je verdoie.

Ainsi Amour inconstamment me mène ;
Et quand je pense avoir plus de douleur,
Sans y penser je me trouve hors de peine.

Puis quand je crois ma joie être certaine,
Et être au haut de mon désiré heur,
Il me remet en mon premier malheur.

Louise Labé
Sonnets

Ce que la poésie de Louise Labé « apporte de nouveau c'est un total abandon à la passion amoureuse, cette sincérité sobrement pathétique qui se refuse au divorce de la chair et de l'esprit, qui échappe ainsi au débat entre le platonisme et la sensualité dans lequel se complaisait Maurice Scève ».

Henri Weber

Homme nu
(Alessandro Allori, XVIe s.)

Baise m'encor...

Baise m'encor, rebaise-moi et baise ;
Donne m'en un de tes plus savoureux,
Donne m'en un de tes plus amoureux :
Je t'en rendrai quatre plus chauds que braise.

Las, te plains-tu ? Ça que ce mal j'apaise,
En t'en donnant dix autres doucereux.
Ainsi mêlant nos baisers tant heureux
Jouissons-nous l'un de l'autre à notre aise.

Lors double vie à chacun en suivra.
Chacun en soi et son ami vivra.
Permets m'Amour penser quelque folie :

Toujours suis mal, vivant discrètement,
Et ne me puis donner contentement,
Si hors de moi ne fais quelque saillie.

Louise Labé
Sonnets

« Quel étrange nom la Belle Cordière
Sa bouche est rouge et son corps enfantin
Je m'en souviens mal. C'est un rêve d'hier
Elle était blanche ainsi que le matin. »
Louis Aragon

« Poète de la Renaissance,
Louise Labé ne pouvait rester
insensible aux évocations
de son nom propre.
Le rapprochement entre le patronyme
français et ses paronymes
latins devait s'imposer à sa
conscience poétique : Labium, *la lèvre,*
labia, *les lèvres, appelaient, si l'on*
peut dire, une poésie
labéenne du baiser. »
François Rigolot

L'École de Priape [détail] (Giulio Romano, XVIe s.)

Maîtresse, embrasse-moi...

Maîtresse, embrasse-moi, baise-moi, serre-moi,
Haleine contre haleine, échauffe-moi la vie,
Mille et mille baisers donne-moi, je te prie ;
Amour veut tout sans nombre, Amour n'a point de loi.

Baise et rebaise-moi ; belle bouche, pourquoi
Te gardes-tu, là-bas, quand tu seras blêmie,
À baiser de Pluton ou la femme ou l'amie,
N'ayant plus ni couleur, ni rien semblable à toi ?

En vivant presse-moi de tes lèvres de roses ;
Bégaye en me baisant, à lèvres demi closes,
Mille mots tronçonnés, mourant entre mes bras.

Je mourrai dans les tiens, puis, toi ressuscitée,
Je ressusciterai ; allons ainsi là-bas ;
Le jour, tant soit-il court, vaut mieux que la nuitée.

Pierre de Ronsard (1524-1585)
Les Amours d'Hélène (1578)

« Les poèmes amoureux de Ronsard furent les premiers redécouverts par les romantiques, et c'est comme poète des "Amours" qu'il demeure le plus connu aujourd'hui encore. »
Yvonne Bellenger

« Les divines fureurs de Musique, de Poésie et de Peinture ne viennent pas par degrés en perfection comme les autres sciences, mais par boutées et comme éclairs de feu. »
Pierre de Ronsard

Neptune et Doride (Androuet du Cerceau, XVIe s.)

Ô doux plaisir…

Ô doux plaisir plein de doux pensement,
Quand la douceur de la douce mêlée
Étreint et joint l'âme en l'âme mêlée,
Le corps au corps accouplé doucement.

Ô douce vie, ô doux trépassement,
Mon âme alors de grand joie troublée,
De moi dans toi s'écoulant à l'emblée,
Puis haut, puis bas, quiert son ravissement.

Quand nous ardents, Méline, d'amour forte,
Moi d'être en toi, toi d'en toi tout me prendre,
Par cela mien, qui dans toi entre plus,

Tu le reçois, me laissant masse morte ;
Puis vient ta bouche en ma bouche le rendre,
Me ranimant tous mes membres perclus.

Jean Antoine de Baïf (1532-1589)
Les Amours de Méline (1552)

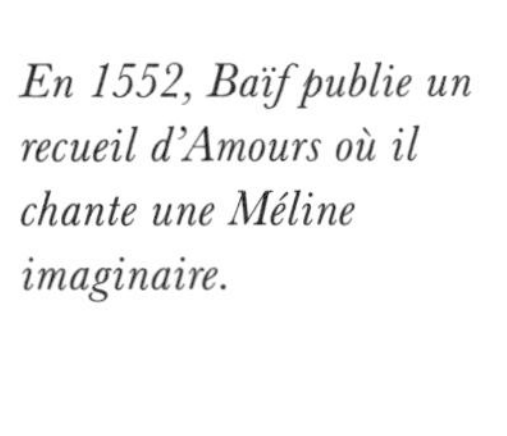

En 1552, Baïf publie un recueil d'Amours où il chante une Méline imaginaire.

« L'imagerie amoureuse, dans ses aspects allégoriques les plus étonnants pour nous, n'est souvent que la description quasi clinique du triomphe de l'amour tel qu'on l'imaginait au XVIe siècle. »
Yvonne Bellenger

Salmacis et Hermaphrodite (anonyme, XVIe s.)

Sur sa fièvre

Que faites-vous dedans mes os,
Petites vapeurs enflammées,
Dont les pétillantes fumées
M'étouffent sans fin le repos ?

Vous me portez de veine en veine
Les cuisants tisons de vos feux,
Et parmi vos détours confus
Je perds le cours de mon haleine.

Mes yeux, crevés de vos ennuis,
Sont bandés de tant de nuages,
Qu'en ne voyant que des ombrages,
Ils voient des profondes nuits.

Mon cerveau, siège de mon âme,
Heureux pourpris de ma raison,
N'est plus que l'horrible prison
De votre plus horrible flamme.

J'ai cent peintres dans ce cerveau,
Tous songes de vos frénésies,
Qui grotesquent mes fantaisies
De feu, de terre, d'air et d'eau.

C'est un chaos que ma pensée
Qui m'élance ore sur les monts,
Ore m'abîme dans un fond,
Me poussant comme elle est poussée.

Ma voix qui n'a plus qu'un filet
À peine, à peine encore tire
Quelque soupir qu'elle soupire
De l'enfer des maux où elle est.

Las ! Mon angoisse est bien extrême ;
Je trouve tout à dire en moi,
Je suis bien souvent en émoi
Si c'est moi-même que moi-même.

À ce mal dont je suis frappé
Je comparais jadis ces rages,
Dont amour frappe nos courages.
Mais, amour, je suis trompé,

Il faut librement que je die :
Au prix d'un mal si furieux,
J'aimerais cent mille fois mieux
Faire l'amour toute ma vie.

Jean de Sponde (1557-1595)
Les Amours (1598)

Cupidon (anonyme, XVIe s.)

Dernier poème qui clôt Les Amours, *« Sur sa fièvre » évoque moins une véritable fièvre qu'une description pathologique de l'état amoureux.*

« Quand l'homme de ce temps s'explique à lui-même, c'est toujours en termes d'instabilité, de fluidité, de fuite. »
Jean Rousset

Déjanire enlevée par Nesso (Giulio Romano, XVIe s.)

À Marie Dorval

Foule immense et vaine
Qui remue à peine
Et tient son haleine
Au son de ta voix,
Séduite à tes charmes,
Craignant tes alarmes,
Pleurant de tes larmes,
Émue à la fois.

Tu n'as pas tant d'âmes
D'hommes ni de femmes,
Ni tant d'yeux en flammes
Entre les piliers,
Tes lèvres frivoles
Ont moins de paroles
Ardentes et folles
Sortant par milliers;

Tu n'as pas aux portes
Autant de cohortes
Avec des mains fortes
Et en noirs chapeaux;
Tu n'as pas aux grilles
Tant de jeunes filles
Froissant leurs mantilles
Auprès des manteaux,

Tant de galeries
Peintes et fleuries,
Tant d'allégories
De Mars et d'Amours,
Tant d'or qui flamboie
Ou qui se déploie
Sur la loge en soie
Aux bras de velours;

Foule spectatrice,
Foule adoratrice
De la belle actrice
Aux yeux grands et bleus,
Ton parterre sombre
Comme un lac dans l'ombre,
N'a pas si grand nombre
De fronts onduleux :

Que ses lèvres pures
N'ont eu de morsures
Changeant en blessures
Mes baisers ardents,
Lorsqu'elle soupire
Et lorsque j'expire,
Baisant son sourire
Sur ses belles dents.

Alfred de Vigny (1797-1863)
Poésies complètes (1842)

Au début des années 1830, Vigny éprouve une passion amoureuse pour Marie Dorval. Ce poème aurait été écrit en 1832, alors que l'actrice triomphait à l'Odéon dans Madame de Rougement.

On sait que pour Vigny, « la poésie, c'est de l'enthousiasme cristallisé » ; aussi, à côté de symboles prestigieux comme la perle (« Poésie ! ô trésor ! perle de la pensée ! ») ou le diamant, faudra-t-il ajouter, comme le suggère ce poème, les dents de son amante.

Les Loups (Gustave Doré)

Le satyre

Tout craignait ce sylvain à toute heure allumé;
La bacchante elle-même en tremblait; les [napées
S'allaient blottir aux trous des roches escarpées;
Écho barricadait son antre trop peu sûr;
Pour ce songeur velu, fait de fange et d'azur,
L'andryade en sa grotte était dans une alcôve;
De la forêt profonde il était l'amant fauve;
Sournois, pour se jeter sur elle, il profitait
Du moment où la nymphe, à l'heure où tout se [tait,
Éclatante, apparaît dans le miroir des sources;
Il arrêtait Lycère et Chloé dans leurs courses;
Il guettait, dans les lacs qu'ombrage le bouleau,
La naïade qu'on voit radieuse sous l'eau
Comme une étoile ayant la forme d'une [femme;
Son œil lascif errait la nuit comme une [flamme;
Il pillait les appas splendides de l'été;
Il adorait la fleur, cette naïveté;
Il couvait d'une tendre et vaste convoitise
Le muguet, le troène embaumé, le cytise,
Et ne s'endormait pas même avec le pavot;
Ce libertin était à la rose dévot;
Il était fort infâme au mois de mai; cet être
Traitait, regardant tout comme par la fenêtre,
Flore de mijaurée et Zéphir de marmot;
Si l'eau murmurait : « J'aime ! » il la prenait au [mot,
Et saisissait l'Ondée en fuite sous les herbes;
Ivre de leurs parfums, vautré parmi leurs [gerbes,
Il faisait une telle orgie avec les lys,
Les myrtes, les sorbiers de ses baisers pâlis,
Et de telles amours, que, témoin du désordre,
Le chardon, ce jaloux, s'efforçait de le mordre;
Il s'était si crûment dans les excès plongé
Qu'il était dénoncé par la caille et le geai;

Pan et Seringa (Giulio Romano, v. 1516)

Son bras, toujours tendu vers quelque blonde [tresse,
Traversait l'ombre; après les mois de sécheresse,
Les rivières, qui n'ont qu'un voile de vapeur,
Allant remplir leur urne à la pluie, avaient [peur
De rencontrer sa face effrontée et cornue;
Un jour, se croyant seule et s'étant mise nue
Pour se baigner au flot d'un ruisseau clair, [Psyché
L'aperçut tout à coup dans les feuilles caché,
Et s'enfuit, et s'alla plaindre dans l'empyrée;
Il avait l'innocence impudique de Rhée;
Son caprice, à la fois divin et bestial,
Montait jusqu'au rocher sacré de l'idéal,
Car partout où l'oiseau vole, la chèvre y grimpe;
Ce faune débraillait la forêt de l'Olympe;
Et, de plus, il était voleur, l'aventurier.

Victor Hugo (1802-1885)
La Légende des siècles (1859-1883)

Dans La Légende des siècles, *Hugo place « Le satyre » (inspiré très certainement de la sixième « Bucolique » de Virgile) en tête des pièces consacrées au XVIe siècle, sans doute parce que, à cette époque, se renouvelle l'intérêt pour la mythologie antique. Sans doute aussi parce qu'il s'agit d'une période marquée par l'audace.*

On sait que « Le satyre » occupe une place centrale dans La Légende des siècles *et, comme l'a remarqué Léon Cellier, ce poème joue « le rôle de microcosme par rapport au macrocosme formé par les trente-sept poèmes ».*

Les promesses d'un visage

J'aime, ô pâle beauté, tes sourcils surbaissés
D'où semblent couler des ténèbres ;
Tes yeux, quoique très-noirs, m'inspirent des pensers
Qui ne sont pas du tout funèbres.

Tes yeux, qui sont d'accord avec tes noirs cheveux,
Avec ta crinière élastique,
Tes yeux, languissamment, me disent : « Si tu veux,
Amant de la muse plastique,

Suivre l'espoir qu'en toi nous avons excité,
Et tous les goûts que tu professes,
Tu pourras constater notre véracité
Depuis le nombril jusqu'aux fesses ;

Tu trouveras au bout de deux beaux seins bien lourds,
Deux larges médailles de bronze,
Et sous un ventre uni, doux comme du velours,
Bistré comme la peau d'un bonze,

Une riche toison qui, vraiment, est la sœur
De cette énorme chevelure,
Souple et frisée, et qui t'égale en épaisseur,
Nuit sans étoiles, Nuit obscure ! »

Charles Baudelaire (1821-1867)
Les Fleurs du mal (1857)

Dans le manuscrit, ce poème est dédié « À Mademoiselle A...Z » dont on n'a pu retrouver l'identité. Le Dantec pensait qu'il s'agissait d'une plaisanterie du type : Mademoiselle N'importe-Qui, de A jusqu'à Z.

« La spiritualité de Baudelaire est dans la chute : sa religion – car c'en est une, même s'il se l'est en partie fabriquée à partir d'une fatalité initiale – consiste à choir de l'amour interdit dans la sexualité coupable, de refuser l'âme à celle-ci et la chair à celui-là. »
Pierre Emmanuel

Un modèle
(Aubrey Beardsley, fin XIXe s.)

À celle qui est trop gaie

Ta tête, ton geste, ton air
Sont beaux comme un beau paysage ;
Le rire joue en ton visage
Comme un vent frais dans un ciel clair.

Le passant chagrin que tu frôles
Est ébloui par la santé
Qui jaillit comme une clarté
De tes bras et de tes épaules.

Les retentissantes couleurs
Dont tu parsèmes tes toilettes
Jettent dans l'esprit des poètes
L'image d'un ballet de fleurs.

Ces robes folles sont l'emblème
De ton esprit bariolé ;
Folle dont je suis affolé,
Je te hais autant que je t'aime !

Quelquefois dans un beau jardin
Où je traînais mon atonie,
J'ai senti, comme une ironie,
Le soleil déchirer mon sein ;

Et le printemps et la verdure
Ont tant humilié mon cœur,
Que j'ai puni sur une fleur
L'insolence de la Nature.

Ainsi je voudrais, une nuit,
Quand l'heure des voluptés sonne,
Vers les trésors de ta personne,
Comme un lâche, ramper sans bruit,

Pour châtier ta chair joyeuse,
Pour meurtrir ton sein pardonné,
Et faire à ton flanc étonné
Une blessure large et creuse,

Et, vertigineuse douceur !
À travers ces lèvres nouvelles,
Plus éclatantes et plus belles,
T'infuser mon venin, ma sœur !

Charles Baudelaire
Les Fleurs du mal

Les Fleurs du mal (Auguste Rodin, 1918)

Ce poème accompagnait une lettre adressée à Mme Sabatier, datée du 9 décembre 1852 et que Baudelaire avait envoyée anonymement. Ce poème contribua à la condamnation des Fleurs du mal *par le Tribunal de Paris en 1857.*

« Les juges ont cru découvrir un sens à la fois sanguinaire et obscène dans les deux dernières stances. La gravité du Recueil excluait de pareilles plaisanteries. Mais venin signifiant spleen ou mélancolie était une idée trop simple pour des criminalistes. Que leur interprétation syphilitique leur reste sur la conscience ! »

Charles Baudelaire

Scherzo

Sourires, fleurs, baisers, essences,
Après de si fades ennuis,
Après de si ternes absences,
Parfumez le vent de mes nuits !

Illuminez ma fantaisie,
Jonchez mon chemin idéal,
Et versez-moi votre ambroisie,
Longs regards, lys, lèvres, santal !

★

Car j'ignore l'amour caduque
Et le dessillement des yeux,
Puisqu'encor sur ta blanche nuque
L'or flamboie en flocons soyeux.

Et cependant, ma fière amie,
Il y a longtemps, n'est-ce pas ?
Qu'un matin tu t'es endormie,
Lasse d'amour, entre mes bras.

★

Ce ne sont pas choses charnelles
Qui font ton attrait non pareil,
Qui conservent à tes prunelles
Ces mêmes rayons de soleil.

Car les choses charnelles meurent,
Ou se fanent à l'air réel.
Mais toujours tes beautés demeurent
Dans leur nimbe immatériel.

★

Ce n'est plus l'heure des tendresses
Jalouses, ni des faux serments.
Ne me dis rien de mes maîtresses,
Je ne compte pas tes amants.

★

À toi, comète vagabonde
Souvent attardée en chemin,
Laissant ta chevelure blonde
Flotter dans l'éther surhumain.

Qu'importent quelques astres pâles
Au ciel troublé de ma raison.
Quand tu viens à longs intervalles
Envelopper mon horizon ?

★

Je ne veux pas savoir quels pôles
Ta folle orbite a dépassés,
Tends-moi tes seins et tes épaules ;
Que je les baise, c'est assez.

Charles Cros (1842-1888)
Le Coffret de santal (1873)

« Il est certain qu'il porte le soleil en lui, et jusqu'à son physique l'avoue : cheveux crêpelés, teint mat et chaud, voix profonde. Carcassonne est à deux pas de son berceau. »
Hubert Juin

« La prodigieuse aventure mentale de Charles Cros eut pour contrepartie les conditions de vie dérisoires dans lesquelles il eut à se débattre. »
André Breton

Salomé (Gustave Moreau)

Ô nymphes...

Ô nymphes, regonflons des souvenirs divers.
« Mon œil, trouant les joncs, dardait chaque encolure
Immortelle, qui noie en l'onde sa brûlure
Avec un cri de rage au ciel de la forêt;
Et le splendide bain de cheveux disparaît
Dans les clartés et les frissons, ô pierreries !
J'accours; quand, à mes pieds, s'entrejoignent (meurtries
De la langueur goûtée à ce mal d'être deux)
Des dormeuses parmi leurs seuls bras hasardeux;
Je les ravis, sans les désenlacer, et vole
À ce massif, haï par l'ombrage frivole,
De roses tarissant tout parfum au soleil,
Où notre ébat au jour consumé soit pareil. »
Je t'adore, courroux des vierges, ô délice
Farouche du sacré fardeau nu qui se glisse
Pour fuir ma lèvre en feu buvant, comme un éclair
Tressaille ! la frayeur secrète de la chair :
Des pieds de l'inhumaine au cœur de la timide
Que délaisse à la fois une innocence, humide
De larmes folles ou de moins tristes vapeurs.
« Mon crime, c'est d'avoir, gai de vaincre ces peurs
Traîtresses, divisé la touffe échevelée
De baisers que les dieux gardaient si bien mêlée :
Car, à peine j'allais cacher un rire ardent
Sous les replis heureux d'une seule (gardant
Par un doigt simple, afin que sa candeur de plume
Se teignît à l'émoi de sa sœur qui s'allume,
La petite, naïve et ne rougissant pas :)
Que de mes bras, défaits par de vagues trépas,
Cette proie, à jamais ingrate se délivre
Sans pitié du sanglot dont j'étais encore ivre. »

Stéphane Mallarmé (1842-1898)
L'Après-midi d'un faune [extrait] (1876)

« Dans l'œuvre de Mallarmé,
L'Après-midi d'un faune *est le*
morceau des connaisseurs.
Ce poème forme le point central,
parfait, à la fois simple et
raffiné, où viennent converger
toutes les directions flexibles,
toutes les époques de son talent. »
Albert Thibaudet

Nymphe et Faune (Henri Matisse)

En publiant L'Après-midi d'un faune,
Mallarmé connaissait très certainement ces
vers de Musset dans « Rolla » qui évoquait le
même thème :
« Regrettez-vous le temps où les nymphes lascives
Ondoyaient au soleil parmi les fleurs des eaux
Et d'un éclat de rire agaçaient sur les rives
Les Faunes indolents couchés dans les roseaux. »

À la nue accablante...

À la nue accablante tu
Basse de basalte et de laves
À même les échos esclaves
Par une trompe sans vertu

Quel sépulcral naufrage (tu
Le sais, écume, mais y baves)
Suprême une entre les épaves
Abolit le mât dévêtu

Ou cela que furibond faute
De quelque perdition haute
Tout l'abîme vain éployé

Dans le si blanc cheveu qui traîne
Avarement aura noyé
Le flanc enfant d'une sirène.

Stéphane Mallarmé
Autres Poèmes et sonnets (1895)

Surgi de la croupe...

Surgi de la croupe et du bond
D'une verrerie éphémère
Sans fleurir la veillée amère
Le col ignoré s'interrompt.

Je crois bien que deux bouches n'ont
Bu, ni son amant ni ma mère,
Jamais à la même Chimère,
Moi, sylphe de ce froid plafond !

Le pur vase d'aucun breuvage
Que l'inexhaustible veuvage
Agonise mais ne consent,

Naïf baiser des plus funèbres !
À rien expirer annonçant
Une rose dans les ténèbres.

Stéphane Mallarmé
Autres Poèmes et sonnets

Ce sonnet parut pour la première fois en avril 1895 dans une revue allemande.

« Le poète a l'impression que quelque chose vient de se produire. Quoi ? [...] Peut-être l'abîme, furieux de n'avoir pas causé un grand naufrage, a-t-il "avarement" noyé le flanc d'une sirène enfant. »
Charles Mauron

Poésies de Mallarmé
(Henri Matisse, 1932)

Poème paru dans « La Revue indépendante », il fut mis en musique par Maurice Ravel en 1913.

« Le sylphe mallarméen relève souvent d'une imagination indubitablement charnelle. »
Jean-Pierre Richard

Le Morte Darthur (Aubrey Beardsley, 1891)

Le bain des nymphes

C'est un vallon sauvage abrité de l'Euxin ;
Au-dessus de la source un noir laurier se
[penche,
Et la Nymphe, riant, suspendue à la branche,
Frôle d'un pied craintif l'eau froide du bassin.

Ses compagnes, d'un bond, à l'appel du buccin,
Dans l'onde jaillissante où s'ébat leur chair
[blanche
Plongent, et de l'écume émergent une hanche,
De clairs cheveux, un torse ou la rose d'un
[sein.

Une gaîté divine emplit le grand bois sombre.
Mais deux yeux, brusquement, ont illuminé
[l'ombre.
Le Satyre !... Son rire épouvante leurs jeux ;

Elles s'élancent. Tel, lorsqu'un corbeau sinistre
Croasse, sur le fleuve éperdument neigeux
S'effarouche le vol des cygnes du Caÿstre.

José Maria de Heredia (1842-1905)
Les Trophées (1893)

Sensualité

N'écoute plus l'archet plaintif qui se lamente
Comme un ramier mourant le long des
[boulingrins ;
Ne tente plus l'essor des rêves pérégrins
Traînant des ailes d'or dans l'argile infamante.

Viens par ici : voici les féeriques décors,
Dans du Sèvres les mets exquis dont tu te sèvres,
Les coupes de Samos pour y tremper tes lèvres,
Et les divans profonds pour reposer ton corps.

Viens par ici : voici l'ardente érubescence
Des cheveux roux piqués de fleurs et de béryls,
Les étangs des yeux pers, et les roses avrils
Des croupes, et les lys des seins frottés
[d'essences ;

Viens humer le fumet – et mordre à pleines dents
À la banalité suave de la vie,
Et dormir le sommeil de la bête assouvie,
Dédaigneux des splendeurs des songes
[transcendants.

Jean Moréas (1856-1910)
Les Syrtes (1884)

Ce poème est paru pour la première fois dans « La Revue des Deux Mondes », en mars 1890.

« Aucun cadre ne favorise mieux que celui du sonnet le poète épris de perfection technique. Aussi le Parnasse a-t-il été un grand atelier des sonnets, dont Heredia est devenu le patron, à tel point qu'après lui le sonnet est entré dans le sommeil, et qu'il dort encore. »
Albert Thibaudet

Faune (Henri Matisse)

Selon Jacques Rivière, l'œuvre symboliste posséderait « une composition par rayonnement et, si l'on peut dire, par effusion. Toutes ses parties sont simultanées ; elles s'en vont toutes d'un même point idéal, comme se détachent d'un orchestre des bouffées de musique que le vent cueille et disperse. »

Clara d'Ellébeuse

J'aime dans les temps Clara d'Ellébeuse,
l'écolière des anciens pensionnats,
qui allait, les soirs chauds, sous les tilleuls
lire les magazines d'autrefois.

Je n'aime qu'elle, et je sens sur mon cœur
la lumière bleue de sa gorge blanche.
Où est-elle ? Où était donc ce bonheur ?
Dans sa chambre claire il entrait des branches.

Elle n'est peut-être pas encore morte
– ou peut-être que nous l'étions tous deux.
La grande cour avait des feuilles mortes
dans le vent froid des fins d'Été très vieux.

Te souviens-tu de ces plumes de paon,
dans un grand vase, auprès de coquillages ?
on apprenait qu'on avait fait naufrage,
on appelait Terre-Neuve : le Banc.

Viens, viens, ma chère Clara d'Ellébeuse ;
aimons-nous encore, si tu existes.
Le vieux jardin a de vieilles tulipes.
Viens toute nue, ô Clara d'Ellébeuse.

Francis Jammes (1868-1938)
Clara d'Ellébeuse (1898)

Francis Jammes, qui vécut toute sa vie au pied des Pyrénées, est un poète de la simplicité et du dénuement.
C'est sous l'influence de Claudel qu'il reviendra, en 1905, à la foi catholique.

« La personnalité de Francis Jammes déconcerte ; mais ce n'est qu'au premier abord ; jamais une plus complète absence de recherche extérieure n'avait permis encore recherche d'union plus intime des mots avec l'émotion, des sensations entre elles-mêmes. On n'imagine pas beauté plus fièrement déparée de tout fard. »

André Gide

Nu assis (Gustave Moreau)

La première fois

– « Maman !... Je voudrais qu'on en meure »
fit-elle à pleine voix.
– « C'est que c'est la première fois,
Madame, et la meilleure. »

Mais elle, d'un coude ingénu
Remontant sa bretelle,
– « Non, ce fut en rêve », dit-elle.
– « Ah ! que vous étiez nu... »

Paul-Jean Toulet (1867-1920)
Les Contrerimes (1921)

Avant de vivre à Paris, de 1898 à 1920, Paul-Jean Toulet, d'origine béarnaise, séjourna à l'île Maurice puis en Algérie et en Extrême-Orient. Il mena à Paris une existence de bohème mondain et fut un des maîtres des jeunes poètes fantaisistes (Derème, Carco...).

« Le poème devient exercice de virtuosité langagière, avec ses ruptures de rythme ou de ton, ces subtils dérapages, ces pointes d'humour que savent ménager le causeur étincelant comme l'équilibriste éprouvé. » Michel Décaudin

Nu bleu
(Henri Matisse, 1952)

Le Sylphe

Extrait du recueil Charmes, *ce poème se rattache précisément au titre par son aspect musical qui le rapproche du rondeau.*

Ni vu ni connu
Je suis le parfum
Vivant et défunt
Dans le vent venu !

Ni vu ni connu,
Hasard ou génie ?
À peine venu
La tâche est finie !

Ni lu ni compris ?
Aux meilleurs esprits
Que d'erreurs promises !

Ni vu ni connu,
Le temps d'un sein nu
Entre deux chemises !

Paul Valéry (1871-1945)
Charmes (1922)

« [Certains] se privent de cette musique en y soupçonnant une philosophie habilement rimée. Or, il n'est point un seul de ces poèmes qui ne fassent entendre, au contraire, que la chanson est premièrement chanson et toujours chanson. »
Alain

Les jeunes filles torturées

Près d'une maison de soleil et de cheveux
[blancs
une forêt se découvre des facultés de tendresse
et un esprit sceptique

Où est le voyageur demande-t-elle

Le voyageur forêt se demande de quoi demain
[sera fait
Il est malade et nu
Il demande des pastilles et on lui apporte des
[herbes folles
Il est célèbre comme la mécanique
Il demande son chien
et c'est un assassin qui vient venger une offense

La main de l'un est sur l'épaule de l'autre

C'est ici qu'intervient l'angoisse une très belle
femme en manteau de vison

Est-elle nue sous son manteau
Est-elle belle sous son manteau

Est-elle voluptueuse sous son manteau
Oui oui oui et oui
Elle est tout ce que vous voudrez
elle est le plaisir tout le plaisir l'unique plaisir
celui que les enfants attendent au bord de la
[forêt
celui que la forêt attend auprès de la maison

Benjamin Péret (1899-1959)
Le Grand Jeu (1928)

Ce poème appartient au recueil le plus connu de Péret ; on sait que Le Grand Jeu *a attendu plus de quarante ans après l'édition originale pour pouvoir être à nouveau disponible.*

« On ne se borne plus à célébrer les "correspondances" comme de grandes lueurs malheureusement intermittentes, on ne s'oriente et on ne se meut que par une réalisation ininterrompue d'accords passionnels. »
André Breton

Femme de face, le manteau ouvert
(Auguste Rodin, v. 1900)

Les odeurs de l'amour

S'il est un plaisir
c'est bien celui de faire l'amour
le corps entouré de ficelles
les yeux clos par des lames de rasoir

Elle s'avance comme un lampion
Son regard la précède et prépare le terrain
Les mouches expirent comme un beau soir
Une banque fait faillite
entraînant une guerre d'ongles et de dents

Ses mains bouleversent l'omelette du ciel
foudroient le vol désespéré des chouettes
et descendent un dieu de son perchoir

Elle s'avance la bien-aimée aux seins de citron
Ses pieds s'égarent sur les toits
Quelle automobile folle
monte du fond de sa poitrine
Vire débouche et plonge
comme un monstre marin

C'est l'instant qu'ont choisi les végétaux
pour sortir de l'orbite du sol
Ils montent comme une acclamation
Les sens-tu les sens-tu
maintenant que la fraîcheur
dissout tes os et tes cheveux
Et ne sens-tu pas aussi que cette plante magique
donne à tes yeux un regard de main sanglante
épanouie
Je sais que le soleil
lointaine poussière
éclate comme un fruit mûr
si tes reins roulent et tanguent
dans la tempête que tu désires
Mais qu'importe à nos initiales confondues
le glissement souterrain des existences imperceptibles
il est midi

Benjamin Péret
Le Grand Jeu

Robert Bréchon a bien rappelé que pour les surréalistes le désir était « à la fois l'expression de la subjectivité absolue et le moyen par lequel elle organise le monde objectif pour se le rendre intelligible ».

Minotaure (André Masson, 1933)

« Jamais les mots et ce qu'ils désignent, échappés une fois pour toutes à la domestication, n'avaient manifesté une telle liesse. »
André Breton

Agir, je viens

Poussant la porte en toi, je suis entré
Agir, je viens
Je suis là
Je te soutiens
Tu n'es plus à l'abandon
Tu n'es plus en difficulté
Ficelles déliées, tes difficultés tombent
Le cauchemar d'où tu revins hagarde n'est
Je t'épaule [plus
Tu poses avec moi
Le pied sur le premier degré de l'escalier sans
Qui te porte [fin
Qui te monte
Qui t'accomplit

Je t'apaise
Je fais des nappes de paix en toi
Je fais du bien à l'enfant de ton rêve
Afflux
Afflux en palmes sur le cercle des images de
Afflux sur les neiges de sa pâleur [l'apeurée
Afflux sur son âtre... et le feu s'y ranime

AGIR, JE VIENS
Tes pensées d'élan sont soutenues
Tes pensées d'échec sont affaiblies
J'ai ma force dans ton corps, insinuée
... et ton visage, perdant ses rides, est
[rafraîchi
La maladie ne trouve plus son trajet en toi
La fièvre t'abandonne

La paix des voûtes
La paix des prairies refleurissantes
La paix rentre en toi

Au nom du nombre le plus élevé, je t'aide
Comme une fumerolle
S'envole tout le pesant de dessus tes épaules
[accablées
Les têtes méchantes d'autour de toi
Observatrices vipérines des misères des faibles
Ne te voient plus
Ne sont plus

Équipage de renfort
En mystère et en ligne profonde
Comme un sillage sous-marin
Comme un chant grave
Je viens
Ce chant te prend
Ce chant te soulève
Ce chant est animé de beaucoup de ruisseaux
Ce chant est nourri par un Niagara calme
Ce chant est tout entier pour toi

Plus de tenailles
Plus d'ombres noires
Plus de craintes
Il n'y en a plus trace
Il n'y a plus à en avoir
Où était peine, est ouate
Où était éparpillement, est soudure
Où était infection, est sang nouveau
Où étaient les verrous est l'océan ouvert
L'océan porteur et la plénitude de toi
Intacte, comme un œuf d'ivoire.

J'ai lavé le visage de ton avenir.

Henri Michaux (1899-1984)
Face aux verrous (1954)

« Seule une héroïne tout autre pourra le délivrer des lacs d'une telle Circé. »

« Michaux se rend bientôt compte que la structure de la vie mentale étant fondamentalement polyphonique, un graphisme linéaire ne peut suffire à la suivre. Il faut passer par des pointillés, des équivalents en aventures de lignes de ce que font les mots dans l'écriture habituelle, de nouveaux mots qui permettent de remplir les lacunes laissées par celle-ci. »

Michel Butor

Cœur en bouche

Son manteau traînait comme un soleil couchant
et les perles de son collier étaient belles comme des dents.
Une neige de seins qu'entourait la maison
et dans l'âtre un feu de baisers.
Et les diamants de ses bagues étaient plus brillants que des yeux.
« Nocturne visiteuse, Dieu croit en moi !
– Je vous salue, gracieuse de plénitude
les entrailles de votre fruit sont bénies.
Dehors se courbent les roseaux fines tailles.
Les chats grincent mieux que les girouettes.
Demain à la première heure, respirer des roses aux doigts
[d'aurore
et la nue éclatante transformera en astre le duvet. »

Dans la nuit ce fut l'injure des rails aux indifférentes locomotives
près des jardins où les roses oubliées
sont des amourettes déracinées.
« Nocturne visiteuse, un jour je me coucherai dans un linceul
[comme dans une mer.
Tes regards sont des rayons d'étoile
les rubans de ta robe des routes vers l'infini.
Viens dans un ballon léger semblable à un cœur
malgré l'aimant, arc de triomphe quant à la forme.
Les giroflées du parterre deviennent les mains les plus belles
[d'Haarlem.
Les siècles de notre vie durent à peine des secondes.
À peine les secondes durent-elles quelques amours.
À chaque tournant il y a un angle droit qui ressemble à un
[vieillard.
Le loup à pas de nuit s'introduit dans ma couche.
Visiteuse ! Visiteuse ! Tes boucliers sont des seins !
Dans l'atelier se dressent aussi sournoises que des langues les
[vipères.
Et les étaux de fer comme les giroflées sont devenus des mains.
Avec les fronts de qui lapiderez-vous les cailloux ?
Quel lion te suit plus grondant qu'un orage ?
Voici venir les cauchemars des fantômes. »
Et le couvercle du palais se ferma aussi bruyamment que les
[portes du cercueil.
On me cloua avec des clous aussi maigres que des morts
dans une mort de silence.
Maintenant vous ne prêterez plus d'attention
aux oiseaux de la chansonnette.
L'éponge dont je me lave n'est qu'un cerveau ruisselant
et des poignards me pénètrent avec l'acuité de vos regards.

Robert Desnos (1900-1945)
Corps et biens (1930)

« De lui se dégageait, dit André Breton à propos de Desnos, une grande puissance de refus et d'attaque, en dissonance frappante – il était très brun – avec le regard étrangement lointain – l'œil d'un bleu clair très voilé, de "dormeur éveillé", s'il en fut. Je ne crois pas offenser sa mémoire en prononçant à son sujet le mot de fanatisme. »

Les poèmes de Desnos témoignent, selon Gaétan Picon, d'« un lyrisme d'une admirable simplicité et en même temps d'une haute tension [qui] semble constamment soutenu par le pressentiment d'une fin tragique ».

Femmes attaquées par des oiseaux (André Masson, 1973)

Le poème à Florence

Comme un aveugle s'en allant vers les
[frontières
Dans les bruits de la ville assaillie par le soir
Appuie obstinément aux vitres des portières
Ses yeux qui ne voient pas vers l'aile des
[mouchoirs

Comme ce rail brillant dans l'ombre sous les
[arbres
Comme un reflet d'éclair dans les yeux des
[amants
Comme un couteau brisé sur un sexe de marbre
Comme un législateur parlant à des déments

Une flamme a jailli pour perpétuer Florence
Non pas celle qui haute au détour d'un chemin
Porta jusqu'à la lune un appel de souffrance
Mais celle qui flambait au bûcher quand les
[mains

Dressées comme cinq branches d'une étoile
[opaque
Attestaient que demain surgirait d'aujourd'hui
Mais celle qui flambait au chemin de saint
[Jacques
Quand la déesse nue vers le nadir a fui

Mais celle qui flambait aux parois de ma gorge
Quand fugitive et pure image de l'amour
Tu surgis tu partis et que le feu des forges
Rougeoyait les sapins les palais et les tours

J'inscris ici ton nom hors des deuils anonymes
Où tant d'amantes ont sombré corps âme et
[biens
Pour perpétuer un soir où dépouilles ultimes
Nous jetions tels des os nos souvenirs aux
[chiens

Tu fonds tu disparais tu sombres mais je dresse
Au bord de ce rivage où ne brille aucun feu
Nul phare blanchissant les bateaux en détresse
Nulle lanterne de rivage au front des bœufs

Mais je dresse aujourd'hui ton visage et ton rire
Tes yeux bouleversants ta gorge et tes parfums
Dans un olympe arbitraire où l'ombre se mire
Dans un miroir brisé sous les pas des défunts

Afin que si le tour des autres amoureuses
Venait avant le mien de s'abîmer tu sois
Et l'accueillante et l'illusoire et l'égareuse
La sœur de mes chagrins et la flamme à mes
[doigts

Car la route se brise au bord des précipices
Je sens venir les temps où mourront les amis
Et les amantes d'autrefois et d'aujourd'hui
Voici venir les jours de crêpe et d'artifice

Voici venir les jours où les œuvres sont vaines
Où nul bientôt ne comprendra ces mots écrits
Mais je bois goulûment les larmes de nos
[peines
Quitte à briser mon verre à l'écho de tes cris

Je bois joyeusement faisant claquer ma langue
Le vin tonique et mâle et j'invite au festin
Tous ceux-là que j'aimai ayant brisé leur
[cangue
Qu'ils viennent partager mon rêve et mon
[butin

Buvons joyeusement ! chantons jusqu'à l'ivresse !
Nos mains ensanglantées aux tessons des
[bouteilles
Demain ne pourront plus étreindre nos
[maîtresses
Les verrous sont poussés au pays des merveilles.

Robert Desnos
Corps et biens

« Ce Parisien ne perdit jamais le goût du langage et de la complainte populaires, qu'il utilisa avec tendresse et humour ; nul mieux que lui n'exprima le merveilleux moderne. »
Michel Décaudin

« La Résistance s'est terminée pour lui dans ce camp de Tchécoslovaquie où il mourut en juin 1945. »
Gaétan Picon

Portrait automatique de Michel Leiris (André Masson, 1925)

L'ombre pend...

« Dire tout et le dire
en faisant fi de toute emphase,
sans rien laisser au bon plaisir
et comme obéissant à une nécessité. »
Michel Leiris

L'ombre pend au soleil
comme une bannière à sa hampe
comme un nouveau-né à la mamelle nourricière
comme une amoureuse aux deux bras noueux qui prolongent un torse

L'homme pend à son ombre
comme une corde à la potence
comme une charogne au nœud coulant
comme un hibou au chambranle d'une porte
Ainsi l'homme pend au soleil
comme un trophée à la muraille
comme un été à son printemps
comme une tête à ses cheveux

et quand le soleil de midi scalpe l'ombre
l'ombre renaît au cœur de l'homme
et quand le soleil descendu étouffe l'homme
l'ombre renaît corps de la nuit
dont toutes les cuisses ouvertes pour l'amour
sont les colonnes

Michel Leiris (1901-1990)
Haut Mal (1943)

« Son œuvre est une plaie sanglante
sur l'épaule nue et parée d'une femme
trop inconsciente et trop aimée dont
nous acceptons la présence à nos côtés
par notre seule insertion dans
la société, et que nous ne déchirons
jamais assez profondément
par les gestes et par les mots. »
Alain Jouffroy

Le jour promis...

Le jour promis, l'aurore en fête embaumant frais les arbres odorants
Les héros d'armes, sonneries haut levées, annoncèrent sa présence à trois mille pas
Quand sous les tentes rutilantes, la précédaient soixante-dix-sept éléphants, sombres avançant d'un pas pachyderme.
Et leurs cornacs, nattes fleuries d'or rouge, tenaient leurs longues gaules balancées en poussant de brefs cris rythmiques.
Puis à pied des guerriers plus noirs, nombreux serrés, leurs peaux de léopard en bandoulière.
Suivaient les présents de Saba
Apportés par soixante jeunes hommes, soixante jeunes filles, cambrées et seins debout
Qui avançaient plus souriants que les nénuphars dessus le lac des Alizés
Et neuf forgerons marteau sur l'épaule, qui enseignaient les nombres primordiaux, tous nés du rythme du tam-tam.
Et d'autres présents que je tais : leur liste serait longue.
Tels étaient les desseins de Dieu, quand fiancée tu montais vers la Colline sainte.
Je me souviens du soir de la soirée de mon festin
Quand doucement, comme un flamant prenant son vol, dans ta robe de boubou rose
Le cou frêle sous le cimier des nattes, des tresses constellées d'or blanc
Lentement tu levas ton buste, après moi avec moi à mon appel
Pour fermer l'éventail des danses, dansant la danse du Printemps
Froidure sécheresse hiver, adieu ! La pluie répond à l'appel du printemps, et le printemps est pluie.
Doucement lentement, une deux gouttes graves
Et c'est l'ébrouement qui bruit des nuages, des épaules ébranlées pour gagner
Le ventre vierge, et brise-mottes les pieds pilons battant la terre
Dans le temps que, tes lèvres ouvertes à peine, les bras nagent dans le torrent comme des lianes.

Léopold Sédar Senghor (né en 1906)
Élégie pour la reine de Saba (1964)

À propos des Élégies majeures *dont est tiré ce passage, Senghor déclare :*
« Enracinés dans nos ethnies et nos cultures différentes, nous chantons, pourtant, les mêmes substances et de manière, je ne dis pas identique, mais convergente. »

Danseuse (Henri Laurens, 1915)

« La poésie noire de langue française est, de nos jours, la seule grande poésie révolutionnaire. »
Jean-Paul Sartre

Laurence endormie

Cette odeur sur les pieds, de narcisse et de menthe
Parce qu'ils ont foulé dans leur course légère
Fraîches écloses, les fleurs des nuits printanières
Remplira tout mon cœur de ses vagues dormantes ;

Et peut-être très loin sur ces jambes polies,
Tremblant de la caresse encore de l'herbe haute,
Ce parfum végétal qui monte, lorsque j'ôte
Tes bas éclaboussés de rosée ou de pluie ;

Jusqu'à cette rancœur du ventre pâle et lisse
Où l'ambre et la sueur divinement se mêlent
Aux pétales séchés au milieu des dentelles
Quand sur les pentes d'ombre inerte mes mains glissent.

Laurence... jusqu'aux flux brûlants de ta poitrine,
Gonflée et toute crépitante de lumière
Hors de la fauve floraison des primevères
Où s'épuisent en vain ma bouche et mes narines,

Jusqu'à la senteur lourde de ta chevelure,
Éparse sur le sol comme une étoile blonde,
Où tu as répandu tous les parfums du monde
Pour assouvir enfin la soif qui me torture !

Patrice de La Tour du Pin (1911-1975)
La Quête de joie (1933)

*« Du poète, précisément,
il a l'essentielle vertu :
le chant personnel, à nul autre
comparable – et cette mythologie
du cœur et de la vision mille fois
plus précieuse que les mythologies
de la pensée.
De ce chant sourd et trébuchant
se lève un paysage de brumes,
de marais et de forêts basses
traversées par des vols
et des cris d'oiseaux. »*
Gaétan Picon

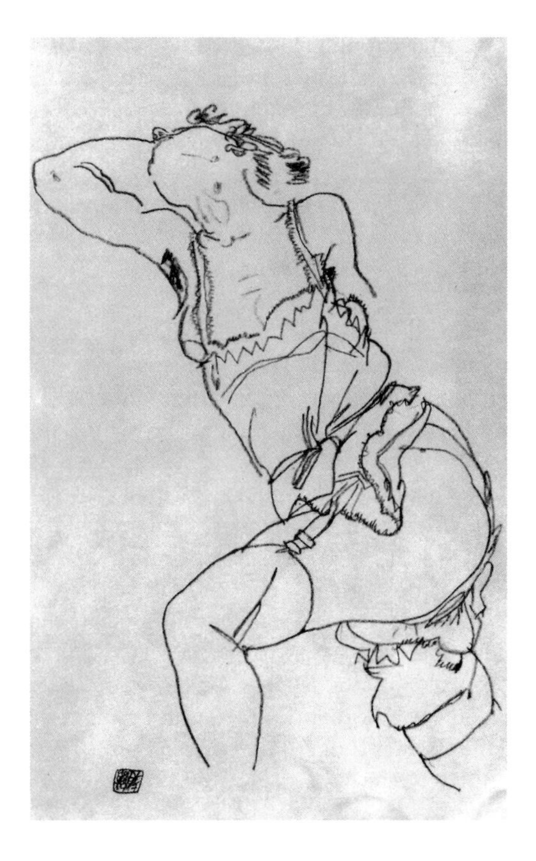

Femme en chemisette et bas
(Egon Schiele, 1917)

Ailleurs...

ailleurs est sous la neige
ta main a chaviré
et le regard bleuit

ma langue t'aime
à la lisière de l'hiver

Bernard Noël (né en 1930)
Extraits du corps (1972)

Le corps et donc l'amour et la mort sont au centre de la poésie de Bernard Noël. Pour lui, « devenir mot, c'est échanger la mort brutale contre une désagrégation lente; en vérité n'en pas finir de mourir ».

Entre l'une et l'un...

Entre l'une et l'un entre l'un et l'une l'enjouement léger du ruisselet fin se faufilant gai entre les galets et sous le cresson La danse amusé d'un mot avec l'autre des phrases pour rien ricochets riants le dire et dédire paroles sans poids La balle de ping-pong tombe et rebondit cascade en décrue qui s'atténue qui ralentit et puis se tait jusqu'au silence riant sous cape dans le flot

Maître Lieou King dit : « Quand il est sur le point de faire l'amour avec une femme un homme doit bavarder d'abord plaisamment avec elle afin que leurs esprits se trouvent en harmonie. »

Les mots de vif hasard à trébuche-rire sans raison ni rime *Je ne sais pas ce qui me prend* Pensées à saute-mouton qui se croisent et se sourient d'aise Tout ce que l'un dit émerveille l'une On s'étonne et rit On s'approuve grandement La sensation certaine d'avoir un esprit débordant On se plaît à soi-même l'un l'une et nous Il y a dans le fond de l'air une douce rumeur de plein assentiment Un verre effleuré qui tinte se brise en applaudissements Quelqu'un qu'on ne voit pas crie *Bravo* dit *Encore*

Je ne sais vraiment pas ce que j'ai Un courant continu de bulles de soleil fous rires à tire-d'aile et très bons procédés

Extrême assentiment L'une et l'un l'un et l'une se veulent un bien extrême L'un et l'une se veulent s'approuvent complètement de se trouver ensemble ici à cet infime croisement du temps

Sais-tu si nous sommes encore loin de la mer ? *est, selon le sous-titre facétieux que lui a donné le poète, une « épopée cosmogonique, géologique, hydraulique, philosophique et pratique » ; c'est une longue suite lyrique qui fait écho, dans le siècle, aux suites d'Aragon.*

C'est la pensée du cœur qui va trouver le sexe dit le Sage Dogon *Et la bonne parole recueillie par l'oreille s'enroule autour de la matrice comme autour du soleil une spirale de lumière Son feu doux dégèle le cœur produisant moelleux et humidité L'homme et la femme accordés par la parole bonne se sentent pleins de tendresse et baignés de gai désir*

Quelqu'un Serait-ce toi ? Qui parle à voix si basse ?
Quelqu'un qui serait toi étonnée d'être moi
Un souffle nous chuchote au-delà de nos mots
La nuit attend en nous que la marée soit haute

Claude Roy (né en 1915)
Sais-tu si nous sommes encore loin de la mer ? (1979)

« Ce poème [...] fait songer à un présocratique arrivé, pour notre bonheur, tard dans ce monde. Et qui n'a pas fini de jouer au bord de nos abîmes, avec le sérieux de l'enfant qui s'amuse. »
Hector Bianciotti

« Adam et Ève », Le Paradis perdu (Salvador Dalí, 1974)

Les infortunes des amants

Cinq hommes nus (Albrecht Dürer, 1526)

« Farai chansoneta nueva... »

I

Je ferai une chansonnette nouvelle, avant qu'il vente, gèle et pleuve. Ma dame me tente et m'éprouve, pour savoir de quelle façon je l'aime : mais jamais, quelles que soient les querelles qu'elle me cherche, je ne me délierai de son lien.

II

Au contraire, je me rends et me livre à elle, si bien qu'elle peut m'inscrire en sa charte. Et ne me tenez pas pour insensé si je l'aime, cette dame parfaite, car sans elle je ne puis vivre, tellement j'ai faim de son amour.

III

Elle est plus blanche qu'ivoire : et c'est pourquoi je n'adore nulle autre qu'elle. Si dans peu je n'obtiens secours, si ma dame ne me montre pas qu'elle m'aime, je mourrai, par le chef de saint Grégoire, à moins qu'elle ne me baise en chambre close ou sous la ramée.

IV

Qu'y gagnerez-vous, dame jolie, si vous m'éloignez de votre amour ? Il semble que vous vouliez vous faire nonne. Mon amour est tel, sachez-le, que je crains de mourir de douleur, si vous ne réparez les torts au sujet desquels j'élève envers vous ma plainte.

V

Qu'y gagnerez-vous si je me cloître, ce que je ferai si vous ne me retenez pas parmi vos fidèles ? Toute la joie du monde est nôtre si vous et moi nous nous aimons. Là-bas, à mon ami Daurostre, je dis et commande qu'il chante sans la hurler cette chanson.

VI

Pour elle, je frissonne et je tremble, car je l'aime de si bon amour ; car je ne crois pas que femme semblable à elle soit issue de la grande lignée de messire Adam.

Guillaume d'Aquitaine (1071-1127)
Traduction de Jean Roy

Riche et grand seigneur, Guillaume est considéré comme le premier troubadour (poète de langue occitane) ; c'était aussi un provocateur qui possédait sur son blason la représentation d'une de ses maîtresses.

« Guillaume a bien assumé l'idéal courtois qu'il avait peut-être inventé : amour soumis et respectueux, jeu littéraire sans doute, mais jeu proprement poétique, puisqu'il projette l'amant dans l'univers du sublime. »
Jean-Charles Payen

Le Roman de la rose (anonyme, XIVe s.)

Moult m'émerveille de ma dame…

Moult m'émerveille de ma Dame et de moi,
Qu'elle me tient quand je suis loin d'elle,
Je crois guérir à l'heure que je la vois,
Mais lors redouble le mal dont je meurs.
Que Dieu m'aide ! c'est chose trop étrange
Que je meure pour l'avoir vue ;
Mais je me fie en ma bonne foi
En ce que jamais ne lui mentis.

Beaucoup se demandent pourquoi
J'aime un être qui n'a de moi merci ;
Ils sont vilains et de mauvaise loi ;
Car je n'ai pas, Dame, encore mérité
Le doux regard dont vous m'avez saisi
Et la pensée dont mon cœur se réjouit ;
Et si l'on dit qu'en cela je fais folie
On ne me connaît pour un loyal ami.

Loyal ami suis-je sans faire de folie,
Amour m'a mis en sa prison,
Elle me fait aimer sa personne et la chérir
Et bien parler et entendre raison,
Celle de qui j'attends le guerredon,
En moi je ne trouve ni colère ni rancœur.
Mon bon espoir, je ne voudrais changer
Contre personne, pour un autre don.

Les médisants nous font grand embarras
Qui se vantent d'aimer par trahison ;
Aux amants ils retardent la joie
Et aux dames sont cruels et félons.
Que le Seigneur Dieu ne leur fasse pardon !
Ils me tuent sans arme et sans bâton,
Quand je les vois ensemble comploter ;
Mais ma Dame n'en pense que du bien.

Chanson, va-t'en tout droit en Mâconnais
À mon seigneur le Comte ; je lui demande ceci :
Puisqu'il est noble et preux et courtois,
Qu'il garde sa valeur et la porte plus loin.
Mais nulle chose au Comte je ne demande
Sinon pour l'amour de lui et de ma Dame [chanter
Elle qui m'a prié de chanter en ce mois ;
Mais ma joie me fait beaucoup attendre.

Guiot de Provins (né en 1150)
Traduction de Jean-Louis Lecercle

« Cet amour passionné, par essence adultère en fait ou en pensée, s'adresse à une femme mariée et ne se concilie pas avec le mariage, qui est considéré comme nul et non avenu pour être, à l'ordinaire, le fruit de tractations familiales fondées sur l'intérêt, sans qu'interviennent les sentiments des conjoints. »
Jean Dufournet

Le Roman de la rose (anonyme, XVIe s.)

Au début de la saison…

Au début de la saison
où prennent fin hiver et gelée,
et que fleur naît sur le buisson,
on doit la cueillir et l'arborer
quand on est aimé plus que personne ;
mais on est mal récompensé
quand on aime sans trouver le bonheur.

Pour moi je le dis : dans ma chanson ;
on peut le sentir à mon chant,
car elle a le cœur bien cruel
celle qui m'obsède de sa pensée
et qui me sait en sa prison.
Si elle ne m'apporte la guérison,
nulle autre ne peut m'en délivrer.

Madame, que voulez-vous donc ?
Faut-il que meure pour vous si bon ami ?
Toujours on vous le reprochera
si je connais cette triste fin,
que je meure sans être aimé.
Si vous ne prenez meilleur parti,
je mourrai, car je suis votre prisonnier.

Poésies de Guillaume de Machault (XVe s.)

Jamais je ne serai consolé
par aucune autre, je le sais bien,
si dans ce besoin vous me faites défaut,
me refusant amour et joie.
Et si vous n'avez de moi pitié,
par Dieu, ne m'en dites rien !
Je préfère vivre ainsi toute ma vie.

Gace, tel est votre compagnon :
Blondel a obtenu tous les biens
qu'une fausse amie lui a promis.

Blondel de Nesle (né vers 1155)
Traduction de Jean Dufournet

Blondel de Nesle fait partie de la première génération des trouvères (poètes de la lyrique courtoise dans la France du Nord) et se rattache à la cour de Champagne. Il devient bientôt un personnage légendaire, amant excellent et ami du roi d'Angleterre. Il s'adresse ici à son ami Gace Brulé.

Ces gentilshommes participent « à un idéal poétique qui, pour être abstrait dans son style, n'en était pas moins soutenu par la passion du chant qu'encore maintenant on sent battre sous les formules de l'envoi ».
Roger Dragonetti

Quand je vois venir le printemps...

Quand je vois venir le printemps,
que fondent neige et gelée,
et que j'entends chanter les oisillons
dans le bois sous la ramure,
alors ma dame me fait ressentir
un mal dont je ne cherche pas à guérir,
et jamais je n'aurai de médecin
jusqu'à ce qu'il lui plaise
de m'accorder la joie.

Ha ! Dieu, faites-moi donc mourir,
puisque je n'ai pas ce qui me plaît.
Mort, prends-moi, je ne puis plus supporter
de ne pas l'avoir vue.
Mais j'accepte qu'à son gré
ma dame me fasse languir,
si elle a juré ma mort.
Je suis mort, si elle veut continuer
à me haïr longtemps.

Douce dame, je veux maintenant vous prier
que d'aucune de mes paroles
vous ne daigniez vous courroucer,
mais prenez-les pour folie.
Par un bon accueil, sans rien accorder,
vous pouvez prolonger ma vie,
et vous ne me tuerez pas :
vous n'avez aucune gloire à combattre
ce que vous possédez.

Gace Brulé (né vers 1160)
Traduction de Jean Dufournet

Issu d'une famille champenoise, Gace Brulé fréquente la cour de Marie de Champagne. C'est un poète très apprécié par ses pairs.

« L'amour est une maladie, une enfierté, une blessure, d'après la rhétorique métaphorique reprise d'Ovide. L'amant navré d'une plaisante blessure, d'une agréable souffrance, n'attend la guérison que de sa dame. »
Jean Dufournet

La douce voix du rossignol sauvage…

La douce voix du rossignol sauvage
que j'entends nuit et jour gazouiller et jaser
apaise et soulage tant mon cœur
que de mes chants je désire me réjouir.
Je dois bien chanter puisque c'est le plaisir
de celle à qui j'ai de mon cœur fait hommage ;
et je dois avoir grande joie au fond de moi,
si elle veut me garder à son service.

Guy de Coucy participa à la troisième croisade (1187-1193) ainsi qu'à la quatrième (à partir de 1202). Selon Villehardouin, il mourut en mer et son corps fut jeté à l'eau.

Jamais envers elle mon cœur ne fut faux ni volage ;
aussi devrais-je avoir meilleure destinée ;
mais je l'aime et la sers et l'adore avec constance,
sans oser lui découvrir mes pensées,
car sa beauté me frappe d'un tel émoi
que devant elle je ne sais plus parler ;
je n'ose même plus regarder son pur visage,
tant j'ai de peine à en détacher les yeux.

J'ai en elle si fermement ancré mon cœur
que je ne pense à nulle autre – Dieu m'en laisse la jouissance !
Jamais Tristan qui but le philtre
n'aima plus loyalement sans aucun regret.
Car je lui donne tout, cœur, corps et désir,
force et puissance, je ne sais si c'est folie.
Bien plus, je crains que toute ma vie
ne puisse suffire à la servir, elle et son amour.

« Il a pu mériter par son talent la légende qui fait de lui l'amant tragique dont la maîtresse, la Dame du Fayel, se vit servir le cœur par un mari jaloux. »
Daniel Poirion

Je ne dis pas que ce soit une folie,
même si pour elle je devais mourir,
car je ne trouve au monde femme si belle ni si sage,
ni être qui comble mieux mon désir.
Je sais gré à mes yeux de me l'avoir fait distinguer ;
dès que je la vis, je lui laissai en otage
mon cœur qui depuis a fait chez elle long séjour,
sans que jamais je cherche à le reprendre.

Chanson, va-t'en porter mon message
là où je n'ose retourner, fût-ce en cachette,
tellement je crains la folle engeance des jaloux
qui devinent, avant même que rien n'arrive,
les biens d'amour (Dieu les maudisse !).
Ils ont causé peine et dommage à maints amants ;
mais j'ai sur ce point un fort cruel avantage :
il me faut contre mon gré leur obéir.

Guy, châtelain de Coucy (fin XIIe s.)
Traduction de Jean Dufournet

« Ce texte est exemplaire [de la chanson courtoise] par sa forme, très répandue, ses thèmes traditionnels, son vocabulaire réduit, ses moyens volontairement limités, l'absence d'anecdote, le didactisme sentencieux et limpide. »
Pierre-Yves Badel

Je suis comme la licorne...

Je suis comme la licorne
troublée de contempler
la jeune fille qui l'enchante,
si joyeuse de son supplice
que pâmée elle tombe en son giron,
et qu'on la tue alors par trahison.
Moi aussi, avec de semblables appâts m'ont tué
Amour et ma Dame, en vérité :
ils ont mon cœur que je ne puis reprendre.

Madame, quand devant vous je fus
et vous vis pour la première fois,
mon cœur battait si fort
qu'il resta avec vous quand je m'en fus.
Il fut alors emmené sans rançon,
prisonnier de la douce geôle
dont les piliers sont de désir,
les portes d'agréable vision
et les chaînes de tendre espoir.

De la geôle Amour a la clef,
et il a mis trois portiers :
Beau Semblant se nomme le premier,
Beauté en est le maître,
Danger se tient à l'entrée,
répugnant traître vil et puant,
malfaisant et scélérat.
Ces trois-là, vifs et hardis,
ont vite fait d'attraper un homme.

Personnage assis tirant son glaive
(Villard de Honnecourt, v. 1240)

Qui pourrait souffrir les affronts
et les attaques de ces portiers ?
Jamais Roland ni Olivier
ne vainquirent en si rudes combats ;
ils vainquirent en se battant,
mais ceux-là, on les vainc en s'humiliant.
Souffrance porte l'étendard
en ce combat dont je vous parle,
et il n'est de salut qu'en la pitié.

Madame, je ne redoute rien autant
que de faillir à votre amour.
J'ai tant appris à souffrir
que je suis à vous par habitude.
Même si vous en étiez fâchée,
je ne pourrais m'en séparer
sans en garder le souvenir,
sans que mon cœur soit toujours
en prison, près de moi.

Madame, puisque je ne sais feindre,
pitié serait mieux de saison
que de soutenir si lourd fardeau.

Thibaut de Champagne (1201-1253)
Traduction de Jean Dufournet

Petit-fils de Marie de Champagne, Thibaut IV est connu pour son inconstance politique ; on l'a même accusé d'avoir empoisonné le roi en 1226. En revanche, souligne Daniel Poirion, « il a mis toute sa constance dans ses goûts poétiques et fut un trouvère estimé par ses pairs ».

« L'amour n'est pas de l'ordre du visible, et la Dame du poète [Thibaut de Champagne] n'est ni un corps ni même un être ; femme interdite et muette, elle est l'obsession du silence, l'interrogation permanente, l'apparence qui obstrue l'accès au secret ; elle est l'énigme, la voie unique qui mène à la connaissance. »

Marcel Faure

Ballade à s'amie

Fausse beauté qui tant me coûte cher,
Rude en effet, hypocrite douleur,
Amour dure plus que fer à mâcher,
Nommer que puis, de ma défaçon sœur,
Cherme félon, la mort d'un pauvre cœur,
Orgueil mussé qui gens met au mourir,
Yeux sans pitié, ne veut Droit de Rigueur,
Sans empirer, un pauvre secourir ?

Mieux m'eût valu avoir été sercher
Ailleurs secours, c'eût été mon honneur ;
Rien ne m'eût su hors de ce fait hâcher
Trotter m'en faut en fuite et déshonneur.
Haro, haro, le grand et le mineur !
Et qu'est-ce ci ? Mourrai sans coup férir ?
Ou Pitié veut, selon cette teneur,
Sans empirer, un pauvre secourir ?

Un temps viendra qui fera dessécher
Jaunir, flétrir votre épanie fleur ;
Je m'en risse, se tant pusse mâcher,
Las ! mais nenni, ce seroit donc foleur :
Vieil je serai, vous laide, sans couleur ;
Or buvez fort, tant que ru peut courir ;
Ne donnez pas à tous cette douleur,
Sans empirer, un pauvre secourir.

Prince amoureux, des amants le graigneur,
Votre mal gré ne voudroie encourir,
Mais tout franc cœur doit, par Notre Seigneur,
Sans empirer, un pauvre secourir.

François Villon (1431-après 1461)
Le Testament (1456-1461)

« Il [Villon] représentait la gentillesse, l'esprit parisien et le cœur du peuple, enclin à faillir, mais très prompt à pardonner. » Pierre Mac Orlan

« La poésie de Villon participe d'un état d'esprit ingénu où la fraîcheur de sentiment n'est pas encore ternie par les spéculations intellectuelles que l'on ne tarda pas à y introduire. » Tristan Tzara

Le Jardin d'amour [détail] (anonyme, XVe s.)

Que n'es-tu las...

Que n'es-tu las (mon désir) de tant suivre
Celle qui est tant gaillarde à la fuite ?
Ne la vois-tu devant ma lente suite
Des lacs d'amour voler franche et délivre ?

Ce faux espoir, dont la douceur m'enivre,
Tout en un point m'arrête, et puis m'incite,
Me pousse en haut, et puis me précipite,
Me fait mourir, et puis me fait revivre.

Ainsi courant de sommets en sommets
Avec Amour, je ne pense jamais,
Fol désir mien, à te hausser la bride.

Bien m'as-tu donc mis en proie au danger,
Si je ne puis à mon gré te ranger,
Et si j'ai pris un aveugle pour guide.

Joachim du Bellay (1522-1560)
L'Olive (1549)

« Cet amour dont il souffre, c'est un amour qu'il aime : pour rien au monde, il n'en voudrait guérir. »
Henri Chamard

Le Jardin d'amour avec les joueurs d'échecs
(Maître E.S., v. 1460)

Homme nu avec massue [détail] (Albrecht Dürer, début XVIe s.)

Le printemps

Au plus haut du midi, des étoiles les feux,
Voyant que le soleil a perdu sa lumière,
Jettent sur mon trépas leurs pitoyables jeux
Et d'errines aspects soulagent ma misère :
L'hymne de mon trépas est chanté par les cieux.

Les anges ont senti mes chaudes passions,
Quittent des cieux aimés leur plaisir indicible,
Ils souffrent, affligés de mes afflictions,
Je les vois de mes yeux bien qu'ils soient invisibles,
Je ne suis fasciné de douces fictions.

Tout gémit, tout se plaint, et mon mal est si fort
Qu'il émeut fleurs, coteaux, bois et roches étranges,
Tigres, lions et ours et les eaux et leur port,
Nymphes, les vents, les cieux, les astres et les anges.
Tu es loin de pitié et plus loin de ma mort.

Plus dure que les rocs, les côtes et la mer,
Plus altière que l'air, que les cieux et les anges,
Plus cruelle que tout ce que je puis nommer,
Tigres, ours et lions, serpents, monstres étranges :
Tu ris en me tuant et je meurs pour aimer.

Agrippa d'Aubigné (1552-1630)
Stances (1571-1573)

À l'âge de vingt-deux ans, Agrippa d'Aubigné est reçu au château de Talcy, en Beauce, et tombe amoureux de Diane Salviati (la sœur de Cassandre, célébrée par Ronsard).

À propos de ce texte, Henri Weber a bien souligné que « de la distance matérielle qui le sépare de Diane au moment où il s'apprête à mourir, d'Aubigné fait le symbole de l'insensibilité de la jeune fille ».

Dame de qualité
(Androuet du Cerceau, XVIe s.)

Stances du chevalier trahi par sa maîtresse

En se plaignant de sa Dame, il les blâme toutes

Elle a changé mon feu, la volage qu'elle est,
Pour une moindre flamme,
Pour faire voir à tous qu'elle est femme en effet,
Et que c'est qu'une femme.

Mais devais-je prétendre en cet esprit léger
Amour moins passagère ?
Car puis qu'elle était femme, il fallait bien juger
Qu'elle serait légère.

L'onde est moins agitée, et moins léger le vent,
Moins volage la flamme,
Moins prompt est le penser que l'on va concevant
Que le cœur d'une femme...

Honoré d'Urfé (1567-1625)

Honoré d'Urfé est essentiellement connu pour être l'auteur de L'Astrée *(1607), modèle monumental du roman pastoral, qui eut un succès considérable.*

« Protée est le premier emblème de l'homme baroque, il désigne sa passion de la métamorphose jointe au déguisement, son goût de l'éphémère, de la "volubilité" et de l'inachevé. Il incarne une inconstance foncière. »
Jean Rousset

Sonnet

Beauté de qui la grâce étonne la nature,
Il faut donc que je cède à l'injure du sort,
Que je vous abandonne, et loin de votre port
M'en aille au gré du vent suivre mon aventure.

Il n'est ennui si grand que celui que j'endure :
Et la seule raison qui m'empêche la mort,
C'est le doute que j'ai que ce dernier effort
Ne fût mal employé pour une âme si dure.

Caliste, où pensez-vous ? qu'avez-vous entrepris ?
Vous résoudrez-vous point à borner ce mépris,
Qui de ma patience indignement se joue ?

Mais, ô de mon erreur l'étrange nouveauté,
Je vous souhaite douce, et toutefois j'avoue
Que je dois mon salut à votre cruauté.

François de Malherbe (1555-1628)
Poésies (1630)

« L'ordre qui domine toute l'œuvre de Malherbe, qu'est-il donc que l'expression de l'ordre politique restauré ? »
Antoine Adam

Descente aux Enfers
de l'amant délaissé

Grands monts qui menacez les cieux qui vous sont proches,
Vallons que le soleil prive de ses clartés,
Airs obscurs à nos yeux d'un nuage arrêtés,
Antres loin retirés du murmure des cloches ;

Os non ensevelis, précipiteuses roches,
Murs herbus, autrefois des hommes habités,
Et ores tellement de ruine emportés,
Que les loups et les ours redoutent vos approches :

Grands rivages voisins des inutiles mers,
Je suis un pauvre esprit qui vient, dans vos déserts
Plaindre les maux desquels je souffre les atteintes

Privé du doux objet de ma sainte amitié,
Espérant émouvoir l'enfer à la pitié,
Si je ne puis fléchir le ciel avec mes plaintes.

François de Boisrobert (1582-1662)

Il a été l'ami de Théophile de Viau et de Saint-Amant, et fut auprès de Richelieu « l'ardent solliciteur des Muses incommodées » : élégante façon de dire qu'il cherchait à obtenir de l'argent de la part du pouvoir pour mettre les poètes à l'abri du besoin.

Gentilhomme assis
(Androuet du Cerceau, XVIe s.)

La belle endormie

Quand tu me vois baiser tes bras,
Que tu poses nus sur tes draps,
Bien plus blancs que le linge même ;
Quand tu sens ma brûlante main
Se promener dessus ton sein,
Tu sens bien, Cloris, que je t'aime.

Comme un dévot devers les cieux,
Mes yeux tournés devers tes yeux,
À genoux auprès de ta couche,
Pressé de mille ardents désirs,
Je laisse, sans ouvrir ma bouche,
Avec toi dormir mes plaisirs.

Le sommeil aise de t'avoir,
Empêche tes yeux de me voir,
Et te retient dans son empire
Avec si peu de liberté
Que ton esprit tout arrêté
Ne murmure ni ne respire.

La rose en rendant son odeur,
Le Soleil donnant son ardeur,
Diane et le char qui la traîne,
Une Naïade dedans l'eau,
Et les Grâces dans un tableau,
Font plus de bruit que ton haleine.

Là je soupire auprès de toi,
Et considérant comme quoi
Ton œil si doucement repose,
Je m'écrie : ô ciel ! peux-tu bien
Tirer d'une si belle chose
Un si cruel mal que le mien ?

Théophile de Viau (1590-1626)
Œuvres (1621-1623)

Il fut accusé de « mauvaises mœurs et impiétés » en 1619, puis de façon beaucoup plus inquiétante en 1623, à cause de ses écrits licencieux. Incarcéré, il passe deux ans en prison et meurt des suites de cette détention.

Théophile de Viau, selon Maurice Blanchot, fait partie de ces poètes pour qui « l'art est un pouvoir conquis sur les forces obscures des choses, grâce aux vertus inaccoutumées des mots ».

La haute fonction de la poésie transparaît dans ses vers :
« Il faudrait inventer quelque nouveau langage,
Prendre un esprit nouveau, penser et dire mieux
Que n'ont jamais pensé les hommes et les dieux. »

Jupiter et Antiope (Rembrandt, 1659)

Stances

Que vous sert-il de me charmer ?
Aminte, je ne puis aimer
Où je ne vois rien à prétendre ;
Je sens naître et mourir ma flamme à votre aspect,
Et si pour la beauté j'ai toujours l'âme tendre,
Jamais pour la vertu je n'ai que du respect.

Vous me recevez sans mépris,
Je vous parle, je vous écris,
Je vous vois quand j'en ai l'envie ;
Ces bonheurs sont pour moi des bonheurs superflus ;
Et si quelque autre y trouve une assez douce vie,
Il me faut pour aimer quelque chose de plus.

Le plus grand amour sans faveur,
Pour un homme de mon humeur,
Est un assez triste partage ;
Je cède à mes rivaux cet inutile bien,
Et qui me donne un cœur, sans donner davantage,
M'obligerait bien plus de ne me donner rien.

Je suis de ces amants grossiers
Qui n'aiment pas fort volontiers
Sans aucun prix de leurs services,
Et veux, pour m'en payer, un peu mieux qu'un regard ;
Et l'union d'esprit est pour moi sans délices
Si les charmes des sens n'y prennent quelque part.

Pierre Corneille (1606-1684)
Poésies

« Corneille plaide, célèbre, fulmine, argumente. »
Paul Valéry

« Corneille a tourné le dos à l'amour parce qu'il s'est détourné du cœur, domaine du muable, champ de l'instabilité et du "je ne sais quoi" [...]. On s'explique mieux ainsi la tension, la violence soutenue [...] qui animent furieusement ses héros de l'inaltérable. »
Jean Rousset

Couple de nobles
(anonyme, XVIIe s.)

Et la mer et l'amour...

Et la mer et l'amour ont l'amer pour partage,
Et la mer est amère, et l'amour est amer,
L'on s'abîme en l'amour aussi bien qu'en la mer,
Car la mer et l'amour ne sont point sans orage.

Celui qui craint les eaux, qu'il demeure au rivage,
Celui qui craint les maux qu'on souffre pour aimer,
Qu'il ne se laisse pas à l'amour enflammer,
Et tous deux ils seront sans hasard de naufrage.

La mère de l'amour eut la mer pour berceau,
Le feu sort de l'amour, sa mère sort de l'eau,
Mais l'eau contre ce feu ne peut fournir des armes.

Si l'eau pouvait éteindre un brasier amoureux,
Ton amour qui me brûle est si fort douloureux,
Que j'eusse éteint son feu de la mer de mes larmes.

Pierre de Marbeuf (v. 1596-v. 1645)
Recueil de vers de Monsieur de Marbeuf (1628)

« Toute cette fluidité dans les personnages et les situations implique une psychologie de l'intermittence et de la mobilité ; l'être ne se saisit que dans le reflet fugitif de ses apparences et ne se donne qu'en se dérobant. »
Jean Rousset

Phrosine et Mélidore (Pierre Paul Prud'hon, 1797)

Vous aviez mon cœur…

Vous aviez mon cœur,
Moi, j'avais le vôtre :
Un cœur pour un cœur,
Bonheur pour bonheur !

Le vôtre est rendu,
Je n'en ai plus d'autre :
Le vôtre est rendu,
Le mien est perdu !

La feuille et la fleur
Et le fruit lui-même,
La feuille et la fleur,
L'encens, la couleur,

Qu'en avez-vous fait,
Mon maître suprême ?
Qu'en avez-vous fait,
De ce doux bienfait ?

Comme un pauvre enfant
Quitté par sa mère,
Comme un pauvre enfant
Que rien ne défend,

Vous me laissez là,
Dans ma vie amère ;
Vous me laissez là
Et Dieu voit cela !

Savez-vous qu'un jour
L'homme est seul au monde ?
Savez-vous qu'un jour
Il revoit l'Amour ?

Vous appellerez,
Sans qu'on vous réponde ;
Vous appellerez,
Et vous songerez !...

Vous viendrez rêvant
Sonner à ma porte ;
Ami comme avant,
Vous viendrez, rêvant,

Et l'on vous dira :
« Personne... elle est morte. »
On vous le dira,
Mais qui vous plaindra ?

Marceline Desbordes-Valmore (1786-1859)
Pauvres Fleurs (1839)

« Jamais aucun poète ne fut plus naturel ; aucun ne fut jamais moins artificiel. Personne n'a pu imiter ce charme, parce qu'il est tout original et natif. »
Charles Baudelaire

Cantatrice et comédienne, Marceline Desbordes-Valmore quitte très tôt le théâtre (en 1823) pour se consacrer à ses enfants ; elle se met par ailleurs à composer des poèmes, qui allaient être admirés aussi bien par les romantiques que par les symbolistes.

Bacchante se reposant sur une urne (Johann August Nahl, v. 1790)

Sapho

Élégie antique

L'aurore se levait, la mer battait la plage ;
Ainsi parla Sapho debout sur le rivage,
Et près d'elle, à genoux, les filles de Lesbos
Se penchaient sur l'abîme et contemplaient les
[flots :
Fatal rocher, profond abîme !
Je vous aborde sans effroi !
Vous allez à Vénus dérober sa victime :
J'ai méconnu l'amour, l'amour punit mon crime.
Ô Neptune ! tes flots seront plus doux pour moi !
Vois-tu de quelles fleurs j'ai couronné ma tête ?
Vois : ce front, si longtemps chargé de mon ennui,
Orné pour mon trépas comme pour une fête,
Du bandeau solennel étincelle aujourd'hui !
On dit que dans ton sein... mais je ne puis le
[croire !
On échappe au courroux de l'implacable
[Amour ;
On dit que, par tes soins, si l'on renaît au jour,
D'une flamme insensée on y perd la mémoire !
Mais de l'abîme, ô dieu ! quel que soit le secours,
Garde-toi, garde-toi de préserver mes jours !
Je ne viens pas chercher dans tes ondes propices
Un oubli passager, vain remède à mes maux !
J'y viens, j'y viens trouver le calme des tombeaux !
Reçois, ô roi des mers, mes joyeux sacrifices !
Et vous pourquoi ces pleurs ? pourquoi ces
[vains sanglots ?
Chantez, chantez un hymne, ô vierges de Lesbos !

Importuns souvenirs, me suivrez-vous sans cesse ?
C'était sous les bosquets du temple de Vénus ;
Moi-même, de Vénus insensible prêtresse,
Je chantais sur la lyre un hymne à la déesse :
Aux pieds de ses autels, soudain je t'aperçus !
Dieux ! quels transports nouveaux ! ô dieux !
[comment décrire
Tous les feux dont mon sein se remplit à la fois ?
Ma langue se glaça, je demeurai sans voix,
Et ma tremblante main laissa tomber ma lyre !
Non : jamais aux regards de l'ingrate Daphné
Tu ne parus plus beau, divin fils de Latone ;
Jamais le thyrse en main, de pampres couronné,
Le jeune dieu de l'Inde, en triomphe traîné,
N'apparut plus brillant aux regards d'Érigone.
Tout sortit... de lui seul je me souvins, hélas !
Sans rougir de ma flamme, en tout temps, à
[toute heure,
J'errais seule et pensive autour de sa demeure.
Un pouvoir plus qu'humain m'enchaînait sur
[ses pas !
Que j'aimais à le voir, de la foule enivrée,
Au gymnase, au théâtre, attirer tous les yeux,
Lancer le disque au loin, d'une main assurée,
Et sur tous ses rivaux l'emporter dans nos jeux !
Que j'aimais à le voir, penché sur la crinière
D'un coursier de l'Élide aussi prompt que les
[vents,
S'élancer le premier au bout de la carrière,
Et, le front couronné, revenir à pas lents !
Ah ! de tous ses succès, que mon âme était fière !
Et si de ce beau front de sueur humecté
J'avais pu seulement essuyer la poussière...
Ô dieux ! j'aurais donné tout, jusqu'à ma beauté,
Pour être un seul instant ou sa sœur ou sa mère !
Vous, qui n'avez jamais rien pu pour mon bonheur !
Vaines divinités des rives du Permesse,
Moi-même, dans vos arts, j'instruisis sa jeunesse ;
Je composai pour lui ces chants pleins de douceur,
Ces chants qui m'ont valu les transports de la
[Grèce
Ces chants, qui des Enfers fléchiraient la
[rigueur,
Malheureuse Sapho ! n'ont pu fléchir son cœur,
Et son ingratitude a payé ta tendresse !

Alphonse de Lamartine (1790-1869)
Nouvelles Méditations poétiques (1823)

On connaît l'attitude de Lamartine lorsqu'il est sur le point d'écrire (et qu'il a lui-même évoquée dans la préface des Recueillements poétiques*) : « Le coude appuyé sur la table et la tête sur la main, le cœur gros de sentiments et de souvenirs, la pensée pleine de vagues images. »*

« Lamartine a commencé par la poésie du XVIIIe siècle, et il ne l'a jamais quittée. Il aura toujours dans l'oreille le vers de Voltaire et de Parny. »

Albert Thibaudet

Et in Arcadia Ego [détail]
(Carl Wilhelm Kolbe, 1801)

O primavera !...

O primavera ! gioventù dell' anno !
O gioventù, primavera della vita !

Ô mes lettres d'amour, de vertu, de jeunesse,
C'est donc vous ! je m'enivre encore à votre ivresse ;
Je vous lis à genoux.
Souffrez que pour un jour je reprenne votre âge !
Laissez-moi me cacher, moi, l'heureux et le sage,
Pour pleurer avec vous !

J'avais donc dix-huit ans ! j'étais donc plein de songes !
L'espérance en chantant me berçait de mensonges.
Un astre m'avait lui !
J'étais un dieu pour toi qu'en mon cœur seul je nomme !
J'étais donc cet enfant, hélas ! devant qui l'homme
Rougit presque aujourd'hui !

Ô temps de rêverie, et de force, et de grâce !
Attendre tous les soirs une robe qui passe !
Baiser un gant jeté !
Vouloir tout de la vie, amour, puissance et gloire !
Être pur, être fier, être sublime, et croire
À toute pureté !

À présent, j'ai senti, j'ai vu, je sais. – Qu'importe –
Si moins d'illusions viennent ouvrir ma porte
Qui gémit en tournant !
Oh ! que cet âge ardent, qui me semblait si sombre,
À côté du bonheur qui m'abrite à son ombre,
Rayonne maintenant !

Que vous ai-je donc fait, ô mes jeunes années,
Pour m'avoir fui si vite, et vous être éloignées,
Me croyant satisfait ?
Hélas ! pour revenir m'apparaître si belles,
Quand vous ne pouvez plus me prendre sur vos ailes,
Que vous ai-je donc fait ?

Oh ! quand ce doux passé, quand cet âge sans tache,
Avec sa robe blanche où notre amour s'attache,
Revient dans nos chemins,
On s'y suspend, et puis que de larmes amères
Sur les lambeaux flétris de vos jeunes chimères
Qui vous restent aux mains !

Oublions ! oublions ! Quand la jeunesse est morte,
Laissons-nous emporter par le vent qui l'emporte
À l'horizon obscur.
Rien ne reste de nous ; notre œuvre est un problème.
L'homme, fantôme errant, passe sans laisser même
Son ombre sur le mur !

Victor Hugo (1802-1885)
Les Feuilles d'automne (1831)

*En 1830, tandis qu'a lieu la bataille d'*Hernani, *Hugo se penche avec mélancolie sur les premiers temps de l'amour (entre 1820 et 1822) restitués par les lettres à sa fiancée Adèle Foucher.*

L'épigraphe est tirée du Pastor Fido *de l'Italien Guarini : « Ô printemps ! jeunesse de l'année ! Ô jeunesse, printemps de la vie ! »*

Mon âme a son secret…

Mon âme a son secret, ma vie a son mystère,
Un amour éternel en un moment conçu.
Le mal est sans espoir, aussi j'ai dû le taire,
Et celle qui l'a fait n'en a jamais rien su.

Hélas ! j'aurai passé près d'elle inaperçu,
Toujours à ses côtés et pourtant solitaire,
Et j'aurai jusqu'au bout fait mon temps sur la Terre,
N'osant rien demander et n'ayant rien reçu.

Pour elle, quoique Dieu l'ait faite douce et tendre,
Elle ira son chemin, distraite, et sans entendre
Ce murmure d'amour élevé sur ses pas.

À l'austère devoir pieusement fidèle,
Elle dira, lisant ces vers tout remplis d'elle :
« Quelle est donc cette femme ? » et ne comprendra pas.

Félix Arvers (1806-1850)
Mes heures perdues (1833)

Arvers doit à ce sonnet d'être passé à la postérité ; il fut écrit sur l'album de poèmes de la fille de Charles Nodier, et la tradition veut qu'il ait été inspiré par elle.

Sur ce « sonnet tendre et chaste » Sainte-Beuve affirme qu'« un souffle de Pétrarque a passé ».

Solitude (Eugène Devéria, XIXe s.)

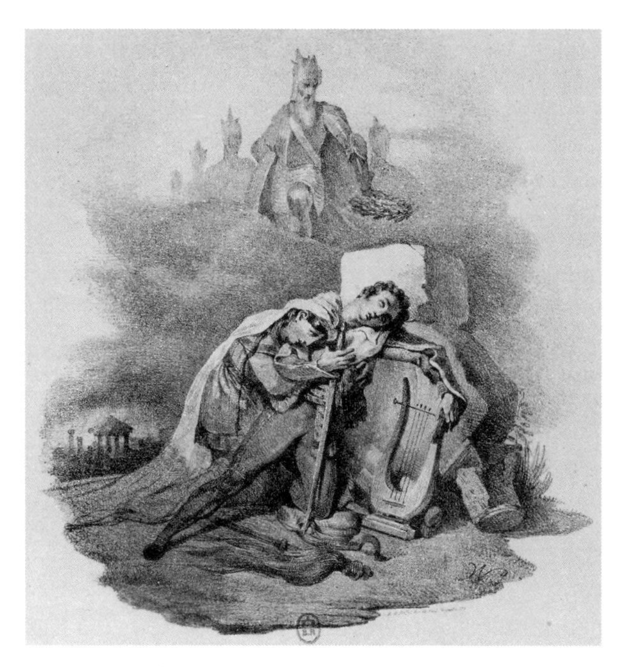

La Mort de lord Byron
(anonyme, XIXe s.)

Pensée de Byron

Nerval a vingt ans lorsqu'il compose cette élégie.

Par mon amour et ma constance,
J'avais cru fléchir ta rigueur,
Et le souffle de l'espérance
Avait pénétré dans mon cœur;
Mais le temps, qu'en vain je prolonge,
M'a découvert la vérité,
L'espérance a fui comme un songe...
Et mon amour seul m'est resté!

Il est resté comme un abîme
Entre ma vie et le bonheur,
Comme un mal dont je suis victime,
Comme un poids jeté sur mon cœur!
Pour fuir le piège où je succombe,
Mes efforts seraient superflus;
Car l'homme a le pied dans la tombe,
Quand l'espoir ne le soutient plus.

J'aimais à réveiller la lyre,
Et souvent, plein de doux transports,
J'osais, ému par le délire,
En tirer de tendres accords.
Que de fois, en versant des larmes,
J'ai chanté tes divins attraits!
Mes accents étaient pleins de charmes,
Car c'est toi qui les inspirais.

Ce temps n'est plus, et le délire
Ne vient plus animer ma voix ;
Je ne trouve point à ma lyre
Les sons qu'elle avait autrefois.
Dans le chagrin qui me dévore,
Je vois mes beaux jours s'envoler ;
Si mon œil étincelle encore,
C'est qu'une larme va couler !

Brisons la coupe de la vie ;
Sa liqueur n'est que du poison ;
Elle plaisait à ma folie,
Mais elle enivrait ma raison.
Trop longtemps épris d'un vain songe,
Gloire ! amour ! vous eûtes mon cœur :
Ô Gloire ! tu n'es qu'un mensonge ;
Amour ! tu n'es point le bonheur !

Gérard de Nerval (1808-1855)
Odelettes (1832-1852)

« L'expérience du temps chez Nerval ne commence pas par le sentiment d'une vie naissante ou renaissante, mais par le sentiment inverse, celui d'une vie qui ne cesse de se dissoudre à mesure qu'elle progresse. »
Georges Poulet

Homme jouant de la lyre à une jeune fille (Carl Wilhelm Kolbe, 1800)

El desdichado

Je suis le Ténébreux, – le Veuf, – l'Inconsolé,
Le Prince d'Aquitaine à la tour abolie :
Ma seule *étoile* est morte, – et mon luth constellé
Porte le *soleil* noir de la *Mélancolie*.

Dans la nuit du tombeau, toi qui m'as consolé,
Rends-moi le Pausilippe et la mer d'Italie,
La fleur qui plaisait tant à mon cœur désolé,
Et la treille où le pampre à la rose s'allie.

Suis-je Amour ou Phébus !... Lusignan ou Biron ?
Mon front est rouge encor du baiser de la Reine ;
J'ai rêvé dans la grotte où nage la sirène...

Et j'ai deux fois vainqueur traversé l'Achéron :
Modulant tour à tour sur la lyre d'Orphée
Les soupirs de la sainte et les cris de la fée.

Gérard de Nerval
Les Chimères (1854)

Ce poème fut publié pour la première fois en 1853 dans Le Mousquetaire, *par Alexandre Dumas. Dans un autre manuscrit, il portait le titre, en français, « Le destin ».*

El Desdichado (Hermine David, 1943)

« [...] Ce diamant aux feux obscurs, cette limpidité insondable, ce miroir où se reflète la part invisible du monde : Gérard de Nerval. »
Thierry Maulnier

Étude de tête pour l'une des Grâces de « Vénus Concordia »
(Edward Burne-Jones, 1895)

Se voir le plus possible…

Se voir le plus possible et s'aimer seulement
Sans ruse et sans détours, sans honte ni mensonge,
Sans qu'un désir nous trompe, ou qu'un remords nous ronge,
Vivre à deux et donner son cœur à tout moment;

Respecter sa pensée aussi loin qu'on y plonge,
Faire de son amour un jour au lieu d'un songe,
Et dans cette clarté respirer librement,
– Ainsi respirait Laure et chantait son amant.

Vous dont chaque pas touche à la grâce suprême,
C'est vous, la tête en fleurs, qu'on croirait sans souci,
C'est vous qui me disiez qu'il faut aimer ainsi.

Et c'est moi, vieil enfant du doute et du blasphème,
Qui vous écoute, et pense et vous réponds ceci :
Oui, l'on vit autrement, mais c'est ainsi qu'on aime.

Alfred de Musset (1810-1857)
Poésies (1835-1852)

« Comme Mérimée, il est né dans la grande bourgeoisie parisienne, disait Albert Thibaudet à propos d'Alfred de Musset. Son cœur et ses sens seront souvent dupes des femmes, son esprit ne sera jamais dupe des hommes. Il a des dons d'analyse et de lucidité. »

« Se sentir coupé de soi, se regarder parler ou agir du dehors, comme on le ferait pour un étranger : c'est l'une des originalités de la vie de la conscience chez Musset. Un tel pouvoir de distancement le rapproche de celui que Sartre nommait l'homme sans immédiateté : Baudelaire. »
Jean-Pierre Richard

Poésies de Mallarmé (Henri Matisse, 1932)

Placet futile

Princesse ! à jalouser le destin d'une Hébé
Qui point sur cette tasse au baiser de vos lèvres,
J'use mes feux mais n'ai rang discret que d'abbé
Et ne figurerai même nu sur le sèvres.

Comme je ne suis pas ton bichon embarbé,
Ni la pastille ni du rouge, ni jeux mièvres
Et que sur moi je sais ton regard clos tombé,
Blonde dont les coiffeurs divins sont des orfèvres !

Nommez-nous... toi de qui tant de ris framboisés
Se joignent en troupeau d'agneaux apprivoisés
Chez tous broutant les vœux et bêlant aux délires,

Nommez-nous... pour qu'Amour ailé d'un éventail
M'y peigne flûte aux doigts endormant ce bercail,
Princesse, nommez-nous berger de vos sourires.

Stéphane Mallarmé (1842-1898)
Poésies (1887)

C'est un des premiers poèmes de Mallarmé publié ; il fut mis en musique aussi bien par Debussy que par Ravel en 1913.

« Mallarmé s'apparente à certains peintres érotiques japonais (son époque découvrait l'éventail – éventail sur lequel il écrivit tant de madrigaux) et au modern style. »

Jean Cocteau

Antoine et Cléopâtre

Ce poème est paru pour la première fois dans « Le Monde poétique » de décembre 1884 ; il avait pour épigraphe cette phrase de Shakespeare : « Nous avons perdu en baisers des royaumes et des provinces. »

Tous deux ils regardaient, de la haute terrasse,
L'Égypte s'endormir sous un ciel étouffant
Et le Fleuve, à travers le Delta noir qu'il fend,
Vers Bubaste ou Saïs rouler son onde grasse.

Et le Romain sentait sous la lourde cuirasse,
Soldat captif berçant le sommeil d'un enfant,
Ployer et défaillir sur son cœur triomphant
Le corps voluptueux que son étreinte embrasse.

Tournant sa tête pâle entre ses cheveux bruns
Vers celui qu'enivraient d'invincibles parfums,
Elle tendit sa bouche et ses prunelles claires ;

Et sur elle courbé, l'ardent Imperator
Vit dans ses larges yeux étoilés de points d'or
Toute une mer immense où fuyaient des galères.

José Maria de Heredia (1842-1905)
Les Trophées (1893)

Ce n'est qu'en 1893 que l'ensemble des sonnets de Heredia fut réuni dans le volume des Trophées. *Michel Décaudin rappelle que ces sonnets sont célèbres « pour leur perfection formelle, la sonorité de leurs vers, l'éclat de leurs images et leur précision historique ».*

Jupiter et Junon (anonyme, d'après Girodet, début XIXe s.)

Ô triste était mon âme…

Ô triste, triste était mon âme
À cause, à cause d'une femme.

Je ne me suis pas consolé
Bien que mon cœur s'en soit allé,

Bien que mon cœur, bien que mon âme
Eussent fui loin de cette femme.

Je ne me suis pas consolé
Bien que mon cœur s'en soit allé.

Et mon cœur, mon cœur trop sensible
Dit à mon âme : Est-il possible,

Est-il possible, – le fût-il, –
Ce fier exil, ce triste exil ?

Mon âme dit à mon cœur : Sais-je
Moi-même que nous veut ce piège

D'être présents bien qu'exilés,
Encore que loin en allés ?

Paul Verlaine (1844-1896)
Romances sans paroles (1874)

« Il a été aussi peut-être,
depuis Ronsard et après
les conquêtes de Marceline
Desbordes-Valmore, de Hugo,
de Baudelaire et de Banville,
notre plus étonnant et riche
inventeur de rythmes
et a préparé, fût-ce à son corps
défendant et même à regret,
les voies de l'affranchissement
de la prosodie, qui lui
a succédé. »
Yves-Gérard Le Dantec

Sonnet de nuit

Ô croisée ensommeillée,
Dure à mes trente-six morts !
Vitre en diamant, éraillée
Par mes atroces accords !

Herse hérissant rouillée
Tes crocs où je pends et mords !
Oubliette verrouillée
Qui me renferme... dehors !

Pour toi, Bourreau que j'encense,
L'amour n'est donc que vengeance ?...
Ton balcon : gril à braiser ?

Ton col : collier de garotte ?...
Eh bien ! ouvre, Iscariote,
Ton judas pour un baiser !

Tristan Corbière (1845-1875)
Les Amours jaunes (1873)

« En réalité, ce n'est pas l'esprit du "romantisme éternel" que refuse Tristan Corbière ; c'en est un certain avatar français caractérisé par un lyrisme indiscret, une éloquence verbeuse, une complaisance satisfaite pour ses propres faiblesses, une religiosité conventionnelle, le goût de la gloire à tout prix. »
Jean Bellemin-Noël

Salomé (Aubrey Beardsley, 1894)

« Poésie de clair-obscur, chuchotée plus que chantée, si musicale cependant, pleine de lointaines résonances, de prolongements mystérieux. »
Charles Le Goffic

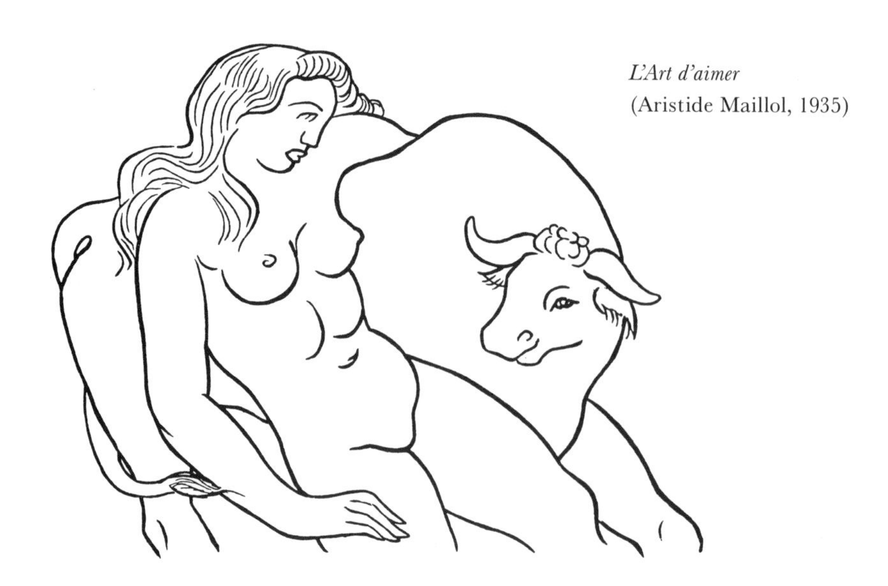

L'Art d'aimer
(Aristide Maillol, 1935)

Les reparties de Nina

Lui. — Ta poitrine sur ma poitrine,
Hein ? nous irions,
Ayant de l'air plein la narine,
Aux frais rayons

Du bon matin bleu, qui vous baigne
Du vin de jour ?...
Quand tout le bois frissonnant saigne
Muet d'amour

De chaque branche, gouttes vertes,
Des bourgeons clairs,
On sent dans les choses ouvertes
Frémir des chairs :

Tu plongerais dans la luzerne
Ton blanc peignoir,
Rosant à l'air ce bleu qui cerne
Ton grand œil noir,

Amoureuse de la campagne,
Semant partout,
Comme une mousse de champagne,
Ton rire fou :

Riant à moi, brutal d'ivresse,
Qui te prendrais.
Comme cela, – la belle tresse,
Oh ! – qui boirais

Ton goût de framboise et de fraise,
Ô chair de fleur !
Riant au vent vif qui te baise
Comme un voleur,

Au rose églantier qui t'embête
Aimablement :
Riant surtout, ô folle tête,
À ton amant !...

– Ta poitrine sur ma poitrine,
Mêlant nos voix,
Lents, nous gagnerions la ravine,
Puis les grands bois !...

Puis, comme une petite morte,
Le cœur pâmé,
Tu me dirais que je te porte,
L'œil mi-fermé...

Je te porterais, palpitante,
Dans le sentier :
L'oiseau filerait son andante :
Au Noisetier...

Je te parlerais dans ta bouche :
J'irais, pressant
Ton corps, comme une enfant qu'on couche,
Ivre du sang

Qui coule, bleu, sous ta peau blanche
Aux tons rosés :
Et te parlant la langue franche...
Tiens !... – que tu sais...

Nos grands bois sentiraient la sève
Et le soleil
Sablerait d'or fin leur grand rêve
Vert et vermeil.

Le soir ?... Nous reprendrons la route
Blanche qui court
Flânant, comme un troupeau qui broute
Tout à l'entour

Les bons vergers à l'herbe bleue
Aux pommiers tors !
Comme on les sent toute une lieue
Leurs parfums forts !

Nous regagnerons le village
Au ciel mi-noir ;
Et ça sentira le laitage
Dans l'air du soir ;

Ça sentira l'étable, pleine
De fumiers chauds,
Pleine d'un lent rythme d'haleine,
Et de grands dos

Blanchissant sous quelque lumière ;
Et, tout là-bas,
Une vache fientera, fière,
À chaque pas...

– Les lunettes de la grand-mère
Et son nez long
Dans son missel ; le pot de bière
Cerclé de plomb,

Moussant entre les larges pipes
Qui, crânement,
Fument : les effroyables lippes
Qui, tout fumant,

Happent le jambon aux fourchettes
Tant, tant et plus :
Le feu qui claire les couchettes
Et les bahuts.

Les fesses luisantes et grasses
D'un gros enfant
Qui fourre, à genoux, dans les tasses,
Son museau blanc

Frôlé par un mufle qui gronde
D'un ton gentil,
Et pourlèche la face ronde
Du cher petit...

Que de choses verrons-nous, chère,
Dans ces taudis,
Quand la flamme illumine, claire,
Les carreaux gris !...

– Puis, petite et toute nichée
Dans les lilas
Noirs et frais : la vitre cachée,
Qui rit là-bas...

Tu viendras, tu viendras, je t'aime !
Ce sera beau.
Tu viendras, n'est-ce pas, et même...

Elle. – Et mon bureau ?

Arthur Rimbaud (1854-1891)
Poésies (1895)

Ce poème est daté du 15 août 1870 : « Arthur Rimbaud apparaît en 1870, à l'un des moments les plus tristes de notre histoire, en pleine déroute, en pleine guerre civile, en pleine déconfiture matérielle et morale, en pleine stupeur positiviste. »
Paul Claudel

Daphnis et Chloé
(Aristide Maillol)

« Son verbe, les ténèbres ne l'ont pas compris. Il fut rèpoussé et son ressentiment lui demeura. Il n'y avait plus qu'à dissimuler, à se taire. »
Pierre Arnoult

Pétition

Amour absolu, carrefour sans fontaine;
Mais, à tous les bouts, d'étourdissantes fêtes
[foraines.

Jamais franches,
Ou le poing sur la hanche :
Avec toutes, l'amour s'échange
Simple et sans foi comme un bonjour.

Ô bouquets d'oranger cuirassés de satin,
Elle s'éteint, elle s'éteint,
La divine Rosace
À voir vos noces de sexes livrés à la grosse,
Courir en valsant vers la fosse
Commune !... Pauvre race !

Pas d'absolu; des compromis;
Tout est pas plus, tout est permis.

Et cependant, ô des nuits, laissez-moi, Circés
Sombrement coiffées à la Titus,
Et les yeux en grand deuil comme des pensées !
Et passez,
Béatifiques Vénus
Étalées et découvrant vos gencives comme un régal
Et bâillant des aisselles au soleil,
Dans l'assourdissement des cigales !
Ou, droites tenant sur fond violet le lotus
Des sacrilèges domestiques,
En faisant de l'index : *motus !*

Passez, passez, bien que les yeux vierges
Ne soient que cadrans d'émail bleu,
Marquant telle heure que l'on veut,
Sauf à garder pour eux, pour Elle,
Leur heure immortelle.
Sans doute au premier mot,
On va baisser ces yeux,
Et peut-être choir en syncope,
On est si vierge à fleur de robe
Peut-être même à fleur de peau,
Mais leur destinée est bien interlope, au nom
[de Dieu !

Ô historiques esclaves !
Oh ! leur petite chambre !
Qu'on peut les en faire descendre
Vers d'autres étages,
Vers les plus frelatées des caves,
Vers les moins ange-gardien des ménages !

Et alors, le grand Suicide, à froid,
Et leur Amen d'une voix sans Elle,
Tout en vaquant aux petits soins secrets,
Et puis leur éternel air distrait
Leur grand air de dire : « De quoi ?
« Ah ! de quoi, au fond, s'il vous plait ? »

Mon Dieu, que l'Idéal
La dépouillât de ce rôle d'ange !
Qu'elle adoptât l'Homme comme égal !
Oh, que ses yeux ne parlent plus d'Idéal,
Mais simplement d'humains échanges,
En frères et sœurs par le cœur,
Et fiancés par le passé,
Et puis unis par l'Infini !
Oh, simplement d'infinis échanges
À la fin de journées
À quatre bras moissonnées,

Quand les tambours, quand les trompettes,
Ils s'en vont sonnant la retraite,
Et qu'on prend le frais sur le pas des portes,
En vidant les pots de grès
À la santé des années mortes
Qui n'ont pas laissé de regrets,
Au su de tout le canton
Que depuis toujours nous habitons,
Ton ton, ton taine, ton ton.

Jules Laforgue (1860-1887)
Derniers Vers (1894)

« Laforgue appartient corps et âme à une génération perdue, qui se cherche, qui est sortie des flots de sang de 1871 et s'en va vers l'inauguration de la tour Eiffel et du Sacré-Cœur comme les moutons s'enfournent dans un abattoir. » Hubert Juin

« L'ironie lui était devenue familière de très bonne heure; elle teintait tout ce qu'il disait ou écrivait. Sans doute l'aidait-elle à surmonter les difficultés, grandes ou petites, de la vie quotidienne. C'était un timide et un tendre [...] qui a dû souvent s'imposer le respect humain qui pousse les délicats à fredonner et à sourire quand ils se sentent près de pleurer. » Pascal Pia

La Toilette de Salomé (Aubrey Beardsley, 1894)

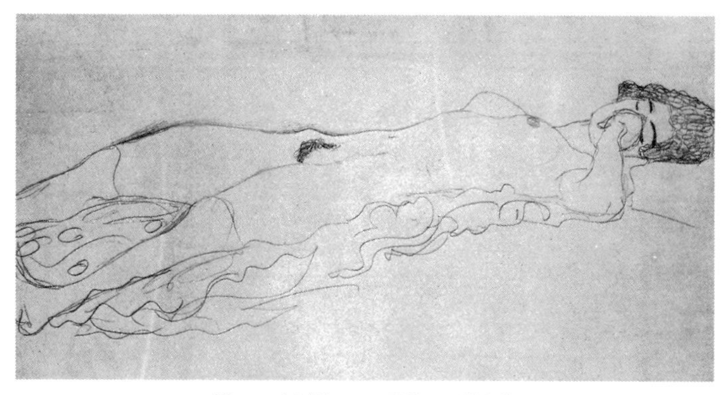

Nu couché (Gustav Klimt, 1914)

Ô jour qui meurs…

Ô jour qui meurs à songer d'elle
 Un songe sans raison,
Entre les plis du noir gazon
 Et la rouge asphodèle ;

N'est-ce pas, aux feux du plaisir
 Inclinée et rebelle,
Elle encor, mais cent fois plus belle,
 Et de flamme à saisir ?

... Là-bas monte la voix dernière
 D'un bouvier sous les cieux.
On n'entend plus que ses essieux
 Qui grincent dans l'ornière.

Paul-Jean Toulet (1867-1920)
Les Contrerimes (1921)

À propos des Contrerimes, *Paul-Jean Toulet déclarait : « Si on les aime mieux, c'est parce que ce sont, au fond, des romances, comme les hommes les aimaient déjà au temps que les sirènes chantaient : San-anta Loutchi-ia aux matelots d'Ulysse. »*

Le schéma strophique de la contrerime comprend deux octosyllabes et deux hexasyllabes alternés qui riment, disait Toulet, « à contre-longueur ».
Selon Michel Décaudin, « il en résulte une allégresse de la démarche, qu'accentuent encore la brièveté des pièces, l'usage du rejet et celui de l'ellipse ».

Cantique de la chambre intérieure

Fausta

C'est en vain que la distance et le sort nous divisent !
Je n'ai qu'à rentrer dans mon cœur pour être avec lui et qu'à fermer les yeux
Pour cesser d'être en ce lieu où il n'est pas.
Cette liberté du moins, je la lui ai retirée, et il ne dépend pas de lui de ne pas être avec moi.
Et je ne sais s'il m'aime, ses desseins me sont inconnus et l'accès de sa pensée m'est interdit.
Mais je sais qu'il ne peut se passer de moi.
Il voyage, et je suis ici. Et où qu'il aille, c'est moi qui lui donne à manger et qui lui permets de vivre.
Et à quoi, si je n'étais ici, lui serviraient ces moissons autour de nous ?
À quoi tous ces fruits de la terre, si je n'étais ici au milieu qui tiens la huche, et le moulin, et le pressoir ? et qui ordonne tout.
À quoi tout ce domaine,
S'il n'y avait de toutes parts, par où descendent les chars de foin et, l'hiver, les longs sapins branlants attelés de deux paires de bœufs,
L'Alba Via et les chemins qui conduisent vers la maison ?
S'il n'était loin de moi, si je n'étais loin de mon époux ici, administrant ces biens,
Le besoin qu'il a de moi ne serait pas aussi grand.
Car ce n'est aucune molle complaisance qui nous unit et l'étreinte d'une minute seule,
Mais la force qui attache la pierre à sa base et la nécessité pure et simple sans aucune douceur.
Et je sais qu'il est là tout à l'heure.
Mais que m'importent ce visage fermé, et ce sourire ambigu, et ce cœur qui ne se livre pas !
Et moi, est-ce que je lui livre le mien ?
Nous ne fîmes pas ces conditions, le jour de nos épousailles.
Qu'il garde son secret, et moi je garde le mien.
Ah, s'il m'ouvrait son cœur, voudrais-je le laisser partir encor ?
Et si je lui ouvrais le mien, s'il connaissait cette place qu'il a avec moi,
Il ne me quitterait point de nouveau !
Dieu m'a posée sa gardienne.
Moi qui suis faite pour l'aider, vais-je être son entrave ?
Moi qui suis faite pour être son port, et son arsenal, et sa tour,
Vais-je être sa prison ? vais-je trahir la patrie ?
La force qui lui reste, vais-je la lui retirer ?
Ah, du moins qu'il m'épargne ! qu'il ne sollicite point cette part de mon âme la plus réservée,
Cette chambre qu'à lui-même il ne faut pas ouvrir,
De peur que je ne lui cède !
Qu'il ne me rende point la défense trop difficile,
S'il ne veut que je lui ouvre cette porte fatale qui ne permet point le retour !
Qu'il ne demande point trop à la fois,
S'il veut que la moisson devienne de l'or !
Qu'il ne vienne pas à moi comme dans les songes avec cet étrange sourire !
Ah, je sais que cette nuit nous trompe et le jour reviendra encore !
Et quand je rêve, je sais que c'est un rêve et que je suis dans ses bras cette colonne vivante et voilée qu'on étreint comme un candélabre de deuil !
Que je serve, c'est assez. Je sais qu'un jour je m'éveillerai entre ses bras !
Maintenant je dors et si j'ouvre les yeux une seconde,
Je ne vois autour de moi que de l'or et de tous côtés la couleur de la moisson !

Paul Claudel (1868-1955)
La Cantate à trois voix (1913)

Dans la Cantate à Trois voix, *on entend trois femmes qui chantent la séparation qui les tourmente ; Fausta est la Polonaise, la femme du « peuple divisé », qui vit en exil loin de son mari.*

« Claudel doit tout à une sève innocente et irrépressible : il a reçu une délégation de ce pouvoir qui crée et soulève les mondes. Cette œuvre n'est pas à la mesure de ce temps. » Gaétan Picon

Ève (Walter Crane, 1901)

Ébauche d'un serpent

Ève, jadis, je la surpris,
Parmi ses premières pensées,
La lèvre entr'ouverte aux esprits
Qui naissaient des roses bercées.
Cette parfaite m'apparut,
Son flanc vaste et d'or parcouru
Ne craignant le soleil ni l'homme ;
Tout offerte aux regards de l'air,
L'âme encore stupide, et comme
Interdite au seuil de la chair.

Ô masse de béatitude,
Tu es si belle, juste prix
De la toute sollicitude
Des bons et des meilleurs esprits !
Pour qu'à tes lèvres ils soient pris
Il leur suffit que tu soupires !
Les plus purs s'y penchent les pires,
Les plus durs sont les plus meurtris...
Jusques à moi, tu m'attendris,
De qui relèvent les vampires !

Oui ! De mon poste de feuillage
Reptile aux extases d'oiseau,
Cependant que mon babillage
Tissait de ruses le réseau,
Je te buvais, ô belle sourde !
Calme, claire, de charmes lourde,
Je dominais furtivement,
L'œil dans l'or ardent de ta laine,
Ta nuque énigmatique et pleine
Des secrets de ton mouvement !

J'étais présent comme une odeur,
Comme l'arôme d'une idée
Dont ne puisse être élucidée
L'insidieuse profondeur !
Et je t'inquiétais, candeur,
Ô chair mollement décidée,
Sans que je t'eusse intimidée,
À chanceler dans la splendeur.
Bientôt, je t'aurai, je parie,
Déjà ta nuance varie !

(La superbe simplicité
Demande d'immenses égards !
Sa transparence de regards,
Sottise, orgueil, félicité,
Gardent bien la belle cité !
Sachons lui créer des hasards,
Et par ce plus rare des arts,
Soit le cœur pur sollicité ;
C'est là mon fort, c'est là mon fin,
À moi les moyens de ma fin !)

Or, d'une éblouissante bave,
Filons les systèmes légers
Où l'oisive et l'Ève suave

S'engage en de vagues dangers !
Que sous une charge de soie
Tremble la peau de cette proie
Accoutumée au seul azur !...
Mais de gaze point de subtile,
Ni de fil invisible et sûr,
Plus qu'une trame de mon style !

Dore, langue ! dore-lui les
Plus doux des dits que tu connaisses !
Allusions, fables, finesses,
Mille silences ciselés,
Use de tout ce qui lui nuise :
Rien qui ne flatte et ne l'induise
À se perdre dans mes desseins,
Docile à ces pentes qui rendent
Aux profondeurs des bleus bassins
Les ruisseaux qui des cieux descendent !

Ô quelle prose non pareille,
Que d'esprit n'ai-je pas jeté
Dans le dédale duveté
De cette merveilleuse oreille !
Là, pensais-je, rien de perdu ;
Tout profite au cœur suspendu !
Sûr triomphe ! si ma parole,
De l'âme obsédant le trésor,
Comme une abeille une corolle
Ne quitte plus l'oreille d'or !

Paul Valéry (1871-1945)
Charmes (1922)

« Ébauche d'un serpent » puise à la même source d'inspiration que le Jeu d'Adam *(XIIe siècle), où le diable tente Ève en s'adressant à elle en ces termes :*
« À ton beau corps, à ta figure
Bien conviendrait cette aventure
Que tu fusses du monde reine [...] »

« Le divin dans la sensation et dans la chose, faite ou non, qui donne cette sensation est le désir qu'elle excite d'être renouvelée ou prolongée sans limites. »
Paul Valéry

L'insinuant

Ô Courbes, méandre,
Secrets du menteur,
Est-il art plus tendre
Que cette lenteur ?

Je sais où je vais,
Je t'y veux conduire,
Mon dessein mauvais
N'est pas de te nuire...

(Quoique souriante
En pleine fierté,
Tant de liberté
La désoriente !)

Ô Courbes, méandre,
Secrets du menteur,
Je veux faire attendre
Le mot le plus tendre.

Paul Valéry
Charmes

Le Silence
(Fernand Khnopff, 1890)

« Les poèmes qu'il nous livrait, il ne les considérait nullement comme un aboutissement, mais comme un jeu, une sorte de démonstration qu'il se donnait lui-même, d'expérience ou mieux : d'expérimentation. »
André Gide

Pardonne-moi...

Pardonne-moi, ô mon Amour,
Si mes yeux pleins de toi ne te voient
[pas encore,
Si je m'éveille en ta splendeur,
Sans la comprendre, comme une fleur
S'éveille dans l'aurore;

Pardonne-moi si mes yeux aujourd'hui
Ne te distinguent de la lumière,
S'ils ne séparent ton sourire
De leurs pleurs éblouis.

Pardonne-moi, si je t'écoute
Sans t'entendre, et ne sais pas
Si c'est toi, mon amour, qui parles,
Ou mon cœur qui gémit tout bas;
Pardonne-moi, si tes paroles
Autour de mes oreilles volent,
Comme des chants dans les airs bleus,
Ou l'aile du vent dans mes cheveux.

Pardonne-moi, si je te touche
Dans le soleil, ou si ma bouche
En souriant, sans le savoir,
T'atteint dans la fraîcheur du soir;
Pardonne-moi, si je crois être
Près de toi-même où tu n'es pas,
Si je te cherche, lorsque peut-être
C'est toi qui reposes dans mes bras.

Charles Van Lerberghe (1861-1907)
La Chambre d'Ève (1904)

« Le symbolisme avait sans doute en lui quelque chose de "nordique" et connut en Belgique un développement particulier et fécond », dit Henri Lemaître, qui cite le poète Van Lerberghe pour illustrer son propos.

Le pont Mirabeau

Sous le pont Mirabeau coule la Seine
Et nos amours
Faut-il qu'il m'en souvienne
La joie venait toujours après la peine

Vienne la nuit sonne l'heure
Les jours s'en vont je demeure

Les mains dans les mains restons face à face
Tandis que sous
Le pont de nos bras passe
Des éternels regards l'onde si lasse

Vienne la nuit sonne l'heure
Les jours s'en vont je demeure

L'amour s'en va comme cette eau courante
L'amour s'en va
Comme la vie est lente
Et comme l'Espérance est violente

Vienne la nuit sonne l'heure
Les jours s'en vont je demeure

Passent les jours et passent les semaines
Ni temps passé
Ni les amours reviennent
Sous le pont Mirabeau coule la Seine

Vienne la nuit sonne l'heure
Les jours s'en vont je demeure

Guillaume Apollinaire (1880-1918)
Alcools (1913)

« D'ailleurs, j'aime beaucoup mes vers, je les fais en chantant et je me chante souvent le peu dont je me rappelle [...] »
Guillaume Apollinaire

« L'œuvre entière d'Apollinaire est un témoignage d'amour. »
Robert Desnos

La chanson du mal-aimé

À Paul Léautaud

Et je chantais cette romance
En 1903 sans savoir
Que mon amour a la semblance
Du beau Phénix s'il meurt un soir
Le matin voit sa renaissance.

Un soir de demi-brume à Londres
Un voyou qui ressemblait à
Mon amour vint à ma rencontre
Et le regard qu'il me jeta
Me fit baisser les yeux de honte

Je suivis ce mauvais garçon
Qui sifflotait mains dans les poches
Nous semblions entre les maisons
Onde ouverte de la mer Rouge
Lui les Hébreux moi Pharaon

Que tombent ces vagues de briques
Si tu ne fus pas bien aimée
Je suis le souverain d'Égypte
Sa sœur-épouse son armée
Si tu n'es pas l'amour unique

Au tournant d'une rue brûlant
De tous les feux de ses façades
Plaies du brouillard sanguinolent
Où se lamentaient les façades
Une femme lui ressemblant

C'était son regard d'inhumaine
La cicatrice à son cou nu
Sortit saoule d'une taverne
Au moment où je reconnus
La fausseté de l'amour même

Lorsqu'il fut de retour enfin
Dans sa patrie le sage Ulysse
Son vieux chien de lui se souvint
Près d'un tapis de haute lisse
Sa femme attendait qu'il revînt

L'époux royal de Sacontale
Las de vaincre se réjouit
Quand il la retrouva plus pâle
D'attente et d'amour yeux pâlis
Caressant sa gazelle mâle

J'ai pensé à ces rois heureux
Lorsque le faux amour et celle
Dont je suis encore amoureux
Heurtant leurs ombres infidèles
Me rendirent si malheureux

Regrets sur quoi l'enfer se fonde
Qu'un ciel d'oubli s'ouvre à mes vœux
Pour son baiser les rois du monde
Seraient morts les pauvres fameux
Pour elle eussent vendu leur ombre

J'ai hiverné dans mon passé
Revienne le soleil de Pâques
Pour chauffer un cœur plus glacé
Que les quarante de Sébaste
Moins que ma vie martyrisés

Une semaine de bonté (Max Ernst, 1934)

Mon beau navire ô ma mémoire
Avons-nous assez navigué
Dans une onde mauvaise à boire
Avons-nous assez divagué
De la belle aube au triste soir

Adieu faux amour confondu
Avec la femme qui s'éloigne
Avec celle que j'ai perdue
L'année dernière en Allemagne
Et que je ne reverrai plus

Voie lactée ô sœur lumineuse
Des blancs ruisseaux de Chanaan
Et des corps blancs des amoureuses
Nageurs morts suivrons-nous d'ahan
Ton cours vers d'autres nébuleuses

Je me souviens d'une autre année
C'était l'aube d'un jour d'avril
J'ai chanté ma joie bien-aimée
Chanté l'amour à voix virile
Au moment d'amour de l'année

Aubade chantée à Lætare un an passé

C'est le printemps viens-t'en Pâquette
Te promener au bois joli
Les poules dans la cour caquettent
L'aube au ciel fait de roses plis
L'amour chemine à ta conquête

Mars et Vénus sont revenus
Ils s'embrassent à bouches folles
Devant des sites ingénus
Où sous les roses qui feuillolent
De beaux dieux roses dansent nus

Viens ma tendresse est la régente
De la floraison qui paraît
La nature est belle et touchante
Pan sifflote dans la forêt
Les grenouilles humides chantent

Beaucoup de ces dieux ont péri
C'est sur eux que pleurent les saules
Le grand Pan l'amour Jésus-Christ
Sont bien morts et les chats miaulent
Dans la cour je pleure à Paris

Moi qui sais des lais pour les reines
Les complaintes de mes années
Des hymnes d'esclave aux murènes
La romance du mal-aimé
Et des chansons pour les sirènes

L'amour est mort j'en suis tremblant
J'adore de belles idoles
Les souvenirs lui ressemblant
Comme la femme de Mausole
Je reste fidèle et dolent

Je suis fidèle comme un dogue
Au maître le lierre au tronc
Et les Cosaques Zaporogues
Ivrognes pieux et larrons
Aux steppes et au décalogue

Portez comme un joug le Croissant
Qu'interrogent les astrologues
Je suis le Sultan tout-puissant
Ô mes Cosaques Zaporogues
Votre Seigneur éblouissant

Devenez mes sujets fidèles
Leur avait écrit le Sultan
Ils rirent à cette nouvelle
Et répondirent à l'instant
À la lueur d'une chandelle

Une semaine de bonté [détail] (Max Ernst, 1934)

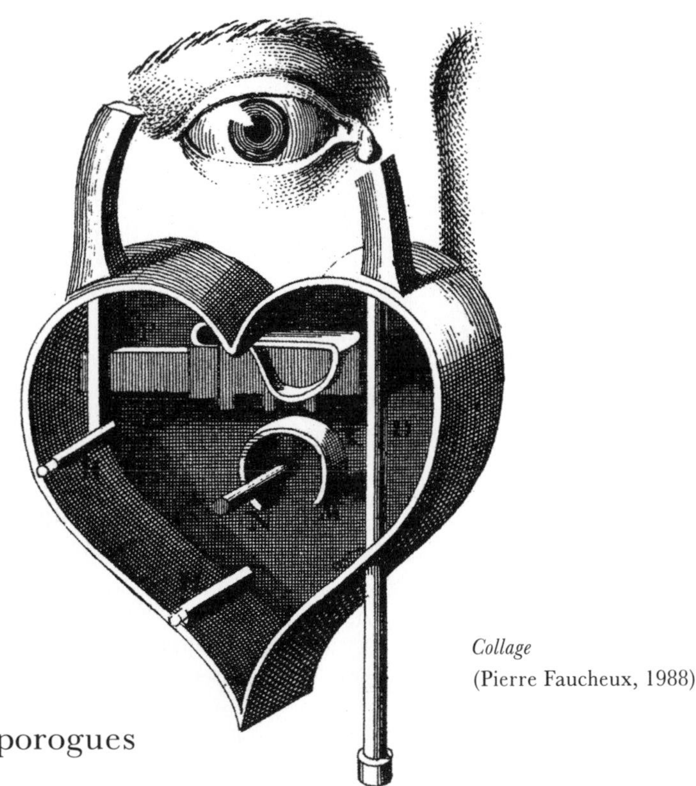

Collage
(Pierre Faucheux, 1988)

Réponse des Cosaques Zaporogues au Sultan de Constantinople

Plus criminel que Barrabas
Cornu comme les mauvais anges
Quel Belzébuth es-tu là-bas
Nourri d'immondice et de fange
Nous n'irons pas à tes sabbats

Poisson pourri de Salonique
Long collier des sommeils affreux
D'yeux arrachés à coup de pique
Ta mère fit un pet foireux
Et tu naquis de sa colique

Bourreau de Podolie Amant
Des plaies des ulcères des croûtes
Groin de cochon cul de jument
Tes richesses garde-les toutes
Pour payer tes médicaments

Voie lactée ô sœur lumineuse
Des blancs ruisseaux de Chanaan
Et des corps blancs des amoureuses
Nageurs morts suivrons-nous d'ahan
Ton cours vers d'autres nébuleuses

Regret des yeux de la putain
Et belle comme une panthère
Amour vos baisers florentins
Avaient une saveur amère
Qui a rebuté nos destins

Ses regards laissaient une traîne
D'étoiles dans les soirs tremblants
Dans ses yeux nageaient les sirènes
Et nos baisers mordus sanglants
Faisaient pleurer nos fées marraines

Mais en vérité je t'attends
Avec mon cœur avec mon âme
Et sur le pont des reviens-t'en
Si jamais revient cette femme
Je lui dirai Je suis content

Mon cœur et ma tête se vident
Tout le ciel s'écoule par eux
Ô mes tonneaux des Danaïdes
Comment faire pour être heureux
Comme un petit enfant candide

Je ne veux jamais l'oublier
Ma colombe ma blanche rade
Ô marguerite exfoliée
Mon île au loin ma Désirade
Ma rose mon giroflier

Les satyres et les pyraustes
Les égypans les feux follets
Et les destins damnés ou faustes
La corde au cou comme à Calais
Sur ma douleur quel holocauste

Douleur qui double les destins
La licorne et le capricorne
Mon âme et mon corps incertain
Te fuient ô bûcher divin qu'ornent
Des astres des fleurs du matin

Malheur dieu pâle aux yeux d'ivoire
Tes prêtres fous t'ont-ils paré
Tes victimes en robe noire
Ont-elles vainement pleuré
Malheur dieu qu'il ne faut pas croire

Et toi qui me suis en rampant
Dieu de mes dieux morts en automne
Tu mesures combien d'empans
J'ai droit que la terre me donne
Ô mon ombre ô mon vieux serpent

Au soleil parce que tu l'aimes
Je t'ai menée souviens-t'en bien
Ténébreuse épouse que j'aime
Tu es à moi en n'étant rien
Ô mon ombre en deuil de moi-même

L'hiver est mort tout enneigé
On a brûlé les ruches blanches
Dans les jardins et les vergers
Les oiseaux chantent sur les branches
Le printemps clair l'avril léger

Mort d'immortels argyraspides
La neige aux boucliers d'argent
Fuit les dendrophores livides
Du printemps cher aux pauvres gens
Qui resourient les yeux humides

Et moi j'ai le cœur aussi gros
Qu'un cul de dame damascène
Ô mon amour je t'aimais trop
Et maintenant j'ai trop de peine
Les sept épées hors du fourreau

Sept épées de mélancolie
Sans morfil ô claires douleurs
Sont dans mon cœur et la folie
Veut raisonner pour mon malheur
Comment voulez-vous que j'oublie

Une semaine de bonté
(Max Ernst, 1934)

Les sept épées

La première est toute d'argent
Et son nom tremblant c'est Pâline
Sa lame un ciel d'hiver neigeant
Son destin sanglant gibeline
Vulcain mourut en la forgeant

La seconde nommée Noubosse
Est un bel arc-en-ciel joyeux
Les dieux s'en servent à leurs noces
Elle a tué trente Bé-Rieux
Et fut douée par Carabosse

La troisième bleu féminin
N'en est pas moins un chibriape
Appelé Lul de Faltenin
Et que porte sur une nappe
L'hermès Ernest devenu nain

La quatrième Malourène
Est un fleuve vert et doré
C'est le soir quand les riveraines
Y baignent leurs corps adorés
Et des chants de rameurs s'y traînent

La cinquième Sainte-Fabeau
C'est la plus belle des quenouilles
C'est un cyprès sur un tombeau
Où les quatre vents s'agenouillent
Et chaque nuit c'est un flambeau

La sixième métal de gloire
C'est l'ami aux si douces mains
Dont chaque matin nous sépare
Adieux voilà votre chemin
Les coqs s'épuisaient en fanfares

Et la septième s'exténue
Une femme une rose morte
Merci que le dernier venu
Sur mon amour ferme la porte
Je ne vous ai jamais connue

« [Apollinaire] est sensible à tout ce qui entoure l'amour d'un halo de truanderie romantique. »
Raymond Jean

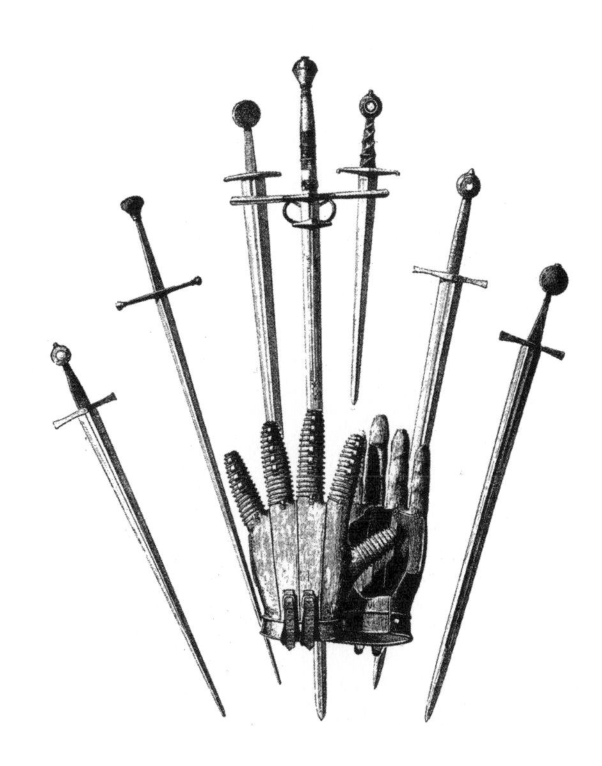

Collage (Pierre Faucheux, 1988)

Voie lactée ô sœur lumineuse
Des blancs ruisseaux de Chanaan
Et des corps blancs des amoureuses
Nageurs morts suivrons-nous d'ahan
Ton cours vers d'autres nébuleuses

Les démons du hasard selon
Le chant du firmament nous mènent
À sons perdus leurs violons
Font danser notre race humaine
Sur la descente à reculons

Destins destins impénétrables
Rois secoués par la folie
Et ces grelottantes étoiles
De fausses femmes dans vos lits
Aux déserts que l'histoire accable

Luitpold le vieux prince régent
Tuteur de deux royautés folles
Sanglote-t-il en y songeant
Quand vacillent les lucioles
Mouches dorées de la Saint-Jean

Près d'un château sans châtelaine
La barque aux barcarols chantants
Sur un lac blanc et sous l'haleine
Des vents qui tremblent au printemps
Voguait cygne mourant sirène

Un jour le roi dans l'eau d'argent
Se noya puis la bouche ouverte
Il s'en revint en surnageant
Sur la rive dormir inerte
Face tournée au ciel changeant

Juin ton soleil ardente lyre
Brûle mes doigts endoloris
Triste et mélodieux délire
J'erre à travers mon beau Paris
Sans avoir le cœur d'y mourir

Les dimanches s'y éternisent
Et les orgues de Barbarie
Y sanglotent dans les cours grises
Les fleurs aux balcons de Paris
Penchent comme la tour de Pise

Soirs de Paris ivres de gin
Flambant de l'électricité
Les tramways feux verts sur l'échine
Musiquent au long des portées
De rails leur folie de machines

Les cafés gonflés de fumée
Crient tout l'amour de leurs tziganes
De tous leurs siphons enrhumés
De leurs garçons vêtus d'un pagne
Vers toi toi que j'ai tant aimée

Moi qui sais des lais pour les reines
Les complaintes de mes années
Des hymnes d'esclave aux murènes
La romance du mal-aimé
Et des chansons pour les sirènes

Guillaume Apollinaire
Alcools

*Dans ce poème d'*Alcools*,*
Apollinaire évoque son amour
malheureux pour Annie Playden :
« une Anglaise rencontrée
en Allemagne [en 1901], ça dura
un an, nous dûmes retourner
chez nous, puis nous ne nous
écrivîmes plus ».
Apollinaire à Madeleine Pagès

« Le vers redevient chez Apollinaire
cette "ligne parfaite" dont parlait
Mallarmé, l'unité auditive, orale,
se transposant naturellement dans
le volume en unité visuelle ou
de lecture ; la disposition
typographique du poème
retrouve son origine. »
Michel Butor

Reconnais-toi
cette adorable personne c'est toi
sous le grand chapeau canotier
œil
nez
la bouche
voici l'ovale de ta figure
ton cou exquis
voici enfin l'imparfaite image de ton buste adoré vu comme à travers un nuage
un peu plus bas c'est ton cœur qui bat

«Reconnais-toi...», Calligrammes
(Guillaume Apollinaire, 1918)

Si je mourais là-bas...

Si je mourais là-bas sur le front de l'armée
Tu pleurerais un jour ô Lou ma bien-aimée
Et puis mon souvenir s'éteindrait comme meurt
Un obus éclatant sur le front de l'armée
Un bel obus semblable aux mimosas en fleur

Et puis ce souvenir éclaté dans l'espace
Couvrirait de mon sang le monde tout entier
La mer les monts les vals et l'étoile qui passe
Les soleils merveilleux mûrissant dans l'espace
Comme font les fruits d'or autour de Baratier

Souvenir oublié vivant dans toutes choses
Je rougirais le bout de tes jolis seins roses
Je rougirais ta bouche et tes cheveux sanglants
Tu ne vieillirais point toutes ces belles choses
Rajeuniraient toujours pour leurs destins galants

Le fatal giclement de mon sang sur le monde
Donnerait au soleil plus de vive clarté
Aux fleurs plus de couleur plus de vitesse à l'onde
Un amour inouï descendrait sur le monde
L'amant serait plus fort dans ton corps écarté

Lou si je meurs là-bas souvenir qu'on oublie
— Souviens-t'en quelquefois aux instants de folie
De jeunesse et d'amour et d'éclatante ardeur —
Mon sang c'est la fontaine ardente du bonheur
Et sois la plus heureuse étant la plus jolie

Ô mon unique amour et ma grande folie

30 janvier 1915, Nîmes

Guillaume Apollinaire
Poèmes à Lou (1955)

Les Poèmes à Lou *sont extraits de la correspondance de Guillaume Apollinaire avec Louise de Colligny-Châtillon (octobre 1914-septembre 1915) : « Mes meilleurs poèmes depuis la guerre », disait-il.*

« On peut reconnaître ici « une composante particulièrement appuyée de l'érotique apollinarienne qui est la présence de pulsions sadiques très brutales et très franchement assumées. »
Raymond Jean

Ria Munk (Gustav Klimt, 1917)

Au lac de tes yeux très profond...

Au lac de tes yeux très profond
Mon pauvre cœur se noie et fond
    Là le défont
Dans l'eau d'amour et de folie
    Souvenir et Mélancolie

Guillaume Apollinaire
Poèmes à Lou

Ce poème accompagnait une lettre adressée à Lou, datée de Nîmes, le 18 décembre 1914.

« Pour parler [d'Apollinaire] convenablement, véridiquement [...], il faudrait son pouvoir de transfiguration poétique, car il se transfigurait lui-même en vivant, et il transfigurait dans son style tout ce qui passait à portée de son esprit ou de ses yeux. »
André Billy

Récitation à l'éloge d'une reine

I

« Haut asile des graisses vers qui cheminent les désirs
d'un peuple de guerriers muets avaleurs de salive,
ô Reine ! romps la coque de tes yeux, annonce
en ton épaule qu'elle vit !
ô Reine, romps la coque de tes yeux, sois-nous propice, accueille
un fier désir, ô Reine ! comme un jeu sous l'huile, de nous baigner nus devant Toi,
jeunes hommes ! »

– Mais qui saurait par où faire entrée dans Son cœur ?

II

« J'ai dit, ne comptant point ses titres sur mes doigts :
Ô Reine sous le rocou ! grand corps couleur d'écorce, ô corps comme une
table de sacrifices ! et table de ma loi !
Aînée ! ô plus Paisible qu'un dos de fleuve, nous louons
qu'un crin splendide et fauve orne ton flanc caché,
dont l'ambassadeur rêve qui se met en chemin
dans sa plus belle robe ! »

– Mais qui saurait par où faire entrée dans Son cœur ?

III

« J'ai dit en outre, menant mes yeux comme deux chiennes bien douées :
Ô bien-Assise, ô Lourde ! tes mains pacifiques et larges
sont comme un faix puissant de palmes sur l'aise de tes jambes,
ici et là, où brille et tourne
le bouclier luisant de tes genoux ; et nul fruit à ce ventre infécond scellé du haut nombril ne veut pendre, sinon
par on ne sait quel secret pédoncule
nos têtes ! »

– Mais qui saurait par où faire entrée dans Son cœur ?

IV

« Et dit encore, menant mes yeux comme de jeunes hommes à l'écart :
... Reine parfaitement grasse, soulève
cette jambe de sur cette autre ; et par là faisant don du parfum de ton corps,
ô Affable ! ô Tiède, ô un-peu-Humide, et Douce,
il est dit que tu nous
dévêtiras d'un souvenir cuisant des champs de poivriers et des grèves où croît l'arbre-à-cendre et des gousses nubiles et des bêtes à poche
musquée ! »

– Mais qui saurait par où faire entrée dans Son cœur ?

V

« Ha Nécessaire ! et Seule !... il se peut qu'aux trois plis de ce ventre réside
toute sécurité de ton royaume :
sois immobile et sûre, sois la haie de nos transes
nocturnes !
La sapotille choit dans une odeur d'encens ;
Celui qui bouge entre les feuilles, le Soleil
a des fleurs et de l'or pour ton épaule bien lavée
et la Lune qui gouverne les marées est la même qui commande, ô Légale !
au rite orgueilleux de tes menstrues ! »

*

– Mais qui saurait par où faire entrée dans Son cœur ?

Saint-John Perse (1887-1975)
Éloges (1960)

« L'amour nous confond à l'objet même (qu'appelaient nos mots)... et mots pour nous ils ne sont plus, n'étant plus signes ni parures. » Saint-John Perse

« Ce vaste répertoire de sensations, joint à la capacité de les conjuguer de façon pertinente et inédite, permet un usage ininterrompu de l'image poétique. C'est au point que le texte est tout image, comme il est tout rythme. »
Roger Caillois

Encore l'amour

Pierre Reverdy dirigea la revue « Nord-Sud » qui rassemblait des poètes tels qu'Apollinaire, Max Jacob et les surréalistes.

Je ne veux plus partir vers ces grands bois du soir
Serrer les mains glacées des ombres les plus proches
Je ne peux plus quitter ces airs de désespoir
Ni gagner les grands ronds qui m'attendent au large
C'est pourtant vers ces visages sans forme que je vais
Vers ces lignes mouvantes qui toujours m'emprisonnent
Ces lignes que mes yeux tracent dans l'incertain
Ces paysages confus ces jours mystérieux
Sous le couvert du temps grisé quand l'amour passe
Un amour sans objet qui brûle nuit et jour
Et qui use sa lampe ma poitrine si lasse
D'attacher les soupirs qui meurent dans leur tour
Les lointains bleus les pays chauds les sables blancs
La grève où roule l'or, où germe la paresse
Le môle tiède où le marin s'endort
L'eau perfide qui vient flatter la pierre dure
Sous le soleil gourmand qui broute la verdure
La pensée assoupie lourde clignant des yeux
Les souvenirs légers en boucles sur le front
Les repos sans réveil dans un lit trop profond
La pente des efforts remis au lendemain
Le sourire du ciel qui glisse dans la main
Mais surtout les regrets de cette solitude
Ô cœur fermé ô cœur pesant ô cœur profond
Jamais de la douleur prendras-tu l'habitude

Pierre Reverdy (1889-1960)
Sources du vent (1929)

« Le poète n'a assez de place ni pour mourir, ni pour vivre ; condamné qu'il est au supplice de demeurer perpétuellement derrière une porte fermée. »
Georges Poulet

L'Art d'aimer (Aristide Maillol, 1935)

Les amants séparés

Comme des sourds-muets parlant dans une
[gare
Leur langage tragique au cœur noir du
[vacarme
Les amants séparés font des gestes hagards
Dans le silence blanc de l'hiver et des armes
Et quand au baccara des nuits vient se
[refaire
Le rêve si ses doigts de feu dans les nuages
Se croisent c'est hélas sur des oiseaux de fer
Ce n'est pas l'alouette Ô Roméos sauvages
Et ni le rossignol dans le ciel fait enfer

Les arbres les hommes les murs
Beiges comme l'air beige et beiges
Comme le souvenir s'émurent
Dans un monde couvert de neige
Quand arriva Mais l'amour y
Retrouve pourtant ses arpèges
Une lettre triste à mourir
Une lettre triste à mourir

L'hiver est pareil à l'absence
L'hiver a des cristaux chanteurs
Où le vin gelé perd tout sens
Où la romance a des lenteurs
Et la musique qui m'étreint
Sonne sonne sonne les heures
L'aiguille tourne et le temps grince
L'aiguille tourne et le temps grince

Ma femme d'or mon chrysanthème
Pourquoi ta lettre est-elle amère
Pourquoi ta lettre si je t'aime
Comme un naufrage en pleine mer
Fait-elle à la façon des cris
Mal des cris que les vents calmèrent
Du frémissement de leurs rimes
Du frémissement de leurs crimes

Mon amour il ne reste plus
Que les mots notre rouge-à-lèvres
Que les mots gelés où s'englue
Le jour qui sans espoir se lève
Rêve traîne meurt et renaît
Aux douves du château de Gesvres
Où le clairon pour moi sonnait
Où le clairon pour toi sonnait

Je ferai de ces mots notre trésor unique
Les bouquets joyeux qu'on dépose au pied des
[saintes
Et je te les tendrai ma tendre ces jacinthes
Ces lilas suburbains le bleu des véroniques
Et le velours amande aux branchages qu'on vend
Dans les foires de Mai comme les cloches blanches
Du muguet que nous n'irons pas cueillir avant
Avant ah tous les mots fleuris là-devant flanchent
Les fleurs perdent leurs fleurs au souffle de ce
[vent
Et se ferment les yeux pareils à des pervenches
Pourtant je chanterai pour toi tant que résonne
Le sang rouge en mon cœur qui sans fin t'aimera
Ce refrain peut paraître un tradéridéra
Mais peut-être qu'un jour les mots que murmura
Ce cœur usé ce cœur banal seront l'aura
D'un monde merveilleux où toi seule sauras
Que si le soleil brille et si l'amour frissonne
C'est que sans croire même au printemps dès
[l'automne
J'aurai dit tradéridéra comme personne

Louis Aragon (1897-1982)
Le Crève-cœur (1939-1940).

Dès 1940, Louis Aragon affirmait : « J'élève la voix et je dis qu'il n'est pas vrai qu'il n'est point de rimes nouvelles, quand il est un monde nouveau. »

« N'oublions pas qu'Aragon faisant retour au vers régulier, après avoir usé du vers libre au temps du surréalisme, choisit la voix sonore, et la mémoire. »
Hubert Juin

Maria Steiner (Egon Schiele, 1918)

Il était une fois…

Il était une fois où tu m'avais quitté
Tout Paris s'était fait désert de ton absence
Y vivre ni crier rien n'avait plus de sens
Ce jour ou cette nuit j'ignore où j'ai été
Si m'ont parlé des gens dont j'esquivais l'approche
Et si l'air était doux et si j'étais jaloux

Si je traversais bien la rue entre les clous
Craignant que d'y manquer tu me fasses reproche
Dieu sait où Dieu sait quand tout à l'heure demain
Rencontrée à Passy rencontrée à Vincennes
Dans le Bois de Boulogne ou le long de la Seine
Dans quel quartier perdu croisé de nos chemins
Ailleurs peut-être ailleurs ou jamais sur la terre
Et j'ouvrais des yeux fous sur ce monde où jamais
Vers moi je ne verrais revenir qui j'aimais
Où parler désormais ne serait que me taire
Absurdement fouiller le ciel comme du foin
Interroger la mer où vient l'ourler l'écume
La forêt pour le bond qu'un écureuil allume
Tendre vers toi les bras comme l'étoile au loin

Homme nu assis [détail]
(Egon Schiele, 1916)

Journée interminable ô long déshéritage
Tout se faisait impasse où s'égaraient mes pas
Et je croyais t'y voir et tu n'y étais pas
Et même le malheur demeurait sans partage
Rien n'était qu'un buisson qui n'a point accroché
Ta robe ton mouchoir ton ombre ta semblance
Moi j'étais seul comme le bruit dans le silence

Comme un colin-maillard qui ne sait où chercher
Ce bandeau qu'on m'a mis me meurtrit et m'affole
Je tourne sur moi-même et c'est l'air que j'étreins
Seul dans ce cœur obscur dont je suis le chagrin
Un rire amer me fuit comme l'enfant l'école
Pourquoi sortir de moi quel crime ai-je commis
Rendez-moi la lumière avant qu'on me fusille
Et la ville semblait vide et pleine d'aiguilles
Comme un bras douloureux qu'on ait sur lui dormi
Il était une fois Le chemin de ce conte
Le reprendre à rebours au bout de trente années
C'est pour enfin savoir si je fus pardonné
Et pourquoi tu revins et de quoi j'avais honte
On oublie on oublie
Il était une fois
Un homme à qui le temps ensanglantait la tempe
Et dont le feu filait comme naguère aux lampes
Sans toi qui n'avait plus de sommeil ni de toit

Pour Gaétan Picon, « les deux caractères formels les plus apparents du lyrisme d'Aragon – sa sonorité de romance et l'aspect plus ou moins classique de la versification – viennent tous deux du souci de rétablir un contact rompu entre la poésie et le peuple ».

Il était une fois un homme à mon image
Tristement qu'aux miroirs parfois je reconnais
Qui sans toi dans Paris sans fin se promenait
Et n'y voyait partout pourtant que ton visage

Il était une fois Je t'ai partout suivie
Absence Et ce fut long plus que toute ma vie

Louis Aragon
Il ne m'est Paris que d'Elsa (1975)

« La poésie d'Aragon dresse une des plus magnifiques images de l'amour complet, de l'amour total, qui sait se renoncer pour sauver ce qu'il embrasse au-dehors de lui-même. »

Claude Roy

Cantique à Elsa

Toute une nuit j'ai cru tant son front était blême
Tant le linge semblait son visage et ses bras
Toute une nuit j'ai cru que je mourais moi-même
Et que j'étais sa main qui remontait le drap

Celui qui n'a jamais ainsi senti s'éteindre
Ce qu'il aime peut-il comprendre ce que c'est
Et le gémissement qui ne cessait de plaindre
Comme un souffle d'hiver à travers moi passait

Toute une nuit j'ai cru que mon âme était morte
Toute une longue nuit immobile et glacé
Quelque chose dans moi grinçait comme une porte
Quelque chose dans moi comme un oiseau blessé

Toute une nuit sans fin sur ma chaise immobile
J'écoutais l'ombre et le silence grandissant
Un pas claquait parfois le pavé de la ville
Puis rien qu'à mon oreille une artère et le sang

Il a passé sur moi des heures et des heures
Je ne remuais plus tant j'avais peur de toi
Je me disais je meurs c'est moi c'est moi qui meurs
Tout à coup les pigeons ont chanté sous le toit

Louis Aragon
Le Roman inachevé (1956)

Dans ce poème, Louis Aragon évoque une nuit de 1938 où sa compagne Elsa Triolet était gravement malade.

« Une magnifique mythologie concrète s'organise autour de ces liens déraisonnables et sacrés, qu'entre eux-mêmes et leurs destins les amants tissent de leurs jours. »

Claude Roy

Les amours immortelles

Salomé (Aubrey Beardsley, 1894)

« Ces beaux vers pleins de délicatesse [...] durent enchanter le public de connaisseurs que rassemblaient les cours d'amour réinventées par Charles V. »
Jean-Charles Payen

Christine de Pisan
(anonyme, XVe s.)

Ballade

Ma douce amour, ma plaisance chérie,
Mon ami cher, tout ce que puis aimer,
Votre douceur m'a de tous maux guérie.
En vérité, je vous peux proclamer
Fontaine dont tout bien me vient
Qui en paix comme en joie me soutient
Et dont plaisirs m'arrivent à largesse,
Car vous tout seul me tenez en liesse.

L'âcre douleur qui en moi s'est nourrie
Si longuement d'avoir autant aimé,
Votre bonté l'a pleinement tarie.
Or je ne dois me plaindre ni blâmer
Cette Fortune qui devient
Favorable, si telle se maintient ;
Mise m'avez sur sa voie et adresse,
Car vous tout seul me tenez en liesse.

Ainsi l'Amour, par toute seigneurerie
À tel bonheur m'a voulu réclamer.
Car dire puis, sans nulle flatterie,
Qu'il n'est meilleur même en deçà des mers
Que vous, m'amour, ainsi le tient
Pour vrai mon cœur qui tout à vous se tient
Et vers rien d'autre son penser ne dresse,
Car vous tout seul me tenez en liesse.

Christine de Pisan (1363-1431)
Œuvres poétiques (XIVe s.)

Ce n'est qu'après son veuvage, survenu en 1389, qu'elle devient une femme de lettres. Elle a vingt-cinq ans et elle est protégée par de grands seigneurs comme Jean de Berry et Louis d'Orléans. Femme savante, elle fut un « écrivain combattant », défendit la condition féminine et n'hésita pas à célébrer Jeanne d'Arc.

Ballade des dames du temps jadis

Dites-moi où, n'en quel pays
Est Flora la belle Romaine,
Archipiades ne Thaïs
Qui fut sa cousine germaine ;
Écho, parlant quand bruit on mène
Dessus rivière ou sur étang,
Qui beauté ot trop plus qu'humaine ?
Mais où sont les neiges d'antan ?

Où est la très sage Héloïs,
Pour qui fut châtré et puis moine
Pierre Esbaillart à Saint-Denis ?
Pour son amour ot cette essoine.
Semblablement, où est la reine
Qui commanda que Buridan
Fût jeté en un sac en Seine ?
Mais où sont les neiges d'antan ?

La reine Blanche comme un lys
Qui chantait à voix de seraine,
Berthe au plat pied, Bietrix, Alis,
Haramburgis qui tint le Maine,
Et Jeanne, la bonne Lorraine
Qu'Anglais brûlèrent à Rouen ;
Où sont-ils, où, Vierge souvraine ?
Mais où sont les neiges d'antan ?

Prince, n'enquerrez de semaine
Où elles sont, ne de cet an,
Qu'à ce refrain ne vous remaine :
Mais où sont les neiges d'antan ?

François Villon (1431-après 1463)
« Le Testament », Œuvres (1489)

François Villon
(anonyme, XVe s.)

« Le ton parlé de la poésie de Villon, on en suivra désormais les traces tout au long de l'histoire poétique. Sa résonance se répercute à travers l'œuvre de Verlaine et d'Apollinaire. Il relève d'un sens amical, familier et confidentiel, au débit ténu et grave ou parfois facétieux qui, malgré son détachement, ou plutôt à cause de lui, parvient jusqu'à nous. »
Tristan Tzara

« Son style se distingue par la netteté de la notation psychologique et l'habileté à dessiner en un rapide croquis personnages et scènes. »
Jean Dufournet

Si notre vie...

Si notre vie est moins qu'une journée
En l'éternel, si l'an qui fait le tour
Chasse nos jours sans espoir de retour,
Si périssable est toute chose née,

Que songes-tu, mon âme emprisonnée ?
Pourquoi te plaît l'obscur de notre jour.
Si pour voler en un plus clair séjour,
Tu as au dos l'aile bien empanée ?

Là, est le bien que tout esprit désire,
Là, le repos où tout le monde aspire,
Là, est l'amour, là, le plaisir encore.

Là, ô mon âme au plus hault ciel guidée !
Tu y pourras reconnaître l'Idée
De la beauté, qu'en ce monde j'adore.

Joachim du Bellay (1522-1560)
L'Olive (1549)

« Avec L'Olive*, du Bellay donnait à la France son premier canzoniere écrit en sonnet. »*
Victor Louis Saulnier

« Dans cette idée de la beauté, rayonnant au plus haut du ciel, archétype indestructible de la femme aimée ici-bas, qui n'a reconnu l'esprit de Platon ? »
Henri Chamard

Donna Sdraiata
(Giulio Romano, XVIe s.)

Plutôt seront...

Plutôt seront Rhône et Saône disjoints,
Que d'avec toi mon cœur se désassemble,
Plutôt seront l'un et l'autre Monts joints,
Qu'avecque nous aucun discord s'assemble ;
Plutôt verrons et toi et moi ensemble
Le Rhône aller contremont lentement,
Saône monter très violentement,
Que ce mien feu, tant soit peu, diminue,
Ni que ma foi décroisse aucunement.
Car ferme amour sans eux est plus que nue.

Maurice Scève (1501-v.1564)
Délie (1544)

« La terre que foule Scève ne porte pas le masque des fleurs et des forêts, des villes, des hommes ; elle garde nu au contact libre de l'espace son véritable épiderme d'astre... Aucun poète ne s'est avancé dans un tel silence. »
Thierry Maulnier

Les vents…

Les vents grondaient en l'air, les plus sombres [nuages
Nous dérobaient le jour pêle mêle entassés,
Les abîmes d'enfer estaient au ciel poussés,
La mer s'enflait de monts, et le monde [d'orages :

Quand je vis qu'un oiseau délaissant nos [rivages
S'envole au beau milieu de ses flots courroucés,
Y pose de son nid les fétus ramassés
Et rappaise soudain ses écumeuses rages.

L'amour m'en fit autant, et comme un Alcion,
L'autre jour se logea dedans ma passion
Et combla de bonheur mon âme infortunée.

Après le trouble, en fin, il me donna la paix :
Mais le calme de mer n'est qu'une fois l'année,
Et celui de mon âme y sera pour jamais.

Jean de Sponde (1557-1595)
Sonnets d'amour (1598)

« La reconnaissance de l'œuvre poétique de Jean de Sponde a été tardive ; on a même pu dire qu'elle a été "une sorte d'invention de la critique contemporaine". »
Henri Weber

« Un thème domine les Sonnets d'amour *[de Jean de Sponde], celui de la constance, autour duquel vient se grouper toute une série de notions abstraites : celle, contraire, d'inconstance, bien sûr ; présence et absence, fermeté et solidité. »*
Alan Boase

Le Courtisan français (anonyme, 1572)

Les deux pigeons

Deux pigeons s'aimaient d'amour tendre.
L'un d'eux s'ennuyant au logis
Fut assez fou pour entreprendre
Un voyage en lointain pays.
L'autre lui dit : « Qu'allez-vous faire ?
Voulez-vous quitter votre frère ?
L'absence est le plus grand des maux :
Non pas pour vous, cruel. Au moins que les [travaux,
Les dangers, les soins du voyage,
Changent un peu votre courage.
Encor si la saison s'avançait davantage !
Attendez les zéphyrs. Qui vous presse ? Un [corbeau
Tout à l'heure annonçait malheur à quelque [oiseau.
Je ne songerai plus que rencontre funeste,
Que faucons, que réseaux. « Hélas ! dirai-je, il [pleut :
Mon frère a-t-il tout ce qu'il veut,
Bon soupé, bon gîte, et le reste ? »
Ce discours ébranla le cœur
De notre imprudent voyageur ;
Mais le désir de voir et l'humeur inquiète
L'emportèrent enfin. Il dit : « Ne pleurez point :
Trois jours au plus rendront mon âme satisfaite ;
Je reviendrai dans peu conter de point en point
Mes aventures à mon frère.

Je le désennuierai : quiconque ne voit guère
N'a guère à dire aussi. Mon voyage dépeint
Vous sera d'un plaisir extrême.
Je dirai : « J'étais là ; telle chose m'avint.
Vous y croirez être vous-même. »
À ces mots en pleurant ils se dirent adieu.
Le voyageur s'éloigne ; et voilà qu'un nuage
L'oblige de chercher retraite en quelque lieu.
Un seul arbre s'offrit, tel encor que l'orage
Maltraita le pigeon en dépit du feuillage.
L'air devenu serein, il part tout morfondu,
Sèche du mieux qu'il peut son corps chargé de
[pluie.
Dans un champ à l'écart voit du blé répandu,
Voit un pigeon auprès : cela lui donne envie ;
Il y vole, il est pris : ce blé couvrait d'un lacs
Les menteurs et traîtres appas.
Le lacs était usé ; si bien que de son aile,
De ses pieds, de son bec, l'oiseau le rompt enfin.
Quelque plume y périt ; et le pis du destin
Fut qu'un certain vautour à la serre cruelle
Vit notre malheureux qui, traînant la ficelle
Et les morceaux du lacs qui l'avait attrapé,
Semblait un forçat échappé.
Le vautour s'en allait le lier, quand des nues
Fond à son tour un aigle aux ailes étendues.
Le pigeon profita du conflit des voleurs,
S'envola, s'abattit auprès d'une masure,
Crut pour ce coup que ses malheurs
Finiraient par cette aventure ;
Mais un fripon d'enfant (cet âge est sans pitié)
Prit sa fronde, et du coup tua plus d'à moitié
La volatile malheureuse,
Qui, maudissant sa curiosité,
Traînant l'aile, et tirant le pié,
Demi-morte et demi-boiteuse,
Droit au logis s'en retourna.
Que bien que mal elle arriva,
Sans autre aventure fâcheuse.
Voilà nos gens rejoints ; et je laisse à juger
De combien de plaisirs ils payèrent leurs
[peines.
Amants, heureux amants, voulez-vous
[voyager ?
Que ce soit aux rives prochaines ;
Soyez-vous l'un à l'autre un monde toujours
[beau,
Toujours divers, toujours nouveau ;
Tenez-vous lieu de tout, comptez pour rien le
[reste.
J'ai quelquefois aimé ; je n'aurais pas alors
Contre le Louvre et ses trésors,
Contre le firmament et sa voûte céleste,
Changé les bois, changé les lieux,
Honorés par les pas, éclairés par les yeux
De l'aimable et jeune bergère
Pour qui sous le fils de Cythère
Je servis engagé par mes premiers serments.
Hélas ! quand reviendront de semblables
[moments ?
Faut-il que tant d'objets si doux et si charmants
Me laissent vivre au gré de mon âme inquiète ?
Ah ! si mon cœur osait encor se renflammer ?
Ne sentirai-je plus de charme qui m'arrête ?
Ai-je passé le temps d'aimer ?

Jean de La Fontaine (1621-1695)
Fables (1673-1694)

On a longtemps cru à la facilité avec laquelle La Fontaine avait écrit ses Fables. *Paul Valéry a donné une autre vision plus convaincante du fabuliste : « Prenons garde que la nonchalance ici est savante, la mollesse étudiée ; la facilité, le comble de l'art. »*

« Une source de beautés bien supérieures, c'est cet art de savoir, en paraissant vous occuper de bagatelles, vous placer d'un mot dans un grand ordre de choses. »

Chamfort

Les Deux Pigeons
(Gustave Doré, 1868)

Madame de Beaumont au Colisée [détail]
(Philippoteaux, XIXe s.)

Le lac

Ainsi, toujours poussés vers de nouveaux rivages,
Dans la nuit éternelle emportés sans retour,
Ne pourrons-nous jamais sur l'océan des âges
Jeter l'ancre un seul jour ?

Ô lac ! l'année à peine a fini sa carrière,
Et près des flots chéris qu'elle devait revoir,
Regarde ! je viens seul m'asseoir sur cette pierre
Où tu la vis s'asseoir !

Tu mugissais ainsi sous ces roches profondes ;
Ainsi tu te brisais sur leurs flancs déchirés ;
Ainsi le vent jetait l'écume de tes ondes
Sur ses pieds adorés.

Avec « L'isolement », «Le vallon » et « L'automne », «Le lac » appartient, selon Thibaudet, à « la fine pointe » de la poésie lamartinienne.

Un soir, t'en souvient-il ? nous voguions en silence ;
On n'entendait au loin, sur l'onde et sous les cieux,
Que le bruit des rameurs qui frappaient en cadence
Tes flots harmonieux.

Tout à coup des accents inconnus à la terre
Du rivage charmé frappèrent les échos ;
Le flot fut attentif et la voix qui m'est chère
Laissa tomber ces mots :

« Ô temps ! suspends ton vol, et vous, heures propices,
Suspendez votre cours !
Laissez-nous savourer les rapides délices
Des plus beaux de nos jours !

« Assez de malheureux ici-bas vous implorent :
Coulez, coulez pour eux ;
Prenez avec leurs jours les soins qui les dévorent ;
Oubliez les heureux.

« Mais je demande en vain quelques moments encore,
Le temps m'échappe et fuit ;
Je dis à cette nuit : "Sois plus lente", et l'aurore
Va dissiper la nuit.

« Aimons donc, aimons donc ! de l'heure fugitive,
Hâtons-nous, jouissons.
L'homme n'a point de port, le temps n'a point de rive ;
Il coule, et nous passons ! »

« "Le lac" s'entrouvre ainsi au dynamisme propre du lointain (du prolongement infini), mais c'est un lointain apprivoisé [...] soumis – "Dans les bruits de tes flots par tes flots répétés" – à tout un humanisme de la répercussion et de la convergence. »
Jean-Pierre Richard

Temps jaloux, se peut-il que ces moments d'ivresse,
Où l'amour à longs flots nous verse le bonheur ;
S'envolent loin de nous de la même vitesse
Que les jours de malheur ?

Eh quoi ! n'en pourrons-nous fixer au moins la trace ?
Quoi ! passés pour jamais ? quoi ! tout entiers perdus ?
Ce temps qui les donna, ce temps qui les efface,
Ne nous les rendra plus ?

Éternité, néant, passé, sombres abîmes,
Que faites-vous des jours que vous engloutissez ?
Parlez : nous rendrez-vous ces extases sublimes
Que vous nous ravissez ?

Ô lac ! rochers muets ! grottes ! forêt obscure !
Vous, que le temps épargne ou qu'il peut rajeunir,
Gardez de cette nuit, gardez, belle nature,
Au moins le souvenir !

Qu'il soit dans ton repos, qu'il soit dans tes orages,
Beau lac, et dans l'aspect de tes riants coteaux,
Et dans ces noirs sapins, et dans ces rocs sauvages
Qui pendent sur tes eaux !

Qu'il soit dans le zéphyr qui frémit et qui passe,
Dans les bruits de tes bords par tes bords répétés,
Dans l'astre au front d'argent qui blanchit ta surface
De ses molles clartés !

Que le vent qui gémit, le roseau qui soupire,
Que les parfums légers de ton air embaumé,
Que tout ce qu'on entend, l'on voit ou l'on respire ;
Tout dise : « Ils ont aimé ! »

Alphonse de Lamartine (1790-1869)
Méditations poétiques (1820)

Alphonse de Lamartine (V. F. Pollet)

Les amants de Montmorency

Élévation

I

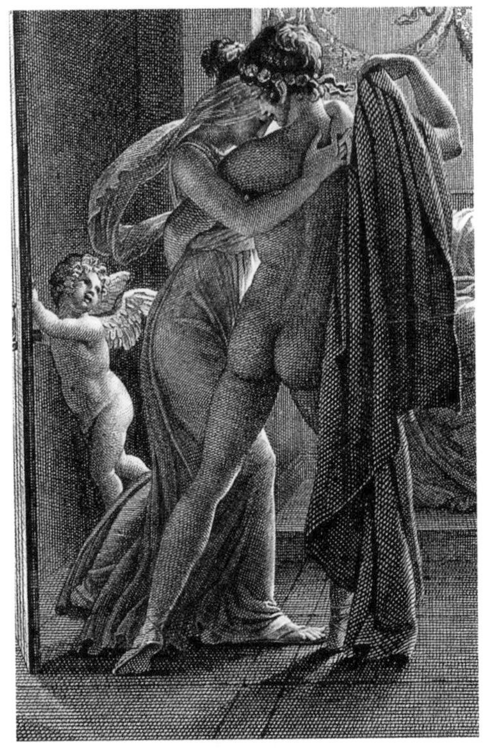

Daphnis et Chloé [détail]
(Gérard, 1800)

Étaient-ils malheureux, Esprits qui le savez!
Dans les trois derniers jours qu'ils s'étaient réservés ?
Vous les vîtes partir tous deux, l'un jeune et grave,
L'autre joyeuse et jeune. Insouciante esclave,
Suspendue au bras droit de son rêveur amant
Comme à l'autel un vase attaché mollement,
Balancée, en marchant, sur sa flexible épaule
Comme la harpe juive à la branche du saule,
Riant, les yeux en l'air, et la main dans sa main,
Elle allait, en comptant les arbres du chemin,
Pour cueillir une fleur demeurait en arrière,
Puis revenait à lui, courant dans la poussière,
L'arrêtait par l'habit pour l'embrasser, posait
Un œillet sur sa tête, et chantait, et jasait
Sur les passants nombreux, sur la riche vallée
Comme un large tapis à ses pieds étalée;
Beau tapis de velours chatoyant et changeant
Semé de clochers d'or et de maisons d'argent,
Tout pareils aux jouets qu'aux enfants on achète
Et qu'au hasard, pour eux, par la chambre l'on jette :
Ainsi, pour lui complaire, on avait sous ses pieds
Répandu des bijoux brillants, multipliés
En forme de troupeaux, de village aux toits roses
Ou bleus, d'arbres rangés, de fleurs sous l'onde écloses,
De murs blancs, de bosquets bien noirs, de lacs bien verts
Et de chênes tordus, par la poitrine ouverts.
Elle voyait ainsi tout préparé pour elle :
Enfant, elle jouait en marchant, toute belle,
Toute blonde, amoureuse et fière; et c'est ainsi
Qu'ils allèrent à pied jusqu'à Montmorency.

II

Ils passèrent deux jours d'amour et d'harmonie,
De chants et de baisers, de voix, de lèvre unie,
De regards confondus, de soupirs bienheureux,
Qui furent deux moments et deux siècles pour eux.
La nuit, on entendait leurs chants; dans la journée,
Leur sommeil : tant leur âme était abandonnée
Aux caprices divins du désir! Leurs repas
Étaient rares, distraits; ils ne les voyaient pas.

Thibaudet voyait dans la poésie d'Alfred de Vigny la première grande poésie mythique et il définissait ainsi le mythe : « C'est une idée portée par un récit, une idée qui est une âme, un récit qui est un corps, et l'un de l'autre inséparables. » Et Vigny rappelait lui-même que dans ses compositions « presque toujours une pensée philosophique est mise en scène sous une forme épique ou dramatique ».

Ils allaient, ils allaient au hasard et sans heures,
Passant des champs aux bois, et des bois aux
[demeures,
Se regardant toujours, laissant les airs chantés
Mourir, et tout à coup restaient comme enchantés.
L'extase avait fini par éblouir leur âme
Comme seraient nos yeux éblouis par la flamme.
Troublés, ils chancelaient, et, le troisième soir,
Ils étaient enivrés jusques à ne rien voir
Que les feux mutuels de leurs yeux. La Nature
Étalait vainement sa confuse peinture
Autour du front aimé, derrière les cheveux
Que leurs yeux noirs voyaient tracés dans leurs yeux
[bleus.
Ils tombèrent assis, sous des arbres; peut-être...
Ils ne le savaient pas; le soleil allait naître
Ou s'éteindre... Ils voyaient seulement que le jour
Était pâle, et l'air doux, et le monde en amour...
Un bourdonnement faible emplissait leur oreille
D'une musique vague, au bruit des mers pareille,
Et formant des propos tendres, légers, confus,
Que tous deux entendaient, et qu'on n'entendra plus;
Le vent léger disait de la voix la plus douce :
« Quand l'amour m'a troublé, je gémis sous la mousse. »
Les mélèzes touffus s'agitaient en disant :
« Secouons dans les airs le parfum séduisant
Du soir, car le parfum est le secret langage
Que l'amour enflammé fait sortir du feuillage. »
Le soleil incliné sur les monts dit encor :
« Par mes flots de lumière et par mes gerbes d'or
Je réponds en élans aux élans de votre âme;
Pour exprimer l'amour, mon langage est la flamme. »
Et les fleurs exhalaient de suaves odeurs
Autant que les rayons de suaves ardeurs;
Et l'on eût dit des voix timides et flûtées
Qui sortaient à la fois des feuilles veloutées;
Et, comme un seul accord d'accents harmonieux,
Tout semblait s'élever en chœur jusques aux cieux;
Et ces voix s'éloignaient, en rasant les campagnes,
Dans les enfoncements magiques des montagnes;
Et la terre, sous eux, palpitait mollement
Comme le flot des mers ou le cœur d'un amant;
Et tout ce qui vivait, par un hymne suprême
Accompagnait leurs voix qui se disaient : « Je t'aime ! »

Daphnis et Chloé [détail] (Gérard, 1800)

III

Or, c'était pour mourir qu'ils étaient venus là.
Lequel des deux enfants le premier en parla ?
Comment dans leurs baisers vint la mort ? Quelle balle
Traversa les deux cœurs d'une atteinte inégale
Mais sûre ? Quels adieux leurs lèvres s'unissant
Laissèrent s'écouler avec ? l'âme et le sang ?
Qui le saurait ? Heureux celui dont l'agonie
Fut dans les bras chéris avant l'autre finie !
Heureux si nul des deux ne s'est plaint de souffrir !
Si nul des deux n'a dit : *« Qu'on a peine à mourir ! »*
Si nul des deux n'a fait, pour se lever et vivre,
Quelque effort en fuyant celui qu'il devait suivre ;
Et, reniant sa mort, par le mal égaré,
N'a repoussé du bras l'homicide adoré !
Heureux l'homme surtout, s'il a rendu son âme
Sans avoir entendu ces angoisses de femme,
Ces longs pleurs, ces sanglots, ces cris perçants et doux
Qu'on apaise en ses bras ou sur ses deux genoux
Pour un chagrin ; mais qui, si la mort les arrache,
Font que l'on tord ses bras, qu'on blasphème, qu'on cache
Dans ses mains son front pâle et son cœur gros de fiel,
Et qu'on se prend du sang pour le jeter au ciel !
Mais qui saura leur fin ? –
Sur les pauvres murailles
D'une auberge, où depuis on fit leurs funérailles,
Auberge où, pour une heure, ils vinrent se poser
Ployant l'aile à l'abri pour toujours reposer,
Sur un vieux papier jaune, ordinaire tenture,
Nous avons lu des vers d'une double écriture,
Des vers de fou, sans rime et sans mesure. – Un mot
Qui n'avait pas de suite était tout seul en haut :
Demande sans réponse, énigme inextricable,
Question sur la mort. – Trois noms, sur une table,
Profondément gravés au couteau. – C'était d'eux
Tout ce qui demeurait... et le récit joyeux
D'une fille au bras rouge. « Ils n'avaient, disait-elle,
Rien oublié. » La bonne eut quelque bagatelle
Qu'elle montre en suivant leurs traces, pas à pas.
– Et Dieu ? – Tel est le siècle, ils n'y pensèrent pas.

(Écrit à Montmorency, 27 avril 1830)

Alfred de Vigny (1797-1863)
Poèmes antiques et modernes (1837)

« Il a des lueurs de chair
d'une force de présence et
d'une justesse excellentes. »
Paul Valéry

La Pudeur (Pierre Paul Prud'hon, début XIXᵉ s.)

Ondine

Je croyais entendre
Une vague harmonie enchanter mon sommeil,
Et, près de moi, s'épandre un murmure pareil
Aux chants entrecoupés d'une voix triste et tendre.
Charles Brugnot (Les Deux Génies).

Écoute ! Écoute ! C'est moi, c'est Ondine qui frôle de ces gouttes d'eau les losanges sonores de ta fenêtre illuminée par les mornes rayons de la lune ; et voici, en robe de moire, la dame châtelaine qui contemple à son balcon la belle nuit étoilée et le beau lac endormi.

« Chaque flot est un ondin qui nage dans le courant, chaque courant est un sentier qui serpente vers mon palais, et mon palais est bâti fluide, au fond du lac, dans le triangle du feu, de la terre et de l'air. »

« Écoute ! Écoute ! Mon père bat l'eau coassante d'une branche d'aulne verte, et mes sœurs caressent de leurs bras d'écume les fraîches îles d'herbes, de nénuphars et de glaïeuls, ou se moquent du saule caducet barbu qui pêche à la ligne. »

Sa chanson murmurée, elle me supplia de recevoir son anneau à mon doigt, pour être l'époux d'une Ondine, et visiter avec elle son palais, pour être le roi des lacs.

Et comme je lui répondais que j'aimais une mortelle, boudeuse et dépitée, elle pleura quelques larmes, poussa un éclat de rire, et s'évanouit en giboulées qui ruisselèrent blanches le long de mes vitraux bleus.

Aloysius Bertrand (1807-1841)
Gaspard de la nuit (1842)

L'épigraphe est tirée des « Deux Génies » de Ch. Brugnot, que Bertrand avait entendu lire à la Société d'études de Dijon, en mars 1827. Plus tard, ils se rencontrèrent et devinrent amis.

Aloysius Bertrand « eut le sentiment d'écrire un livre anachronique en cherchant à restaurer "les histoires vermoulues du Moyen Âge" [...]. Mais il avait trouvé la "note éternelle" passionnément recherchée par Baudelaire. »

Pierre Brunel

Éros et Psyché (d'après Girodet, début XIXe s.)

Les Cydalises

Où sont nos amoureuses ?
Elles sont au tombeau :
Elles sont plus heureuses,
Dans un séjour plus beau !

Elles sont près des anges,
Dans le fond du ciel bleu,
Et chantent les louanges
De la mère de Dieu !

Ô blanche fiancée !
Ô jeune vierge en fleur !
Amante délaissée,
Que flétrit la douleur !

L'éternité profonde
Souriait dans vos yeux...
Flambeaux éteints du monde,
Rallumez-vous aux cieux !

Gérard de Nerval (1808-1855)
Odelettes (1853)

« Les Cydalises » font allusion à un poème de Théophile de Viau. « Cydalise [...] :
– Elle est embaumée et conservée à jamais dans le pur cristal d'un sonnet de Théophile. »

Gérard de Nerval

« Autour de lui et en lui, Nerval assiste à une vaste agonie qui est la sienne et celle de l'univers où il se trouve. »

Georges Poulet

Lucie

Élégie

Mes chers amis, quand je mourrai,
Plantez un saule au cimetière.
J'aime son feuillage éploré ;
La pâleur m'en est douce et chère,
Et son ombre sera légère
À la terre où je dormirai.

Un soir, nous étions seuls, j'étais assis près d'elle ;
Elle penchait la tête, et sur son clavecin
Laissait, tout en rêvant, flotter sa blanche main.
Ce n'était qu'un murmure : on eût dit les coups d'aile
D'un zéphyr éloigné glissant sur des roseaux,
Et craignant en passant d'éveiller les oiseaux.
Les tièdes voluptés des nuits mélancoliques
Sortaient autour de nous du calice des fleurs.
Les marronniers du parc et les chênes antiques
Se berçaient doucement sous leurs rameaux en pleurs.
Nous écoutions la nuit ; la croisée entr'ouverte
Laissait venir à nous les parfums du printemps ;
Les vents étaient muets, la plaine était déserte ;
Nous étions seuls, pensifs, et nous avions quinze ans.
Je regardais Lucie. – Elle était pâle et blonde.
Jamais deux yeux plus doux n'ont du ciel le plus pur
Sondé la profondeur et réfléchi l'azur.
Sa beauté m'enivrait ; je n'aimais qu'elle au monde.
Mais je croyais l'aimer comme on aime une sœur,
Tant ce qui venait d'elle était plein de pudeur !
Nous nous tûmes longtemps ; ma main touchait la sienne.
Et je sentais dans l'âme, à chaque mouvement,
Combien peuvent sur nous, pour guérir toute peine,
Ces deux signes jumeaux de paix et de bonheur,
Jeunesse de visage et jeunesse de cœur.
La lune, se levant dans un ciel sans nuage,
D'un long réseau d'argent tout à coup l'inonda.
Elle vit dans mes yeux resplendir son image ;
Son sourire semblait d'un ange : elle chanta.

Fille de la douleur, harmonie ! harmonie !
Langue que pour l'amour inventa le génie !
Qui nous vint d'Italie, et qui lui vint des cieux !
Douce langue du cœur, la seule où la pensée,
Cette vierge craintive et d'une ombre offensée,
Passe en gardant son voile et sans craindre les yeux !
Qui sait ce qu'un enfant peut entendre et peut dire
Dans tes soupirs divins, nés de l'air qu'il respire,
Tristes comme son cœur et doux comme sa voix ?

Les Amours secrètes de lord Byron [détail]
(anonyme, 1842)

On surprend un regard, une larme qui coule;
Le reste est un mystère ignoré de la foule,
Comme celui des flots, de la nuit et des bois!

Nous étions seuls, pensifs; je regardais Lucie.
L'écho de sa romance en nous semblait frémir.
Elle appuya sur moi sa tête appesantie.
Sentais-tu dans ton cœur Desdemona gémir,
Pauvre enfant? Tu pleurais; sur ta bouche adorée
Tu laissas tristement mes lèvres se poser,
Et ce fut ta douleur qui reçut mon baiser.
Telle je t'embrassai, froide et décolorée,
Telle, deux mois après, tu fus mise au tombeau;
Telle, ô ma chaste fleur! tu t'es évanouie.
Ta mort fut un sourire aussi doux que ta vie,
Et tu fus rapportée à Dieu dans ton berceau.

Doux mystère du toit que l'innocence habite,
Chansons, rêves d'amour, rires, propos d'enfant,
Et toi, charme inconnu dont rien ne se défend,
Qui fit hésiter Faust au seuil de Marguerite,
Candeur des premiers jours, qu'êtes-vous devenus?

Paix profonde à ton âme, enfant! à ta mémoire!
Adieu! ta blanche main sur le clavier d'ivoire,
Durant les nuits d'été, ne voltigera plus...

Mes chers amis, quand je mourrai,
Plantez un saule au cimetière.
J'aime son feuillage éploré;
La pâleur m'en est douce et chère,
Et son ombre sera légère
À la terre où je dormirai.

Alfred de Musset (1810-1857)
Poésies nouvelles (1842)

Ce poème fut publié pour la première fois dans « La Revue des Deux Mondes » en juin 1835; le sizain qui entame et clôt le poème est celui-là même qui a été gravé sur la stèle funéraire qui décore le tombeau de Musset au cimetière du Père-Lachaise, à Paris.

Les Amours secrètes de lord Byron [détail]
(anonyme, 1842)

Rondeau

Fut-il jamais douceur de cœur pareille
À voir Manon dans mes bras sommeiller ?
Son front coquet parfume l'oreiller ;
Dans son beau sein j'entends son cœur qui veille.
Un songe passe, et s'en vient l'égayer.

Ainsi s'endort une fleur d'églantier,
Dans son calice enfermant une abeille.
Moi, je la berce ; un plus charmant métier
Fut-il jamais ?

Mais le jour vient, et l'Aurore vermeille
Effeuille au vent son bouquet printanier.
Le peigne en main et la perle à l'oreille,
À son miroir Manon court m'oublier.
Hélas ! l'amour sans lendemain ni veille
Fut-il jamais ?

Alfred de Musset
Poésies nouvelles

Femme peignant ses cheveux
(Aubrey Beardsley, fin XIXe s.)

*« Moment éternel, puisqu'en lui source et fin coïncident, le moment d'amour surgit hors du temps comme une activité pure.
Il ne demande rien, il ne regrette rien ; il n'a ni passé ni avenir.
Il est un présent qui oublie le temps et qui en suspend le cours. »*

Georges Poulet

Pygmalion et Galathée (anonyme, XIXᵉ s.)

La beauté

Je suis belle, ô mortels! comme un rêve de pierre,
Et mon sein, où chacun s'est meurtri tour à tour,
Est fait pour inspirer au poète un amour
Éternel et muet ainsi que la matière.

Je trône dans l'azur comme un sphinx incompris;
J'unis un cœur de neige à la blancheur des cygnes;
Je hais le mouvement qui déplace les lignes,
Et jamais je ne pleure et jamais je ne ris.

Les poètes, devant mes grandes attitudes,
Que j'ai l'air d'emprunter aux plus fiers monuments,
Consumeront leurs jours en d'austères études;

Car j'ai, pour fasciner ces dociles amants,
De purs miroirs qui font toutes choses plus belles :
Mes yeux, mes larges yeux aux clartés éternelles.

Charles Baudelaire (1821-1867)
Les Fleurs du mal (1857)

Ce poème parut en avril 1857 dans « La Revue française » ; il s'inspire de l'idée parnassienne de la beauté, qui réclame la perfection formelle et l'impersonnalité du sentiment :
« Sculpteur, cherche avec soin, en attendant l'extase,
Un marbre sans défaut pour en faire un beau vase »,
avait dit Théodore de Banville.

« Quelque idée qu'un poète se fasse de la beauté, il ne peut refuser de la voir dans le mouvement, dans la vie, dans le déplacement des lignes. Et Baudelaire moins que tout autre, lui qui a aimé la danse. Aucun doute, il a été victime de l'expression "beauté sculpturale" que lui a suggérée le premier vers. »
Marcel Aymé

La mort des amants

Nous aurons des lits pleins d'odeurs légères,
Des divans profonds comme des tombeaux,
Et d'étranges fleurs sur des étagères,
Écloses pour nous sous des cieux plus beaux.

Usant à l'envi leurs chaleurs dernières,
Nos deux cœurs seront deux vastes flambeaux,
Qui réfléchiront leurs doubles lumières
Dans nos deux esprits, ces miroirs jumeaux.

Un soir fait de rose et de bleu mystique,
Nous échangerons un éclair unique,
Comme un long sanglot, tout chargé d'adieux ;

Et plus tard un Ange, entr'ouvrant les portes,
Viendra ranimer, fidèle et joyeux,
Les miroirs ternis et les flammes mortes.

Charles Baudelaire
Les Fleurs du mal

Tout comme Ronsard, Baudelaire a évoqué l'union des amants dans la mort. Mais pour Ronsard, la mort était un moyen de mettre en relief les beautés de la vie et du monde.

Pour H. Cassou-Yager, contrairement à Ronsard, l'attitude de Baudelaire « est identique à celle des Pères de l'Église, qui ont toujours dénoncé la nature et la volupté comme les causes directes de l'anéantissement de l'esprit ».

Léda et le cygne (anonyme, XIXe s.)

La chanson de ma mie

L'eau, dans les grands lacs bleus
    Endormie,
Est le miroir des cieux :
Mais j'aime mieux les yeux
    De ma mie.

Pour que l'ombre parfois
    Nous sourie,
Un oiseau chante au bois :
Mais j'aime mieux la voix
    De ma mie.

La rosée, à la fleur
    Défleurie
Rend sa vive couleur :
Mais j'aime mieux un pleur
    De ma mie.

Le temps vient tout briser.
    On l'oublie.
Moi, pour le mépriser,
Je ne veux qu'un baiser
    De ma mie.

La rose sur le lin
    Meurt flétrie ;
J'aime mieux pour coussin
Les lèvres et le sein
    De ma mie.

On change tour à tour
    De folie :
Moi, jusqu'au dernier jour,
Je m'en tiens à l'amour
    De ma mie.

Théodore de Banville (1823-1891)
Les Cariatides (1842)

C'est entre seize et dix-neuf ans que Banville compose les cinq mille vers des Cariatides.

Madrigal

(traduit de dessus un éventail de lady Hamilton)

Le temps, implacable alchimiste, épuisera le chaud parfum du santal.

Mais ces mots, écrits sur votre éventail, subsisteront, et vous y trouverez encore les immatériels parfums du souvenir.

Alors le tableau de votre éclatante jeunesse se déroulera dans votre mémoire. Vous en serez éblouie et ravie, comme nous sommes éblouis et ravis quand vos cheveux de cuivre se déroulent sur vos épaules.

Puis après, le temps un instant dompté, reprendra son œuvre dévorante, et votre chair, aurore palpable, sera emportée tout à coup par la colère du sort ou de l'homme ; ou bien elle se dessèchera lentement au vent de la vieillesse, pour se dissoudre enfin dans la terre brune.

Cet éventail, aussi, vendu, acheté, revendu, sali dans les tiroirs, brisé par les enfants, bibelot dédaigné des bric-à-brac, finira peut-être dans un clair incendie, ou bien épave d'égouts, il descendra les rivières pour s'émietter, pourri, dans la mer immense.

En attendant, gardez l'orgueil de votre chair couleur d'aurore, laissez insolemment flamboyer vos cheveux, jouez avec la perverse toute-puissance de vos yeux transparents.

Car vous êtes l'anneau actuel de la perpétuelle chaîne de beauté ; car ce qui a lui une fois, luit à jamais dans l'absolu ; car, à la symphonie de votre vie, il faut un sévère et grandiose accord final.

D'ailleurs ces mots qui parlent de vous, transmis de mémoire en mémoire, feront sans cesse revivre la main souveraine qui a tenu cet éventail et la chair qu'il a caressée de ses battements parfumés.

Charles Cros (1842-1888)
Le Coffret de santal (1873)

Femme à l'éventail
(Camille Boulanger, XIXᵉ s.)

« Charles Cros a vu dans les mots eux-mêmes des "procédés", procédés qu'il a chéris au même titre que ceux dont la découverte, puis l'application marquent les étapes du progrès scientifique. »

André Breton

« Cros refuse généralement de terminer son poème (au sens formel de l'expression). »

Hubert Juin

La dame en pierre

À Catulle Mendès

Sur ce couvercle de tombeau
Elle dort. L'obscur artiste
Qui l'a sculptée a vu le beau
Sans rien de triste.

Joignant les mains, les yeux heureux
Sous le voile des paupières,
Elle a des rêves amoureux
Dans ses prières.

Sous les plis lourds du vêtement,
La chair apparaît rebelle,
N'oubliant pas complètement
Qu'elle était belle.

Ramenés sur le sein glacé
Les bras, en d'étroites manches,
Rêvent l'amant qu'ont enlacé
Leurs chaînes blanches.

Le lévrier, comme autrefois
Attendant une caresse,
Dort blotti contre les pieds froids
De sa maîtresse.

★

Tout le passé revit. Je vois
Les splendeurs seigneuriales.
Les écussons et les pavois
Des grandes salles,

Les hauts plafonds de bois, bordés
D'emblématiques sculptures,
Les chasses, les tournois brodés
Sur les tentures.

Dans son fauteuil, sans nul souci
Des gens dont la chambre est pleine,
À quoi peut donc rêver ainsi,
La châtelaine ?

Ses yeux où brillent par moment
Les fiertés intérieures,
Lisent mélancoliquement
Un livre d'heures.

★

Quand une femme rêve ainsi
Fière de sa beauté rare,
C'est quelque drame sans merci
Qui se prépare.

Peut-être à temps, en pleine fleur,
Celle-ci fut mise en terre.
Bien qu'implacable, la douleur
En fut austère.

L'amant n'a pas vu se ternir,
Au souffle de l'infidèle,
La pureté du souvenir
Qu'il avait d'elle.

La mort n'a pas atteint le beau.
La chair perverse est tuée,
Mais la forme est, sur un tombeau,
Perpétuée.

Charles Cros
Le Coffret de santal

« Génie, le mot ne semblera pas trop fort à ceux, assez nombreux, qui ont lu ses pages impressionnantes à tant de titres. »
Paul Verlaine

« Il était, par sa précocité, par sa vocation double, aussi par ce milieu familial insolite et démesuré, un homme de la culture. Il ouvre les yeux dans le sein d'une bibliothèque. »
Hubert Juin

À ma femme endormie

Tu dors en croyant que mes vers
Vont encombrer tout l'univers
De désastres et d'incendies;
Elles sont si rares pourtant
Mes chansons au soleil couchant
Et mes lointaines mélodies.

Mais si je dérange parfois
La sérénité des cieux froids,
Si des sons d'acier ou de cuivre
Ou d'or, vibrent dans mes chansons,
Pardonne ces hautes façons,
C'est que je me hâte de vivre.

Et puis tu m'aimeras toujours.
Éternelles sont les amours
Dont ma mémoire est le repaire ;
Nos enfants seront de fiers gars
Qui répareront les dégâts,
Que dans ta vie a faits leur père.

Ils dorment sans rêver à rien,
Dans le nuage aérien
Des cheveux sur leurs fines têtes ;
Et toi, près d'eux, tu dors aussi,
Ayant oublié le souci
De tout travail, de toutes dettes.

Moi je veille et je fais ces vers
Qui laisseront tout l'univers
Sans désastre et sans incendie ;
Et demain, au soleil montant
Tu souriras en écoutant
Cette tranquille mélodie.

Charles Cros (1842-1888)
Le Collier de griffes (1908)

Pages de Mallarmé
(Renoir, 1887)

Ô si chère…

Ô si chère de loin et proche et blanche, si
Délicieusement toi, Mary, que je songe
À quelque baume rare émané par mensonge
Sur aucun bouquetier de cristal obscurci

Le sais-tu, oui! pour moi voici des ans, voici
Toujours que ton sourire éblouissant prolonge
La même rose avec son bel été qui plonge
Dans autrefois et puis dans le futur aussi.

Mon cœur qui dans les nuits parfois cherche à
[s'entendre
Ou de quel dernier mot t'appeler le plus tendre
S'exalte en celui rien que chuchoté de sœur

N'était, très grand trésor et tête si petite,
Que tu m'enseignes bien toute une autre douceur
Tout bas par le baiser seul dans tes cheveux dite.

Stéphane Mallarmé (1842-1898)
Poèmes d'enfance et de jeunesse (1908)

Ce poème fut adressé à Méry Laurent
et parut dix ans après la mort du poète.

« On ne me comprenait pas
naguère quand je disais que
le plus beau vers de la langue
française était cet heptasyllabe
de Charles Cros :
Amie éclatante et brune… »
Louis Aragon

« Mallarmé pâtit, du moins
le croyons-nous, de toute approche
trop abstraite. Considérée naïvement,
cette œuvre nous semble beaucoup plus
charnelle, d'intentions et de moyens,
qu'on ne le dit à l'ordinaire. »
Jean-Pierre Richard

Mon rêve familier

Je fais souvent ce rêve étrange et pénétrant
D'une femme inconnue, et que j'aime, et qui m'aime,
Et qui n'est, chaque fois, ni tout à fait la même
Ni tout à fait une autre, et m'aime et me comprend.

Car elle me comprend, et mon cœur transparent
Pour elle seule, hélas ! cesse d'être un problème
Pour elle seule, et les moiteurs de mon front blême,
Elle seule les sait rafraîchir, en pleurant.

Est-elle brune, blonde ou rousse ? – Je l'ignore.
Son nom ? Je me souviens qu'il est doux et sonore
Comme ceux des aimés que la vie exila.

Son regard est pareil au regard des statues,
Et, pour sa voix, lointaine, et calme, et grave, elle a
L'inflexion des voix chères qui se sont tues.

Paul Verlaine (1844-1896)
Poèmes saturniens (1866)

Dès son adolescence, il vit le drame de ces deux « postulations simultanées » dont a parlé Baudelaire, l'une vers Dieu, l'autre vers Satan. Saturnien, mélancolique, il ne trouvera que momentanément un équilibre lorsqu'il écrit Sagesse *(1881), recueil de poèmes d'inspiration religieuse.*

En réalité, dit Verlaine, « les trois quarts des pièces qui les composent furent écrites en rhétorique et en seconde, plusieurs même en troisième (pardon !), j'avais, dis-je, déjà des tendances bien décidées vers cette forme et ce fond d'idées, parfois contradictoires, de rêve et de précision ».

« Aucune parole n'est plus que la sienne proche de ce qui ne peut être dit. »
Albert Thibaudet

Le colloque sentimental

Dans le vieux parc solitaire et glacé
Deux formes ont tout à l'heure passé.

Leurs yeux sont morts et leurs lèvres sont molles,
Et l'on entend à peine leurs paroles.

Dans le vieux parc solitaire et glacé
Deux spectres ont évoqué le passé.

– Te souvient-il de notre extase ancienne ?
– Pourquoi voulez-vous donc qu'il m'en souvienne ?

– Ton cœur bat-il toujours à mon seul nom ?
Toujours vois-tu mon âme en rêve ? – Non.

– Ah ! les beaux jours de bonheur indicible
Où nous joignions nos bouches ! – C'est possible.

– Qu'il était bleu, le ciel, et grand, l'espoir !
– L'espoir a fui, vaincu, vers le ciel noir.

Tels ils marchaient dans les avoines folles,
Et la nuit seule entendit leurs paroles.

Paul Verlaine
Les Fêtes galantes (1869)

Dernier poème des Fêtes galantes, *« Le colloque sentimental » capte des voix anonymes, celles des divers personnages qui apparaissent dans le recueil : Pierrot, Arlequin, Colombine, Scaramouche et Pulcinella, Chloris, l'abbé ou le chevalier d'Atys...*

« Toute la réussite verlainienne fut donc de se fabriquer une incantation qui invitât à la fois à la jouissance d'une indétermination et à la délectation d'une extrême acuité sensible. »
Jean-Pierre Richard

Tête de femme (Egon Schiele, v. 1907)

La Mort d'Ophélie (Eugène Delacroix, 1843)

Rimbaud s'essaie ici sur un thème
que les romantiques avaient retrouvé
dans le Hamlet *de Shakespeare.*

« La poésie est silence parce qu'elle
est langage pur, voilà le fondement
de la certitude poétique. »
Maurice Blanchot

Ophélie

I

Sur l'onde calme et noire où dorment les
[étoiles
La blanche Ophélia flotte comme un grand lys,
Flotte très lentement, couchée en ses longs
[voiles...
– On entend dans les bois lointains des hallalis.

Voici plus de mille ans que la triste Ophélie
Passe, fantôme blanc, sur le long fleuve noir ;
Voici plus de mille ans que sa douce folie
Murmure sa romance à la brise du soir.

Le vent baise ses seins et déploie en corolle
Ses grands voiles bercés mollement par les
[eaux ;
Les saules frissonnants pleurent sur son épaule,
Sur son grand front rêveur s'inclinent les
[roseaux.

Les nénuphars froissés soupirent autour
[d'elle ;
Elle éveille parfois, dans un aune qui dort,
Quelque nid, d'où s'échappe un petit frisson
[d'aile :
– Un chant mystérieux tombe des astres d'or.

II

Ô pâle Ophélia ! belle comme la neige !
Oui tu mourus, enfant, par un fleuve emporté !
– C'est que les vents tombant des grands
[monts de Norvège
T'avaient parlé tout bas de l'âpre liberté ;
C'est qu'un souffle, tordant ta grande
[chevelure,
À ton esprit rêveur portait d'étranges bruits ;
Que ton cœur écoutait le chant de la Nature
Dans les plaintes de l'arbre et les soupirs des
[nuits ;

C'est que la voix des mers folles, immense râle,
Brisait ton sein d'enfant, trop humain et trop
[doux ;
C'est qu'un matin d'avril, un beau cavalier pâle,
Un pauvre fou, s'assit muet à tes genoux !

Ciel ! Amour ! Liberté ! Quel rêve, ô pauvre
[Folle !
Tu te fondais à lui comme une neige au feu :
Tes grandes visions étranglaient ta parole
– Et l'Infini terrible effara ton œil bleu !

III

– Et le Poète dit qu'aux rayons des étoiles
Tu viens chercher, la nuit, les fleurs que tu
[cueillis,
Et qu'il a vu sur l'eau, couchée en ses longs
[voiles,
La blanche Ophélia flotter, comme un grand
[lys.

Arthur Rimbaud (1854-1891)
Poésies complètes (1895)

Being beauteous

Devant une neige un Être de Beauté de haute taille. Des sifflements de mort et des cercles de musique sourde font monter, s'élargir et trembler comme un spectre ce corps adoré ; des blessures écarlates et noires éclatent dans les chairs superbes. Les couleurs propres de la vie se foncent, dansent, et se dégagent autour de la Vision, sur le chantier. Et les frissons s'élèvent et grondent, et la saveur forcenée de ces effets se chargeant avec les sifflements mortels et les rauques musiques que le monde, loin derrière nous, lance sur notre mère de beauté, – elle recule, elle se dresse. Oh ! nos os sont revêtus d'un nouveau corps amoureux.

Arthur Rimbaud
Illuminations (1886)

Poème qui rappelle à certains égards « La géante » de Baudelaire, mais l'Être évoqué demeure bien plus mystérieux et capable, par sa seule présence, de métamorphoser le poète.

« La Rencontre qu'il [Rimbaud] poursuit et appréhende, voici qu'elle surgit comme une double corne, pénétrant de ses deux pointes "dans son âme et dans son corps". »
René Char

La Jeune Tarentine (Johannot, 1851)

Complainte

DE LA BONNE DÉFUNTE

Elle fuyait par l'avenue,
Je la suivais illuminé,
Ses yeux disaient : « J'ai deviné
Hélas que tu m'as reconnue ! »

Je la suivis illuminé !
Jeux désolés, bouche ingénue,
Pourquoi l'avais-je reconnue,
Elle, loyal rêve mort-né ?

Jeux trop mûrs, mais bouche ingénue ;
Œillet blanc, d'azur trop veiné ;
Oh ! oui, rien qu'un rêve mort-né,
Car, défunte elle est devenue.

Gis, œillet, d'azur trop veiné,
La vie humaine continue
Sans toi, défunte devenue.
– Oh ! je rentrerai sans dîner !

Vrai, je ne l'ai jamais connue.

Jules Laforgue (1860-1887)
Les Complaintes (1885)

Femme au chapeau
(Aubrey Beardsley, fin XIXe s.)

« Il publie ses premiers poèmes en 1879, dans deux petites revues littéraires de Toulouse. Il les présente comme extraits d'un recueil à paraître : Un amour dans les tombes. *Titre significatif, et enseignant en diable, qui fait rimer l'amour et la mort. »*
Hubert Juin

« Ce qui caractérise sa vie brève, discrète, tout intérieure, c'est l'absence. Il a si peu vécu que l'adolescence imprègne toute son œuvre. »
André Wurmser

Odelette

Si j'ai parlé
De mon amour, c'est à l'eau lente
Qui m'écoute quand je me penche
Sur elle ; si j'ai parlé
De mon amour, c'est au vent
Qui rit et chuchote entre les branches ;
Si j'ai parlé de mon amour, c'est à l'oiseau
Qui passe et chante
Avec le vent ;
Si j'ai parlé
C'est à l'écho.

Si j'ai aimé de grand amour,
Triste ou joyeux,
Ce sont tes yeux ;
Si j'ai aimé de grand amour,
Ce fut ta bouche grave et douce,
Ce fut ta bouche ;
Si j'ai aimé de grand amour,
Ce furent ta chair tiède et tes mains fraîches,
Et c'est ton ombre que je cherche.

Henri de Régnier (1864-1936)
Les Jeux rustiques et divins (1897)

La Topaze
(Alphonse Mucha, 1900)

« Un des plus mystérieux attraits [d'Henri de Régnier] est de sembler toujours morose et grave lorsqu'il parle au présent, toujours souriant et bizarre lorsqu'il s'occupe du passé – comme s'il indiquait par là [...] que tout aboutit à un assez plaisant mirage. »
André Gide

Cette odelette appartient au recueil intitulé Les Jeux rustiques et divins *où le poète fait un usage systématique du vers libre.*

Longtemps si j'ai demeuré seul...

« C'est dans la réduction à l'unité d'impressions venues des quatre points de l'horizon, mais perçues et senties simultanément, et comme avec instantanéité, sur le seul plan de l'imagination, que Toulet est incomparable. »
Charles Du Bos

Longtemps si j'ai demeuré seul,
Ah ! qu'une nuit je te revoie.
Perce l'oubli, fille de joie,
Sors du linceul.

D'une figure trop aimée,
Est-ce toi, spectre gracieux,
Et ton éclat, cette fumée
Devant mes yeux ?

Ta pâleur, tes sombres dentelles,
Le bal qui berçait nos pieds las,
Un corps qui plie entre mes bras :
Je me rappelle...

Paul-Jean Toulet (1867-1920)
Les Contrerimes (1921)

« Toulet n'a pas fait école, mais sans lui quelque chose manquerait à la constellation poétique de ce siècle. »
Michel Décaudin

Couple d'amoureux (Egon Schiele, 1913)

Sans titre (Armand Seguin, fin XIXe s.)

C'est aujourd'hui...

8 juillet 1894
Dimanche, Sainte Virginie
LE CALENDRIER.

C'est aujourd'hui la fête de Virginie...
Tu étais nue sous ta robe de mousseline.
Tu mangeais de gros fruits au goût de Mozambique
et la mer salée couvrait les crabes creux et gris.

Ta chair était pareille à celle des cocos.
Les marchands te portaient des pagnes couleur d'air
et des mouchoirs de tête à carreaux jaune-clair.
Labourdonnais signait des papiers d'amiraux.

Tu es morte et tu vis, ô ma petite amie,
amie de Bernardin, ce vieux sculpteur de cannes,
et tu mourus en robe blanche, une médaille
à ton cou pur, dans la *Passe de l'Agonie*.

Francis Jammes (1868-1938)
De l'Angélus de l'aube à l'Angélus du soir (1888-1898)

Le poète évoque ici l'anniversaire de la mort de Virginie...

« On ne lit pas Francis Jammes ; on le respire ; on le hume ; il pénètre en vous par les sens. Il rappelle ces balsamines d'Espagne, de qui, non seulement la fleur est parfumée, mais aussi la feuille et la tige. »
André Gide

Les Muses

Ô mon amie sur le navire ! (Car l'année qui fut celle-là,
Quand je commençai à voir le feuillage se décomposer et l'incendie du monde prendre,
Pour échapper aux saisons le soir frais me parut une aurore, l'automne le printemps d'une lumière plus fixe,
Je le suivis comme une armée qui se retire en brûlant tout derrière elle, Toujours
Plus avant, jusqu'au cœur de la mer luisante !)
Ô mon amie ! car le monde n'était plus là
Pour nous assigner notre place dans la combinaison de son mouvement multiplié,
Mais décollés de la terre, nous étions seuls l'un avec l'autre,
Habitants de cette noire miette mouvante, noyés,
Perdus dans le pur Espace, là où le sol même est lumière.
Et chaque soir, à l'arrière, à la place où nous avions laissé le rivage, vers l'Ouest,
Nous allions retrouver la même conflagration
Nourrie de tout le présent bondé, la Troie du monde réel en flammes !
Et moi, comme la mèche allumée d'une mine sous la terre, ce feu secret qui me ronge,
Ne finira-t-il point par flamber dans le vent ? qui contiendra la grande flamme humaine ?
Toi-même, amie, tes grands cheveux blonds dans le vent de la mer,
Tu n'as pas su les tenir bien serrés sur ta tête ; ils s'effondrent ! les lourds anneaux
Roulent sur tes épaules, la grande chose joconde
S'enlève, tout part dans le clair de la lune !
Et les étoiles ne sont-elles point pareilles à des têtes d'épingles luisantes ? et tout l'édifice du monde ne fait-il pas une splendeur aussi fragile
Qu'une royale chevelure de femme prête à crouler sous le peigne !
Ô mon amie ! ô Muse dans le vent de la mer ! ô idée chevelue à la proue !
Ô grief ! ô revendication !
Érato ! tu me regardes, et je lis une résolution dans tes yeux !
Je lis une réponse, je lis une question dans tes yeux ! Une réponse et une question dans tes yeux !
Le hourra qui prend en toi de toutes parts comme de l'or, comme du feu dans le fourrage !
Une réponse dans tes yeux ! Une réponse et une question dans tes yeux.

Paul Claudel (1868-1955)
Cinq Grandes Odes (1900-1904)

C'est par cette dernière invocation, adressée par le poète à la muse Érato, que se termine la première des Cinq Grandes Odes, *composée en partie à Paris, en partie en Chine.*

« Le déploiement de l'âme dans ses facultés, dans sa culture, dans son histoire séculaire, n'aura servi qu'à sa condensation passionnée dans une crise. Une lame de fond qui se lève laisse un moment à nu le fond de l'océan.
On la soupçonnait d'autant moins que toutes les grandes folies semblaient épuisées et voici un instant plus immortel que les durées (une réponse qui est une question). »
Jean Grosjean

Sans titre (Josef Rudolf Witzel, début XXe s.)

Le serment

« Lorsque l'eau du fleuve remontera jusqu'aux sommets couverts de neiges ; lorsqu'on sèmera l'orge et le blé dans les sillons mouvants de la mer ;

« Lorsque les pins naîtront des lacs et les nénufars des rochers, lorsque le soleil deviendra noir, lorsque la lune tombera sur l'herbe ;

« Alors, mais alors seulement, je prendrai une autre femme, et je t'oublierai, Bilitis, âme de ma vie, cœur de mon cœur. »

Il me l'a dit, il me l'a dit ! Que m'importe le reste du monde, où es-tu, bonheur insensé qui te compares à mon bonheur !

Pierre Louÿs (1870-1925)
Les Chansons de Bilitis (1894)

« [...] Les extraordinaires Chansons de Bilitis, *un de ses chefs-d'œuvre et l'un des plus heureux spécimens de poèmes en prose jamais conçus dans notre langue. »*
Yves-Gérard Le Dantec

« La plupart ne lisaient dans ces beaux livres que des apologies de la chair et des plaisirs. Ni les peines que demande un langage si admirable, ni les connaissances que supposent ces peintures, ni l'amertume et la désespérance qui s'y mêlent n'éclairaient à leurs yeux le vrai visage de l'auteur [...] » Paul Valéry

Hélène

Azur ! c'est moi... Je viens des grottes de la mort
Entendre l'onde se rompre aux degrés sonores,
Et je revois les galères dans les aurores
Ressusciter de l'ombre au fil des rames d'or.

Mes solitaires mains appellent les monarques
Dont la barbe de sel amusait mes doigts purs ;
Je pleurais. Ils chantaient leurs triomphes obscurs
Et les golfes enfuis aux poupes de leurs barques.

J'entends les conques profondes et les clairons
Militaires rythmer le vol des avirons ;
Le chant clair des rameurs enchaîne le tumulte,

Et les Dieux, à la proue héroïque exaltés
Dans leur sourire antique et que l'écume insulte,
Tendent vers moi leurs bras indulgents et sculptés.

Paul Valéry (1871-1945)
Album de vers anciens (1920)

« Des lois qui prennent de clairs visages : n'est-ce pas là une sorte de définition de l'esprit grec ? Disons que cette expression évoque on ne peut mieux l'image de la Grèce telle que la reflète l'esprit valéryen. »
Édouard Gaède

« La poésie de Paul Valéry se trouve comme à la croisée de trois mouvements poétiques : classique, parnassien, symboliste, et les réunit dans une essence commune. »
Albert Thibaudet

Étude pour « Joseph reconnu par ses frères » (Anne-Louis Girodet, v. 1789)

Tête de femme (Léonard de Vinci, v. 1478)

Naissance de Vénus

De sa profonde mère, encor froide et fumante,
Voici qu'au seuil battu de tempêtes, la chair
Amèrement vomie au soleil par la mer,
Se délivre des diamants de la tourmente.

Son sourire se forme, et suit sur ses bras blancs
Qu'éplore l'Orient d'une épaule meurtrie,
De l'humide Thétis la pure pierrerie,
Et sa tresse se fraye un frisson sur ses flancs.

Le frais gravier, qu'arrose et fuit sa course agile,
Croule, creuse rumeur de soif, et le facile
Sable a bu les baisers de ses bonds puérils ;

Mais de mille regards ou perfides ou vagues,
Son œil mobile mêle aux éclairs de périls
L'eau riante, et la danse infidèle des vagues.

Paul Valéry
Album de vers anciens

Dans ce poème, Valéry évoque un sujet d'inspiration plastique, traité auparavant par de nombreux peintres de la Renaissance.

« Un poème est une durée, pendant laquelle, lecteur, je respire une loi qui fut préparée. »
Paul Valéry

Le Baiser
(Egon Schiele, 1911)

Le baiser

Couples fervents et doux, ô troupe printanière !
Aimez au gré des jours.
– Tout, l'ombre, la chanson, le parfum, la lumière
Noue et dénoue l'amour.

Épuisez, cependant que vous êtes fidèles,
La chaude déraison.
Vous ne garderez pas vos amours éternelles
Jusqu'à l'autre saison.

Le vent qui vient mêler ou disjoindre les branches
A de moins brusques bonds
Que le désir qui fait que les êtres se penchent
L'un vers l'autre et s'en vont.

Les frôlements légers des eaux et de la terre,
Les blés qui vont mûrir,
La douleur et la mort sont moins involontaires
Que le choix du désir.

Joyeux, dans les jardins où l'été vert s'étale
Vous passez en riant,
Mais les doigts enlacés, ainsi que des pétales
Iront se défeuillant.

Les yeux dont les regards dansent comme une abeille
Et tissent des rayons,
Ne se transmettront plus, d'une ferveur pareille,
Le miel et l'aiguillon.

Les cœurs ne prendront plus, comme deux tourterelles,
L'harmonieux essor,
Vos âmes, âprement, vont s'apaiser entre elles,
C'est l'amour et la mort...

Anna de Noailles (1876-1933)
Le Cœur innombrable (1904)

À propos du recueil
Le Cœur innombrable,
Michel Décaudin a pu dire qu'il « étonne par l'abandon sensuel, l'ivresse des sensations, le langage pathétique et familier ».

La belle morte

Ton rire entourait le col des collines
    On le cherchait dans la vallée.

Maintenant quand je dis : donne-moi la main,
Je sais que je me trompe et que tu n'es plus rien.

Pour Supervielle, la vie vécue peut être symbolisée par l'« oublieuse mémoire » :
« Mémoire, sœur obscure et que je vois de face
Autant que le permet une image qui passe [...] »

★

Avec ce souffle de douceur
Que je garde encor de la morte,
Puis-je refaire les cheveux,
Le front que ma mémoire emporte ?

Avec mes jours et mes années,
Ce cœur vivant qui fut le sien,
Avec le toucher de mes mains,
Circonvenir la destinée ?

Comment t'aider, morte évasive,
Dans une tâche sans espoir,
T'offrir à ton ancien regard
Et reconstruire ton sourire,

Et rapprocher un peu de toi
Cette houle sur les platanes
Que ton beau néant me réclame
Du fond de sa plainte sans voix.

La poésie de Supervielle inspire à Georges Poulet ces réflexions : « Tant qu'existe cependant en moi une brassée de souvenirs, je ne suis pas sans feu ni lieu, j'occupe encore un peu d'espace. Tout espoir n'est donc pas perdu. L'espace est tout autour de moi, mais il ne m'a pas encore assimilé, annulé. »

★

Tes cheveux et tes lèvres
Et ta carnation
Sont devenus de l'air
Qui cherche une saison.

Et moi qui vis encore
Seul autour de mes os
Je cherche un point sonore
Dans ton silence clos

Pour m'approcher de toi
Que je veux situer
Sans savoir où tu es
Ni si tu m'aperçois.

Jules Supervielle (1884-1960)
Gravitations (1925)

Nu flottant
(Gustav Klimt, 1901-1907)

Chanté par celle qui fut là

L'Enchanteur pourrissant
(André Derain, 1909)

Amour, ô mon amour, immense fut la nuit, immense
notre veille où fut tant d'être consumé.
Femme vous suis-je, et de grand sens, dans les ténèbres
du cœur d'homme.
La nuit d'été s'éclaire à nos persiennes closes ; le raisin
noir bleuit dans les campagnes ; le câprier des bords
de route montre le rose de sa chair ; et la senteur du
jour s'éveille dans vos arbres à résine.

Femme vous suis-je, ô mon amour, dans les silences du
cœur d'homme.
La terre, à son éveil, n'est que tressaillement d'insectes
sous les feuilles : aiguilles et dards sous toutes feuilles...
Et moi j'écoute, ô mon amour, toutes choses courir à
leurs fins. La petite chouette de Pallas se fait entendre
dans le cyprès ; Cérès aux tendres mains nous ouvre
les fruits du grenadier et les noix du Quercy ; le rat-
lérot bâtit son nid dans les fascines d'un grand arbre ;
et les criquets-pèlerins rongent le sol jusqu'à la tombe
d'Abraham.

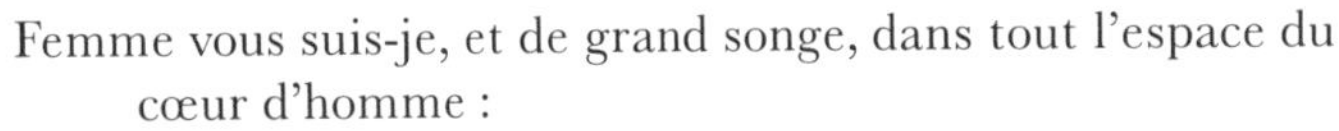

Femme vous suis-je, et de grand songe, dans tout l'espace du
cœur d'homme :
demeure ouverte à l'éternel, tente dressée sur votre
seuil, et bon accueil fait à la ronde à toutes promesses
de merveilles.
Les attelages du ciel descendent les collines ; les chasseurs
de bouquetins ont brisé nos clôtures ; et sur le
sable de l'allée j'entends crier les essieux d'or du dieu
qui passe notre grille... Ô mon amour de très grand
songe, que d'offices célébrés sur le pas de nos portes !
que de pieds nus courant sur nos carrelages et sur nos tuiles !...

Ce poème fut publié pour la première fois par « La Nouvelle Revue française » en janvier 1969.

Grands Rois couchés dans vos étuis de bois sous les dalles
de bronze, voici, voici de notre offrande à vos
mânes rebelles :
reflux de vie en toutes fosses, hommes debout sur toutes
dalles, et la vie reprenant toutes choses sous son aile !
Vos peuples décimés se tirent du néant ; vos reines poignardées
se font tourterelles d'orage ; en Souabe furent les
derniers reîtres ; et les hommes de violence chaussent
l'éperon pour les conquêtes de la science.
Aux pamphlets de l'histoire se joint l'abeille du désert,
et les solitudes de l'Est se peuplent de légendes...
La Mort au masque de céruse se lave les mains dans
nos fontaines.

« Perse a pris une fois pour toutes, on le sait, le parti de la louange et de l'encensement. Il ne voudrait à son œuvre entier qu'un seul titre : Éloges. »

Jean Paulhan

Femme vous suis-je, ô mon amour, en toutes fêtes de
mémoire. Écoute, écoute, ô mon amour,
le bruit que fait un grand amour au reflux de la vie.
Toutes choses courent à la vie comme courriers d'empire.
Les filles de veuves à la ville se peignent les paupières ;
les bêtes blanches du Caucase se payent en dinars ;
les vieux laqueurs de Chine ont les mains rouges sur
leurs jonques de bois noir ; et les grandes barques de
Hollande embaument le girofle. Portez, portez, ô chameliers,
vos laines de grand prix aux quartiers de foulons.
Et c'est aussi le temps des grands séismes d'Occident,
quand les églises de Lisbonne, tous porches béant sur
les places et tous retables s'allumant sur fond de corail
rouge, brûlent leurs cires d'Orient à la face du monde...
Vers les Grande Indes de l'Ouest s'en vont les hommes
d'aventure.

Ô mon amour du plus grand songe, mon cœur ouvert à
l'éternel, votre âme s'ouvrant à l'empire,
que toutes choses hors du songe, que toutes choses par le
monde nous soient en grâce sur la route !
La Mort au masque de céruse se montre aux fêtes chez les Noirs,
la Mort en robe de griot changerait-elle de dialecte ?... Ah !
toutes choses de mémoire, ah ! toutes choses que nous sûmes,
et toutes choses que nous fûmes, tout ce qu'assemble hors
du songe le temps d'une nuit d'homme, qu'il en soit fait
avant le jour pillage et fête et feu de braise pour la cendre
du soir ! – mais le lait qu'au matin un cavalier tartare tire
du flanc de sa bête, c'est à vos lèvres, ô mon amour,
que j'en garde mémoire.

Saint-John Perse (1887-1975)
Œuvres (1969)

L'Enchanteur pourrissant
(André Derain, 1909)

Le Phénix
(Valentine Hugo,
1952)

L'amoureuse

« Tout commence pour lui avec le surgissement d'un autre, d'une petite tête précieuse qui le regarde et qu'il regarde : cet échange suffit à illuminer le monde et à faire naître en lui une possibilité infinie de sens. »
Jean-Pierre Richard

Elle est debout sur mes paupières
Et ses cheveux sont dans les miens
Elle a la forme de mes mains
Elle a la couleur de mes yeux
Elle s'engloutit dans mon ombre
Comme une pierre sur le ciel.

Elle a toujours les yeux ouverts
Et ne me laisse pas dormir
Ses rêves en pleine lumière
Font s'évaporer les soleils,
Me font rire, pleurer et rire,
Parler sans avoir rien à dire.

Paul Eluard (1895-1952)
Mourir de ne pas mourir (1924)

« Tout jeune, dit Eluard dans Donner à voir, *j'ai ouvert mes bras à la pureté. Ce ne fut qu'un battement d'ailes au ciel de mon éternité, battement de cœur amoureux qui bat dans les poitrines conquises. Je ne pouvais plus tomber. »*

Les yeux fertiles

Tu te lèves l'eau se déplie
Tu te couches l'eau s'épanouit

Tu es l'eau détournée de ses abîmes
Tu es la terre qui prend racine
Et sur laquelle tout s'établit

Tu fais des bulles de silence dans le désert des bruits
Tu chantes des hymnes nocturnes sur les cordes de l'arc-en-ciel
Tu es partout tu abolis toutes les routes

Tu sacrifies le temps
À l'éternelle jeunesse de la flamme exacte
Qui voile la nature en la reproduisant

Femme tu mets au monde un corps toujours pareil
Le tien

Tu es la ressemblance.

Paul Eluard (1895-1952)
Facile (1935)

Ce poème fut publié en tête du recueil Facile *;*
il comportait des photographies de Man Ray qui montraient Nush, dévêtue, évoluant dans un milieu liquide.

« Le thème émane d'une suite de propositions déclaratives d'aspect aphoristique. Les pouvoirs de la Femme sont indissociables de son être. Elle est cet être absolu qui est ce qu'il fait et a prise sur un monde qui n'existe que par elle. »
Marcel Raymond

Nush
(Pablo Picasso, 1936)

Prose du bonheur et d'Elsa

Tant que j'aurai le pouvoir de frémir
Et sentirai le souffle de la vie
    Jusqu'en sa menace
Tant que le mal m'astreindra de gémir
Tant que j'aurai mon cœur et ma folie
    Ma vieille carcasse

Tant que j'aurai le froid de la sueur
Tant que ma main l'essuiera sur mon front
    Comme du salpêtre
Tant que mes yeux suivront une lueur
Tant que mes pieds meurtris me porteront
    Jusqu'à la fenêtre

Quand ma nuit serait un long cauchemar
L'angoisse du jour sans rémission
    Même une seconde
Avec la douleur pour seul étendard
Sans rien espérer les désertions
    Ni la fin du monde

Quand je ne pourrais veiller ni dormir
Ni battre les murs quand je ne pourrais
    Plus être moi-même
Penser ni rêver ni me souvenir
Ni départager la peur du regret
    Les mots du blasphème

Ni battre les murs ni rompre ma tête
Ni briser mes bras ni crever les cieux
    Que cela finisse
Que l'homme triomphe enfin de la bête
Que l'âme à jamais survive à ses yeux
    Et le cri jaillisse

Je resterai le sujet du bonheur
Se consumer pour la flamme au brasier
    C'est l'apothéose
Je resterai fidèle à mon seigneur
La rose naît du mal qu'a le rosier
    Mais elle est la rose

Déchirez ma chair partagez mon corps
Qu'y verrez-vous sinon le paradis
    Elsa ma lumière
Vous l'y trouverez comme un chant d'aurore
Comme un jeune monde encore au lundi
    Sa douceur première

Fouillez fouillez bien le fond des blessures
Disséquez les nerfs et craquez les os
    Comme des noix tendres
Une chose seule une chose est sûre
Comme l'eau profonde au pied des roseaux
    Le feu sous la cendre

Vous y trouverez le bonheur du jour
Le parfum nouveau des premiers lilas
    La source et la rive
Vous y trouverez Elsa mon amour
Vous y trouverez son air et son pas
    Elsa mon eau vive

Vous retrouverez dans mon sang ses pleurs
Vous retrouverez dans mon chant sa voix
    Ses yeux dans mes veines
Et tout l'avenir de l'homme et des fleurs
Toute la tendresse et toute la joie
    Et toutes les peines

*« Les conditions de la parole
sont offertes au poète par un
amour de chair et d'os. Elsa
n'est pas un mythe, mais
la chantant, c'est la poésie
même que l'écrivain honore
et célèbre. »*

Hubert Juin

Tout ce qui confond d'un même soupir
Plaisir et douleur aux doigts des amants
        Comme dans leur bouche
Et qui fait pareil au tourment le pire
Cette chose en eux cet étonnement
        Quand l'autre vous touche

Égrenez le fruit la grenade mûre
Égrenez ce cœur à la fin calmé
        De toutes ses plaintes
Il n'en restera qu'un nom sur le mur
Et sous le portrait de la bien-aimée
        Mes paroles peintes

Louis Aragon (1897-1982)
Le Roman inachevé (1956)

« L'amour d'Elsa m'a toujours apporté lumière, et connaissance de moi-même et des conditions de la parole. »
Louis Aragon

Satana
(anonyme, 1896)

Les espaces de sommeil

Dans la nuit il y a naturellement les sept merveilles du monde et la grandeur et le tragique et le charme.
Les forêts s'y heurtent confusément avec des créatures de légende et cachées dans les fourrés.
Il y a toi.
Dans la nuit il y a le pas du promeneur et celui de l'assassin et celui du sergent de ville et la lumière du réverbère et celle de la lanterne du chiffonnier.
Il y a toi.
Dans la nuit passent les trains et les bateaux et le mirage des pays où il fait jour. Les derniers souffles du crépuscule et les premiers frissons de l'aube.
Il y a toi.
Un air de piano, un éclat de voix.
Une porte claque. Une horloge.
Et pas seulement les êtres et les choses et les bruits matériels.
Mais encore moi qui me poursuis ou sans cesse me dépasse.
Il y a toi l'immolée, toi que j'attends.
Parfois d'étranges figures naissent à l'instant du sommeil et disparaissent.
Quand je ferme les yeux, des floraisons phosphorescentes apparaissent et se fanent et renaissent comme des feux d'artifice charnus.
Des pays inconnus que je parcours en compagnie de créatures.
Il y a toi sans doute, ô belle et discrète espionne.
Et l'âme palpable de l'étendue.
Et les parfums du ciel et des étoiles et le chant du coq d'il y a 2 000 ans et le cri du paon dans des parcs en flamme et des baisers.
Des mains qui se serrent sinistrement dans une lumière blafarde et des essieux qui grincent sur des routes médusantes.
Il y a toi sans doute que je ne connais pas, que je connais au contraire.
Mais qui, présente dans mes rêves, t'obstines à s'y laisser deviner sans y paraître.
Toi qui restes insaisissable dans la réalité et dans le rêve.
Toi qui m'appartiens de par ma volonté de te posséder en illusion mais qui n'approches ton visage du mien que mes yeux clos aussi bien au rêve qu'à la réalité.
Toi qu'en dépit d'une rhétorique facile où le flot meurt sur les plages,
où la corneille vole dans des usines en ruine,
où le bois pourrit en craquant sous un soleil de plomb.
Toi qui es la base de mes rêves et qui secoues mon esprit plein de métamorphoses et qui me laisses ton gant quand je te baise la main.
Dans la nuit, il y a les étoiles et le mouvement ténébreux de la mer, des fleuves, des forêts, des villes, des herbes, des poumons de millions et millions d'êtres.
Dans la nuit il y a les merveilles du monde.
Dans la nuit, il n'y a pas d'anges gardiens mais il y a le sommeil.
Dans la nuit il y a toi.
Dans le jour aussi.

Robert Desnos (1900-1945)
Corps et biens (1930)

S'il fallait prouver que le surréalisme, dans son effort de destruction et de réinvention d'un langage, n'a pas pour autant tari les sources du lyrisme, l'œuvre de Desnos, auprès de celle d'Eluard, en fournirait aisément la preuve.

« Je souhaite, dit André Breton dans Les Vases communicants *à propos du surréalisme, qu'il ne passe pour avoir rien tenté de mieux que de jeter un fil conducteur entre les mondes par trop dissociés de la veille et du sommeil, de la réalité intérieure et extérieure, de la raison et de la folie, du calme de la connaissance et de l'amour, de la vie pour la vie et de la Révolution. »*

Selon Michel Carrouges, le surréalisme « est né d'un immense désespoir devant la condition à laquelle l'homme est réduit sur la terre et d'une espérance sans bornes en la métamorphose humaine ».

La Femme dans la Lune (Aubrey Beardsley, fin XIXe s.)

Dans bien longtemps...

Dans bien longtemps je suis passé par le
château des feuilles
Elles jaunissaient lentement dans la mousse
Et loin les coquillages s'accrochaient
désespérément aux rochers de la mer
Ton souvenir ou plutôt ta tendre présence
était à la même place
Présence transparente et la mienne
Rien n'avait changé mais tout avait vieilli en
même temps que mes tempes et mes yeux
N'aimez-vous pas ce lieu commun ? laissez-moi
laissez-moi c'est si rare cette ironique
satisfaction
Tout avait vieilli sauf ta présence
Dans bien longtemps je suis passé par la
marée du jour solitaire
Les flots étaient toujours illusoires
La carcasse du navire naufragé que tu connais
– tu te rappelles cette nuit de tempête et de
baisers ? — était-ce un navire naufragé ou un
délicat chapeau de femme roulé par le vent
dans la pluie du printemps ? – était à la même
place
Et puis foutaise larirette dansons parmi les
prunelliers !
Les apéritifs avaient changé de nom et de
couleur
Les arcs-en-ciel qui servent de cadre aux
glaces

Dans bien longtemps tu m'as aimé.

Robert Desnos
Corps et biens

*« Robert Desnos a été le premier héros
(et héraut) du rêve dans le surréalisme,
en ce sens qu'il a montré à ses amis
du "mouvement flou", encore incertains
de leur destination, comment "parler
surréaliste à volonté", et comment marcher
en funambule sur le fil imperceptible qui relie
la veille au sommeil. »*

Alexandrian

Événements

Il est un temps où l'eau s'agite
puis elle stagne
et la guerre vient
sont exempts de tout murmure
les lichens sur les pierres
mais point la prêle et la ciguë
bercées par un vent tempéré
couper une tige
au fond d'un pré lisse au soir
devient alors
une réussite de la vie
un homme embrassant une fille
survit dans un jardin transfiguré.

Jean Follain (1903-1971)
Territoires (1953)

*« Le poème ainsi dépouillé, et comme dépoli, acquiert
une présence, plus exactement un présent, qui ne sont
plus ceux de la parole, mais des objets. »*

Henri Thomas

Monument érotique (André Masson, 1962)

Marthe

Sur son exemplaire du Poème pulvérisé, *René Char avait écrit de sa main ces quelques mots : « Mon poème est mon vœu en révolte. Mon poème a la fermeté du désastre ; mon poème est mon souffle futur. »*

Marthe que ces vieux murs ne peuvent pas s'approprier, fontaine où se mire ma monarchie solitaire, comment pourrais-je jamais vous oublier puisque je n'ai pas à me souvenir de vous : vous êtes le présent qui s'accumule. Nous nous unirons sans avoir à nous aborder, à nous prévoir comme deux pavots font en amour une anémone géante.

Je n'entrerai pas dans votre cœur pour limiter sa mémoire. Je ne retiendrai pas votre bouche pour l'empêcher de s'entrouvrir sur le bleu de l'air et la soif de partir. Je veux être pour vous la liberté et le vent de la vie qui passe le seuil de toujours avant que la nuit ne devienne introuvable.

René Char (1907-1988)
Le Poème pulvérisé (1947)

« L'imagination poétique ne s'attache pas aux choses et aux personnes, telles qu'elles sont données, mais à leur manque, à ce qu'il y a en elles d'autre, à l'ignorance qui les rend infinies. »
Maurice Blanchot

Anoukis et plus tard Jeanne

Ce poème rassemble, sous la figure de l'Initiatrice, plusieurs personnages féminins.

Je te découvrirai à ceux que j'aime, comme un long éclair de chaleur, aussi inexplicablement que tu t'es montrée à moi, Jeanne, quand, un matin s'astreignant à ton dessein, tu nous menas de roc en roc jusqu'à cette fin de soi qu'on appelle un sommet. Le visage à demi masqué par ton bras replié, les doigts de ta main sollicitant ton épaule, tu nous offris, au terme de notre ascension, une ville, les souffrances et la qualification d'un génie, la surface égarée d'un désert, et le tournant circonspect d'un fleuve sur la rive duquel des bâtisseurs s'interrogeaient. Mais je te suis vite revenu, Faucille, car tu consumais ton offrande. Et ni le temps, ni la beauté, ni le hasard qui débride le cœur ne pouvaient se mesurer avec toi.

J'ai ressuscité alors mon antique richesse, notre richesse à tous, et dominant ce que demain détruira, je me suis souvenu que tu étais Anoukis l'Étreigneuse, aussi fantastiquement que tu étais Jeanne, la sœur de mon meilleur ami, et aussi inexplicablement que tu étais l'Étrangère dans l'esprit de ce misérable carillonneur dont le père répétait autrefois que Van Gogh était fou.

(Saint-Rémy-des-Alpilles, 18 septembre 1949)

René Char
« Le consentement tacite », Les Matinaux (1947-1949)

« La violence du langage, cette sorte d'élan viril qui soulève la moindre métaphore, tout conspire à nous faire entrevoir le mythe exaltant d'un homme dressé. »
Gaétan Picon

Cet amour

Chansons pour elle
(Aristide Maillol, 1939)

Cet amour
Si violent
Si fragile
Si tendre
Si désespéré
Cet amour
Beau comme le jour
Et mauvais comme le temps
Quand le temps est mauvais
Cet amour si vrai
Cet amour si beau
Si heureux
Si joyeux
Et si dérisoire
Tremblant de peur comme un enfant dans le noir
Et si sûr de lui
Comme un homme tranquille au milieu de la nuit
Cet amour qui faisait peur aux autres
Qui les faisait parler
Qui les faisait blêmir
Cet amour guetté
Parce que nous les guettions
Traqué blessé piétiné achevé nié oublié
Parce que nous l'avons traqué blessé piétiné achevé nié oublié
Cet amour tout entier
Si vivant encore
Et tout ensoleillé
C'est le tien
C'est le mien
Celui qui a été
Cette chose toujours nouvelle
Et qui n'a pas changé
Aussi vraie qu'une plante
Aussi tremblante qu'un oiseau
Aussi chaude aussi vivante que l'été
Nous pouvons tous les deux
Aller et revenir
Nous pouvons oublier
Et puis nous endormir
Nous réveiller souffrir vieillir
Nous endormir encore
Rêver à la mort
Nous éveiller sourire et rire
Et rajeunir
Notre amour reste là
Têtu comme une bourrique
Vivant comme le désir

Chansons pour elle
(Aristide Maillol, 1939)

Cruel comme la mémoire
Bête comme les regrets
Tendre comme le souvenir
Froid comme le marbre
Beau comme le jour
Fragile comme un enfant
Il nous regarde en souriant
Et il nous parle sans rien dire
Et moi je l'écoute en tremblant
Et je crie
Je crie pour toi
Je crie pour moi
Je te supplie
Pour toi pour moi et pour tous ceux qui s'aiment
Et qui se sont aimés
Oui je lui crie
Pour toi pour moi et pour tous les autres
Que je ne connais pas
Reste là
Là où tu es
Là où tu étais autrefois
Reste là
Ne bouge pas
Ne t'en va pas
Nous qui sommes aimés
Nous t'avons oublié
Toi ne nous oublie pas
Nous n'avions que toi sur la terre
Ne nous laisse pas devenir froids
Beaucoup plus loin toujours
Et n'importe où
Donne-nous signe de vie
Beaucoup plus tard au coin d'un bois
Dans la forêt de mémoire
Surgis soudain
Tends-nous la main
Et sauve-nous.

Jacques Prévert (1900-1977)
Paroles (1949)

« Il dispose souverainement du raccourci susceptible de nous rendre en un éclair toute la démarche sensible, rayonnante de l'enfance, et de pourvoir indéfiniment le réservoir de la révolte. »
André Breton

Je t'attendais...

Je t'attendais ainsi qu'on attend les navires
Dans les années de sécheresse quand le blé
Ne monte pas plus haut qu'une oreille dans l'herbe
Qui écoute apeurée la grande voix du temps

Je t'attendais et tous les quais toutes les routes
Ont retenti du pas brûlant qui s'en allait
Vers toi que je portais déjà sur mes épaules
Comme une douce pluie qui ne sèche jamais

Tu ne remuais encor que par quelques paupières
Quelques pattes d'oiseaux dans les vitres gelées
Je ne voyais en toi que cette solitude
Qui posait ses deux mains de feuille sur mon cou

Et pourtant c'était toi dans le clair de ma vie
Ce grand tapage matinal qui m'éveillait
Tous mes oiseaux tous mes vaisseaux tous mes pays
Ces astres ces millions d'astres qui se levaient

Ah que tu parlais bien quand toutes les fenêtres
Pétillaient dans le soir ainsi qu'un vin nouveau
Quand les portes s'ouvraient sur des villes légères
Où nous allions tous deux enlacés dans les rues

Je venais de si loin derrière ton visage
Que je ne savais plus à chaque battement
Si mon cœur durerait jusqu'au temps de toi-même
Où tu serais en moi plus forte que mon sang.

René-Guy Cadou (1920-1951)
Hélène ou le Règne végétal (1944-1952)

Sa brève existence se déroula en Bretagne. C'est en 1943 qu'il rencontrera celle pour laquelle il écrira son recueil Hélène ou le Règne végétal.

Blasons du corps aimé

Nu allongé (Auguste Rodin, v. 1900)

À la fille d'un peintre d'Orléans

BELLE ENTRE LES AUTRES

Au temps passé Apelle peintre sage
Fit seulement de Vénus le visage
Par fiction : mais (pour plus haut atteindre)
Ton père a fait de Vénus (sans rien feindre)
Entièrement la face et le corsage.

Car il est peintre, et tu es son ouvrage,
Mieux ressemblant Vénus de forme et d'âge,
Que le tableau qu'Apelle voulut peindre
Au temps passé.

Vrai est qu'il fit si belle son image,
Qu'elle échauffait en amour maint courage.
Mais celle-là que ton père a su teindre
Y met le feu, et a de quoi l'éteindre :
L'autre n'eut pas un si gros avantage
Au temps passé.

Clément Marot (1496-1544)
L'Adolescence clémentine (1532)

« C'est dans ces genres mineurs, dans ces poèmes de conversation familière, dans ces badinages qu'il faut chercher le plus vrai et le meilleur de Marot. [...] Aux classiques de 1660, répudiant injustement la tradition médiévale, Marot apportait le meilleur de l'ancienne poésie française, une inspiration réellement populaire, sous le vernis de la politesse de cour... »
Jacques Patry

Tête de Vierge
(Rogier Van der Weyden,
1re moitié XVe s.)

Blason du tétin

Tétin refait, plus blanc qu'un œuf,
Tétin de satin blanc tout neuf,
Tétin qui fait honte à la rose,
Tétin plus beau que nulle chose
Tétin d'or, non pas Tétin, voire,
Mais petite boule d'Ivoire,
Au milieu de qui est assise
Une Fraise, ou une Cerise
Que nul ne voit, ne touche aussi,
Mais je gage qu'il est ainsi.
Tétin donc au petit bout rouge,
Tétin qui jamais ne se bouge,
Soit pour venir, soit pour aller,
Soit pour courir, soit pour baller.
Tétin gauche, tétin mignon,
Tétin loin de son compagnon,
Tétin qui porte témoignage
Du demeurant du personnage,
Quand on te voit, il vient à maints
Une envie dedans les mains
De te tâter, de te tenir :
Mais il se faut bien contenir
D'en approcher, bon gré ma vie,
Car il en viendrait autre envie.
Ô tétin, ni grand, ni petit,
Tétin meure, tétin d'appétit,
Tétin qui nuit et jour criez :
Mariez-moi tôt, mariez !
Tétin qui tant t'enfles, et repousses
Ton gorgias de deux bons pouces,
À bon droit heureux on dira
Celui qui de lait t'emplira,
Faisant d'un tétin de pucelle
Tétin de femme entière et belle.

Clément Marot
Œuvres (1544)

Clément Marot eut une vie tourmentée durant laquelle il a tenté de concilier sa vie de poète de cour et son goût pour l'évangélisme militant, qui, à cette époque de la Renaissance française, était une revendication de liberté.

Le Couple amoureux (Zoan Andrea, v. 1510)

« Le succès de son épigramme "Du beau tétin" d'une verve plus franche et plus française, mais légèrement teintée des grâces sensuelles de l'Italie, détermine en France la vogue des blasons du corps féminin. »
Henri Weber

Blason de la larme

« De Ferrare, où il était en exil, Marot avait lancé avec son épigramme du "Beau Tétin" une mode dont s'engouèrent les poètes lyonnais. Ce fut Maurice Scève, qui avait écrit cinq Blasons, *qui remporta la palme décernée par Renée de France. »*
Jacques Brosse

Larme argentine, humide et distillante
Des beaux yeux clairs, descendant coie et lente
Dessus la face, et de là dans les seins,
Lieux prohibés comme sacrés et saints.
Larme qui est une petite perle,
Ronde d'en bas, d'en haut menue et grêle,
En aiguisant sa queue un peu tortue,
Pour démontrer qu'elle lors s'évertue,
Quand par ardeur de deuil ou de pitié,
Elle nous montre en soi quelque amitié ;
Car quand le cœur ne peut se décharger
Du deuil qu'il a, pour le tôt soulager,
Elle est contente issir hors de son centre,
Où en son lieu joie après douleur entre ;
Larme qui peut ire, courroux, dédain
Pacifier et mitiger soudain,
Et amollir le cœur des inhumains,
Ce que ne peut faire force de mains.
Humeur piteuse, humble, douce et bénigne,
De qui le nom, tant excellent et digne,
Ne se devrait qu'en honneur proférer,
Vu que la mort elle peut différer
Et prolonger le terme de la vie,
Comme l'on dit au livre d'Isaïe.
Ô liqueur sainte, ô petite larmette,
Digne qu'aux cieux au plus haut on te mette,
Qui l'homme à Dieu peux réconcilier,
Quand il se veut par toi humilier.
Larme qu'apaise et adoucit les Dieux,
Voire éblouit et baigne leurs beaux yeux.
Ayant pouvoir encor sus plus grand'chose,
Et si ne peut la flamme, en mon cœur close,
Diminuer et tant soit peu éteindre,
Et toutefois, elle pourrait bien teindre
La joue blanche et vermeille de celle
Qui son vouloir jusques ici me cèle.
Ô larme épaisse, ou compagne secrète,
Qui sais assez comment amour me traite,
Sors de mes yeux, non pas à grands pleins seaux,
Mais bien descends à gros bruyants ruisseaux,
Et tellement excite ton pouvoir,
Que par pitié tu puisses émouvoir
Celle qui n'a commisération
De ma tant grande et longue passion.

Maurice Scève (1501-1564)
Hécatomphile (1536)

« Gentil esprit, ornement de la France,/ Qui d'Apollon saintement inspiré,/ T'es le premier du peuple retiré/ Loin du chemin tracé par l'ignorance. »
Du Bellay

Rendez à l'or...

Rendez à l'or cette couleur, qui dore
Ces blonds cheveux, rendez mil' autres choses :
À l'orient tant de perles encloses,
Et au Soleil ces beaux yeux, que j'adore.

Rendez ces mains au blanc ivoire encore,
Ce sein au marbre et ces lèvres aux roses,
Ces doux soupirs aux fleurettes décloses,
Et ce beau teint à la vermeille Aurore.

Rendez aussi à l'Amour tous ses traits,
Et à Vénus ses grâces et attraits :
Rendez aux cieux leur céleste harmonie.

Rendez encor' ce doux nom à son arbre,
Ou aux rochers rendez ce cœur de marbre,
Et aux lions cet' humble félonie.

Joachim du Bellay (1522-1560)
L'Olive (1550)

Portrait de Pierre de Ronsard (anonyme, 1609)

« Les sonnets amoureux de L'Olive *sont d'abord une série d'exercices où, avec un talent et une maîtrise incontestables, l'artiste joue sur les thèmes, les images, les antithèses, les pointes du néo-pétrarquisme italien de l'entourage de Bembo. »* Henri Weber

« L'essentiel, c'est que du Bellay, après Marot, donne au sonnet sa substance, la perfection féminine, et son langage, le rituel d'amour. » Jacques Vier

Marie

Marie, qui voudrait votre beau nom tourner
Il trouverait Aimer : aimez-moi donc, Marie, Faites cela
vers moi dont votre nom vous prie,
Votre amour ne se peut en meilleur lieu donner ;
S'il vous plaît pour jamais un plaisir démener,
Aimez-moi, nous prendrons les plaisirs de la vie,
Pendus l'un l'autre au col, et jamais nulle envie
D'aimer en autre lieu ne nous pourra mener.
Si faut il bien aimer au monde quelque chose :
Celui qui n'aime point, celui-là se propose
Une vie d'un Scyte, et ses jours veut passer
Sans goûter la douceur des douceurs la meilleure
Et, qu'est-il rien de doux sans Vénus ? las ! à l'heure
Que je n'aimerai point puissai-je trépasser !

Pierre de Ronsard (1524-1585)
Les Amours de Marie (1555)

Une beauté...

Une beauté de quinze ans enfantine,
Un or frisé de meint crespe anelet,
Un front de rose, un teint damoiselet,
Un ris qui l'âme aux Astres achemine;

Une vertu de telle beauté digne,
Un col de neige, une gorge de lait,
Un cœur ja meur en un sein verdelet,
En dame humaine une beauté divine;

Un œil puissant de faire jours les nuits,
Une main douce à forcer les ennuis,
Qui tient ma vie en ses doigts enfermée;

Avec un chant découpé doucement,
Or' d'un souris, or' d'un gémissement;
De tels sorciers ma raison fut charmée.

Pierre de Ronsard
Les Amours de Cassandre (1552)

« Personne en France n'eut plus de réputation de son temps que Ronsard. C'est qu'on était barbare dans le temps de Ronsard. » Voltaire

L'autre jour...

L'autre jour que j'étais sur le haut d'un degré,
Passant tu m'avisas et, me tournant la vue,
Tu m'éblouis les yeux, tant j'avais l'âme émue
De me voir en sursaut de tes yeux rencontré.

Ton regard dans le cœur, dans le sang m'est [entré
Comme un éclat de foudre, alors qu'il fend la [nue;
J'eus de froid et de chaud la fièvre continue,
D'un si poignant regard mortellement outré.

Et si ta blanche main passant ne m'eût fait [signe,
Main blanche qui se vante d'être fille d'un [Cygne.
Je fusse mort, Hélène, aux rayons de tes yeux;

Mais ton signe retint l'âme presque ravie,
Ton œil se contenta d'être victorieux,
Ta main se réjouit de me donner la vie.

Pierre de Ronsard
Sonnets pour Hélène (1578)

*Nymphe (*Gulio Romano, v. 1516)

*C'est Hélène de Surgères,
une des filles d'honneur de
Catherine de Médicis,
qui inspira un recueil
de sonnets à Ronsard.*

*« On notera le tour
sentencieux des alexandrins,
détachés, sans nul rejet,
la lenteur et la solennité
qui s'accordent à l'idée
de la métamorphose en glace,
en marbre. Cette poésie-sculpture
fait du corps une statue,
matérialise l'objet – la femme
– ce qui est ici une manière
de l'idéaliser, de l'ennoblir. »*
Marcel Raymond

Ton nombril délicat...

Ton nombril délicat, qui sert comme d'un [centre
Sur un arc arrondi, marque de ce beau ventre,
Ressemble à la rondeur d'un vase fait au tour,
Toujours plein de parfum et de fleurs à [l'entour
Ton ventre potelé, douillet, grasset, ressemble
Au monceau de froment en rondeur mis [ensemble,
Remparé tout autour de beaux lis blanchissants,
Qui couronnent ce rond haussé entre deux [flancs.

Rémi Belleau (1528-1577)
Églogues sacrées (1576)

Combien de fois...

Combien de fois mes vers ont-ils doré
Ces cheveux noirs dignes d'une Méduse ?
Combien de fois ce teint noir qui m'amuse,
Ai-je de lis et roses coloré ?

Combien ce front de rides labouré
Ai-je aplani ? et quel a fait ma Muse
Ce gros sourcil, où folle elle s'abuse,
Ayant sur lui l'arc d'Amour figuré ?

Quel ai-je fait son œil se renfonçant ?
Quel ai-je fait son grand nez rougissant ?
Quelle sa bouche ? et ses noires dents quelles ?

Quel ai-je fait le reste de ce corps ?
Qui, me sentant endurer mille morts,
Vivait heureux de mes peines mortelles.

Étienne Jodelle (1532-1573)
Œuvres et mélanges poétiques (1574)

L'un des recueils les plus connus de Belleau s'intitule Les Amours et nouveaux échanges de pierres précieuses, *dans la tradition des traités de l'Antiquité et des lapidaires du Moyen Âge. Ainsi comprend-on l'épitaphe que lui avait composée son ami Ronsard :*
« Ne taillez, mains industrieuses,
Des pierres pour couvrir Belleau,
Lui-même a bâti son tombeau
Dedans ses pierres précieuses. »

Henri Weber distingue dans l'inspiration de Belleau aussi bien le scepticisme de L'Ecclésiaste *que la tonalité du* Cantique des cantiques *et il ajoute, à propos de ce poème « oriental », qu'il unit « la grâce un peu mignarde d'images pétrarquistes aux fortes évocations sensuelles ».*

Nymphe maîtrisant un satyre (anonyme, XVIe s.)

« Un des plus impétueux champions de la Pléiade, il fait figure à cette époque de digne et dangereux rival de Ronsard lui-même. »
Jacques Brosse

« Peu de poètes du XVIe siècle connurent après une grande renommée une chute aussi lamentable [...]. L'homme, au caractère altier, hautain, orgueilleux était peu sympathique ; le poète, en dépit de ses prétentions, de certaines audaces en matière rythmique particulièrement, n'a point donné ce qu'on attendait de lui, faute de se soucier de la nécessité du travail poétique. »
A. Muller

Vénus et Cupidon
(anonyme, XVIe s.)

Sur le champ de bataille de Casteljaloux, en 1577, il commence à dicter les premiers vers de ses Tragiques *qu'il n'achèvera que quarante ans plus tard.*

Auprès de ce beau teint...

Il a écrit ses poèmes au hasard des haltes entre deux batailles, et son œuvre s'en ressent.

Auprès de ce beau teint, le lys en noir se change,
Le lait est basané auprès de ce beau teint,
Du cygne la blancheur auprès de vous s'éteint,
Et celle du papier où est votre louange.

Le sucre est blanc, et lorsqu'en la bouche on le range
Le goût plaît, comme fait le lustre qui le peint.
Plus blanc est l'arsenic, mais c'est un lustre feint,
Car c'est mort, c'est poison à celui qui le mange.

Votre blanc en plaisir teint ma rouge douleur,
Soyez douce du goût, comme belle en couleur,
Que mon espoir ne soit démenti par l'épreuve,
Votre blanc ne soit point d'aconite noirci,
Car ce sera ma mort, belle, si je vous treuve [trouve]
Aussi blanche que neige, et froide tout ainsi.

Agrippa d'Aubigné (1552-1630)
L'Hécatombe à Diane

Il n'est rien de si beau...

Il n'est rien de si beau comme Caliste est belle :
C'est une œuvre où Nature a fait tous ses efforts :
Et notre âge est ingrat qui voit tant de trésors,
S'il n'élève à sa gloire une marque éternelle.

La clarté de son teint n'est pas chose mortelle :
Le baume est dans sa bouche, et les roses dehors :
Sa parole et sa voix ressuscitent les morts,
Et l'art n'égale point sa douceur naturelle.

La blancheur de sa gorge éblouit les regards :
Amour est en ses yeux, il y trempe ses dards,
Et la fait reconnaître un miracle visible.

En ce nombre infini de grâces, et d'appas,
Qu'en dis-tu ma raison ? crois-tu qu'il soit possible
D'avoir du jugement, et ne l'adorer pas ?

François de Malherbe (1555-1628)
Poésies (1608)

Sitôt que le sommeil...

Sitôt que le sommeil au matin m'a quitté,
Le premier souvenir est du c.. de Nérée,
De qui la motte ferme et la barbe dorée,
Égale ma fortune à l'immortalité.

Mon v.., dont le plaisir est la félicité,
S'allonge incontinent à si douce curée,
Et d'une échine roide au combat préparée,
Montre que sa colère est à l'extrémité.

La douleur que j'en ai m'ôte la patience,
Car de me le mener c'est cas de conscience,
Ne me le mener point ce sont mille trépas.

Je le pense flatter afin qu'il se contienne,
Mais en l'entretenant je ne m'aperçois pas,
Qu'il me crache en la main sa fureur et la mienne.

François de Malherbe
Poésies

Les sonnets adressés à Caliste rendent compte de l'aventure du poète avec la vicomtesse d'Auchy.

« Les ouvrages communs durent quelques années,
Ce que Malherbe écrit dure éternellement. »

Malherbe

« La poésie de Malherbe sera purgée de tout ce qui arrive, commence, se développe, donc de toute valeur épique, de tout ce qui se saisit nécessairement dans le devenir; c'est une façon d'échapper au Baroque. »
Jean Rousset

Les Belles Courtisanes (Le Blond, 1re moitié XVIIe s.)

« Il a tout ordonné, a coupé ce qu'il fallait des mots, les a assurés, ajustés et polis, juste comme il faut. Il a indiqué leur alignement. »
Francis Ponge

Gentilhomme (Androuet du Cerceau, XVIe s.)

Thisbé pour le portrait de Pyrame, au peintre

Fais-moi de grâce une peinture,
Si tu fis jamais rien de beau,
Toi qui des traits de ton pinceau
Surpasses l'Art et la Nature,
Mais sans prendre plus de loisir
Que mon impatient désir
N'en peut accorder à mon âme,
Au moins apporte-moi demain
Le portrait de l'œil de Pyrame,
Ou celui de sa belle main.

N'eusses-tu tracé que l'ombrage
De son front ou de ses cheveux,
Ne fais point tant languir mes vœux,
En l'attente de ton ouvrage ;
Apporte-moi dès aujourd'hui
Quelques petits semblants de lui.
Peintre n'as-tu rien fait encore ?
Tu recherches trop de façon :
Il ne faut que peindre l'Aurore,
Sous l'habit d'un jeune garçon.

Connais-tu les lis et les roses,
En sais-tu faire les portraits,
En un mot sais-tu tous les traits
De toutes les plus belles choses ?
As-tu vu ces tableaux hardis,
Qui sur les autels de jadis,
Ont porté le pinceau d'Apelle ?
Sache que tu m'offenseras
De ne prendre au plus beau modèle
Un portrait que tu lui feras.

Suis tous les plus fameux exemples
Des peintres morts ou des vivants,
Vois tout ce que les plus savants
Ont fait pour embellir nos temples,
Vois le teint, les yeux et les mains,
Dont l'artifice des humains
A voulu figurer les Anges ;
Leur plus superbe monument
Doit quitter toutes ses louanges
À l'image de mon amant.

Si tu voulais peindre Hyacinthe
Pour le faire voir au Soleil,
Ou d'un plus superbe appareil
Vaincre le Tasse en son Aminthe,
Tu peindrais Pyrame, ou l'Amour,
Ou ce premier éclat du jour,
Lorsque sans ride et sans nuage,
Dans le Ciel comme en un tableau,
Il fait luire son beau visage
Tout fraîchement tiré de l'eau.

Sois, je te prie, un peu barbare,
Pour bien faire, ouvre-moi le sein,
Tu dois là prendre le dessein
D'une occupation si rare.
Plût au Ciel qu'il te fût permis
De le voir comme Amour l'a mis
Au plus profond de mes pensées,
Car c'est où ses perfections
Paraissent vivement tracées,
Aussi bien que mes passions.

Mais pardonne à ma jalousie,
S'il se peut sans t'injurier,
Laisse-toi derechef prier
De le peindre à ma fantaisie.
Ne demande point à le voir,
Car pour bien faire ton devoir,
Et ne me faire point d'injure,
Tu le peindras comme les Dieux,
De qui tu fais bien la figure
Sans qu'ils soient présents à tes yeux.

Théophile de Viau (1590-1626)
Œuvres (1621-1623)

« [Il] manque de peu le secret de Jean de La Fontaine, celui d'une paresse qui est disponibilité, d'une flânerie qui est docilité aux dieux. »
Antoine Duminaret

« À Malherbe, à Racan, préférer Théophile,/ Et le clinquant du Tasse à tout l'or de Virgile. »
Boileau

Le soupir ambigu

Soupir, subtil esprit de flamme
Qui sors du beau sein de Madame,
Que fait son cœur, apprends-le-moi ?
Me conserve-t-il bien la foi ?
Ne serais-tu pas l'interprète
D'une autre passion secrète ?
Ô cieux ! qui d'un si rare effort
Mites tant de vertus en elle,
Détournez un si mauvais sort !
Qu'elle ne soit point infidèle,
Et faites plutôt que la belle
Vienne à soupirer de ma mort,
Que non pas d'une amour nouvelle.

Tristan L'Hermite (1601-1655)
Les Plaintes d'Acante (1633)

« Tristan me paraît la plus charmante et la plus personnelle expression de la société précieuse de son temps. »
Marcel Arland

La Femme à la flèche (Rembrandt, 1661)

Junon et Héra
(Goltzius, XVIIe s.)

La négligence avantageuse

Je surpris l'autre jour la Nymphe que j'adore
Ayant sur une jupe un peignoir seulement,
Et la voyant ainsi, l'on eût dit proprement
Qu'il sortait de son lit une nouvelle Aurore.

Ses yeux que le sommeil abandonnait encore,
Ses cheveux autour d'elle errant confusément
Ne lièrent mon cœur que plus étroitement
Ne firent qu'augmenter le feu qui me dévore.

Amour, si mon soleil brûle dès le matin,
Je ne puis espérer en mon cruel destin
De voir diminuer l'ardeur qui me tourmente.

Dieux ! quelle est la beauté qui cause ma
[langueur ?
Plus elle est négligée et plus elle est charmante,
Plus son poil est épars, plus il presse mon cœur.

Tristan L'Hermite
Les Plaintes d'Acante

Ce mobile corail

Quand l'aimable Philis autrefois si farouche,
Permet que je la baise, et me baise à son tour,
Mon Dieu que ses faveurs embellissent sa bouche,
Et que sa belle bouche oblige mon amour !

C'est une riche conque où la perle se range,
C'est un antre semé de rubis et de fleurs,
Un vase de corail, qui recèle une eau d'ange,
Dont mon sein embrasé tempère ses chaleurs.

Dédale des esprits, petit gouffre de flammes,
Où séjournent les ris, les attraits et les jeux,
Douce prison des cœurs, riche tombeau des âmes,
Que je vous dois d'encens, d'offrandes et de vœux !

Ce cinabre vivant, cette rose sensible,
Ce mobile corail, et ce pourpre animé,
Ne sont plus à mes yeux qu'une marque visible
Du feu, dont le dedans est si fort allumé...

Claude de Malleville (1597-1647)
Poésies (1649)

« Il y a là du jeu, un jeu qu'on pratique avec un mélange d'ironie et de sérieux ; il répond à un besoin de plaire en se grisant ; il peut mener à des découvertes, à des tentatives neuves sur le langage. » Jean Rousset

L'exploitation de l'amour (Honoré Daumier, 1837)

« [...] Émaux et camées *[...] marque vraiment le début d'un art nouveau, dédaigneux des grands sentiments et de l'effet, éliminant complètement tous les élans du moi pour une recherche de la seule perfection formelle. »* Michel Mourre

Diamant du cœur

Tout amoureux, de sa maîtresse,
Sur son cœur ou dans son tiroir,
Possède un gage qu'il caresse
Aux jours de regret ou d'espoir.

L'un d'une chevelure noire,
Par un sourire encouragé,
A pris une boucle que moire
Un reflet bleu d'aile de geai.

L'autre a, sur un cou blanc qui ploie,
Coupé par derrière un flocon
Retors et fin comme la soie
Que l'on dévide du cocon.

Un troisième, au fond d'une boîte,
Reliquaire du souvenir,
Cache un gant blanc, de forme étroite,
Où nulle main ne peut tenir.

Cet autre, pour s'en faire un charme,
Dans un sachet, d'un chiffre orné,
Coud des violettes de Parme,
Frais cadeau qu'on reprend fané.

Celui-ci baise la pantoufle
Que Cendrillon perdit un soir ;
Et celui-ci conserve un souffle
Dans la barbe d'un masque noir.

Moi, je n'ai ni boucle lustrée,
Ni gant, ni bouquet, ni soulier,
Mais je garde, empreinte adorée,
Une larme sur un papier :

Pure rosée, unique goutte,
D'un ciel d'azur tombée un jour,
Joyau sans prix, perle dissoute
Dans la coupe de mon amour !

Et, pour moi, cette obscure tache
Reluit comme un écrin d'Ophyr,
Et du vélin bleu se détache,
Diamant éclos d'un saphir.

Cette larme, qui fait ma joie,
Roula, trésor inespéré,
Sur un de mes vers qu'elle noie,
D'un œil qui n'a jamais pleuré !

Théophile Gautier (1811-1872)
Émaux et camées (1852)

La Crinoline (Aubrey Beardsley, fin XIXe s.)

À une robe rose

Que tu me plais dans cette robe
Qui te déshabille si bien,
Faisant jaillir ta gorge en globe,
Montrant tout nu ton bras païen!

Frêle comme une aile d'abeille,
Frais comme un cœur de rose-thé,
Son tissu, caresse vermeille,
Voltige autour de ta beauté.

De l'épiderme sur la soie
Glissent des frissons argentés,
Et l'étoffe à la chair renvoie
Ses éclairs roses reflétés.

D'où te vient cette robe étrange
Qui semble faite de ta chair,
Trame vivante qui mélange
Avec ta peau son rose clair?

Est-ce à la rougeur de l'aurore,
À la coquille de Vénus,
Au bouton de sein près d'éclore,
Que sont pris ces tons inconnus?

Ou bien l'étoffe est-elle teinte
Dans les roses de ta pudeur?
Non; vingt fois modelée et peinte,
Ta forme connaît sa splendeur.

Jetant le voile qui te pèse,
Réalité que l'art rêve,
Comme la princesse Borghèse
Tu poserais pour Canova.

Et ces plis roses sont les lèvres
De mes désirs inapaisés,
Mettant au corps dont tu les sèvres
Une tunique de baisers.

Théophile Gautier
Émaux et camées

Ce poème fut publié pour la première fois dans « L'Artiste » de février 1850; il fut écrit pour Madame Sabatier, laquelle inspira aussi Baudelaire. « À lui seul peut-être il appartient de dire sans emphase : Il n'y a pas d'idées inexprimables ! »
Charles Baudelaire, à propos de Théophile Gautier

Carmen

Carmen est maigre, – un trait de bistre
Cerne son œil de gitana.
Ses cheveux sont d'un noir sinistre,
Sa peau, le diable la tanna.

Les femmes disent qu'elle est laide,
Mais tous les hommes en sont fous :
Et l'archevêque de Tolède
Chante la messe à ses genoux;

Car sur sa nuque d'ambre fauve
Se tord un énorme chignon
Qui, dénoué, fait dans l'alcôve
Une mante à son corps mignon.

Et, parmi sa pâleur, éclate
Une bouche aux rires vainqueurs;
Piment rouge, fleur écarlate,
Qui prend sa pourpre au sang des cœurs.

Ainsi faite, la moricaude
Bat les plus altières beautés,
Et de ses yeux la lueur chaude
Rend la flamme aux satiétés.

Elle a dans sa laideur piquante
Un grain de sel de cette mer
D'où jaillit nue et provocante,
L'âcre Vénus du gouffre amer.

Théophile Gautier
Émaux et camées

Ce poème paru pour la première fois dans « La Revue fantaisiste » *d'avril 1861, sous le titre : « Vieille Guitare romantique. Carmen. »*

Femme se peignant (Aubrey Beardsley, fin XIXe s.)

« Théophile est l'écrivain par excellence parce qu'il est l'esclave de son devoir, parce qu'il obéit sans cesse aux nécessités de sa fonction, parce que le goût du Beau est pour lui un fatum, *parce qu'il a fait de son devoir une idée fixe. »* Charles Baudelaire

Ma richesse

Bluette

*À M****

Ma richesse, c'est la feuillée
Qu'argentent les pleurs du matin,
C'est le beau soir dans la vallée,
Dorant l'azur d'un ciel serein ;

Ma richesse, c'est l'eau qui chante,
À l'abri frais des bleus lilas ;
C'est l'oiseau dont la voix enchante
Et qui s'effraie, au bruit des pas.

Mais plus que la feuille légère,
Plus que les parfums du matin,
Plus que la flamme passagère
Du soir brillant au ciel serein ;

✓ Plus que le repos sur la mousse,
Plus que les chants harmonieux,
Ma richesse, c'est ta voix douce,
C'est ton regard, rayon des cieux !

Charles Leconte de Lisle (1818-1894)
Œuvres diverses

On sait que Leconte de Lisle fut le chef de file de l'école parnassienne, caractérisée par son hostilité au pathos romantique et aux effusions personnelles. On rencontre pourtant à côté de ses grandes œuvres des pièces moins hiératiques comme cette « Bluette ».

Faune et bacchante
(I. R. Henri, 1895)

Le beau navire

Je veux te raconter, ô molle enchanteresse!
Les diverses beautés qui parent ta jeunesse;
Je veux te peindre ta beauté,
Où l'enfance s'allie à la maturité.

Quand tu vas balayant l'air de ta jupe large,
Tu fais l'effet d'un beau vaisseau qui prend le
Chargé de toile, et va roulant [large,
Suivant un rythme doux, et paresseux, et lent.

Sur ton cou large et rond, sur tes épaules
[grasses,
Ta tête se pavane avec d'étranges grâces;
D'un air placide et triomphant
Tu passes ton chemin, majestueuse enfant.

Je veux te raconter, ô molle enchanteresse!
Les diverses beautés qui parent ta jeunesse;
Je veux te peindre ta beauté,
Où l'enfance s'allie à la maturité.

Ta gorge qui s'avance et qui pousse la moire,
Ta gorge triomphante est une belle armoire
Dont les panneaux bombés et clairs
Comme les boucliers accrochent des éclairs;

Boucliers provocants, armés de pointes roses!
Armoire à doux secrets, pleine de bonnes
[choses,
De vins, de parfums, de liqueurs
Qui feraient délirer les cerveaux et les cœurs!

Quand tu vas balayant l'air de ta jupe large,
Tu fais l'effet d'un beau vaisseau qui prend le
Chargé de toile, et va roulant [large,
Suivant un rythme doux, et paresseux, et lent.

Tes nobles jambes, sous les volants qu'elles
[chassent,
Tourmentent les désirs obscurs et les agacent,
Comme deux sorcières qui font
Tourner un philtre noir dans un vase profond.

Tes bras, qui se joueraient des précoces
[hercules,
Sont des boas luisants les solides émules,
Faits pour serrer obstinément,
Comme pour l'imprimer dans ton cœur, ton
[amant.

Sur ton cou large et rond, sur tes épaules
[grasses,
Ta tête se pavane avec d'étranges grâces;
D'un air placide et triomphant
Tu passes ton chemin, majestueuse enfant.

Charles Baudelaire (1821-1867)
Les Fleurs du mal (1859)

Jules Lemaître qui lisait Les Fleurs du mal *en 1889 déclarait : « C'est encore, en amour, l'alliance du mépris et de l'adoration de la femme, et aussi de la volupté charnelle et du mysticisme. »*

Vision céleste
(Baudelaire)

« Pour l'expérience poétique [de Baudelaire] la femme est quelque part (en elle-même) "centre", centrée sur le point d'indifférence des différences, le point de passage des contraires l'un dans l'autre qui repassent l'un à l'autre par elle, fléau de la métaphore, source en retrait de ce qui sourd en se partageant. »
Michel Deguy

La chevelure

Ô Toison, moutonnant jusque sur l'encolure!
Ô boucles! Ô parfum chargé de nonchaloir!
Extase! Pour peupler ce soir l'alcôve obscure
Des souvenirs dormant dans cette chevelure,
Je la veux agiter dans l'air comme un mouchoir!

La langoureuse Asie et la brûlante Afrique,
Tout un monde lointain, absent, presque défunt,
Vit dans tes profondeurs, forêt aromatique!
Comme d'autres esprits voguent sur la musique
Le mien, ô mon amour! nage sur ton parfum.

J'irai là-bas où l'arbre et l'homme, pleins de
[sève,
Se pâment longuement sous l'ardeur des climats;
Fortes tresses, soyez la houle qui m'enlève!
Tu contiens, mer d'ébène, un éblouissant rêve
De voiles, de rameurs, de flammes et de mâts :

Un port retentissant où mon âme peut boire
À grands flots le parfum, le son et la couleur;
Où les vaisseaux, glissant dans l'or et dans la
[moire,
Ouvrent leurs vastes bras pour embrasser la
[gloire
D'un ciel pur où frémit l'éternelle chaleur.

Je plongerai ma tête amoureuse d'ivresse
Dans ce noir océan où l'autre est enfermé;
Et mon esprit subtil que le roulis caresse
Saura vous retrouver, ô féconde paresse!
Infinis bercements du loisir embaumé!

Cheveux bleus, pavillon de ténèbres tendues,
Vous me rendez l'azur du ciel immense et rond;
Sur les bords duvetés de vos mèches tordues
Je m'enivre ardemment des senteurs
[confondues
De l'huile de coco, du musc et du goudron.
Longtemps! toujours! ma main dans ta crinière
[lourde
Sèmera le rubis, la perle et le saphir,
Afin qu'à mon désir tu ne sois jamais sourde!
N'es-tu pas l'oasis où je rêve, et la gourde
Où je hume à longs traits le vin du souvenir?

Charles Baudelaire
Les Fleurs du mal

Ce poème a paru pour la première fois en mai 1859 dans « La Revue française » ; il correspond dans Les Petits Poèmes en prose *à « Un hémisphère dans une chevelure ».*

« Le poème devient une vaste évocation d'un Orient de rêve, épuré, embelli, agrandi, éclairé par le souvenir nostalgique, mais surtout par l'imagination et par l'art souverain du poète. » L. J. Austin

Étude pour « Aspasie la Mauresque »
(Eugène Delacroix, v. 1820)

Quelle soie...

Quelle soie aux baumes de temps
Où la Chimère s'exténue
Vaut la torse et native nue
Que, hors de ton miroir, tu tends !

Les trous de drapeaux méditants
S'exaltent dans notre avenue :
Moi, j'ai ta chevelure nue
Pour enfouir mes yeux contents.

Non ! La bouche ne sera sûre
De rien goûter à sa morsure,
S'il ne fait, ton princier amant,

Dans la considérable touffe
Expirer, comme un diamant,
Le cri des Gloires qu'il étouffe.

Stéphane Mallarmé (1842-1898)
Poésies complètes (1887)

Dans ce poème, paru en mars 1885 dans « La Revue Indépendante », la Chimère dont il est question serait, selon Camille Soula « l'idéal poétique ».

Georges Mounin rappelle que Mallarmé cherche avant tout, à travers la désarticulation syntaxique, « un ton, celui de la confidence, et paradoxalement celui de la conversation, parce qu'il espère toujours y fixer les connotations, des cercles vibratoires de notre pensée ».

Dame à la houpette (Aubrey Beardsley, fin XIXe s.)

Femme allongée aux jambes croisées, le vêtement relevé (Auguste Rodin, v. 1900)

Sonnet d'Oaristys...

Tu me fis d'imprévus et fantasques aveux
Un soir que tu t'étais royalement parée,
Haut coiffée, et ruban ponceau dans tes cheveux
Qui couronnaient ton front de leur flamme dorée.

Tu m'avais dit « Je suis à toi si tu me veux » ;
Et, frémissante, à mes baisers tu t'es livrée.
Sur ta gorge glacée et sur tes flancs nerveux
Les frissons de Vénus perlaient ta peau nacrée.
L'odeur de tes cheveux, la blancheur de tes dents,
Tes souples soubresauts et tes soupirs grondants,
Tes baisers inquiets de lionne joueuse

M'ont, à la fois, donné la peur et le désir
De voir finir, après l'éblouissant plaisir,
Par l'éternelle mort, la nuit tumultueuse.

Charles Cros (1842-1888)
Le Coffret de santal (1873)

« Charles Cros fit des études d'autodidacte, avec une prédilection marquée pour les sciences ; à quatorze ans il passait son baccalauréat. Au même âge il était déjà capable d'enseigner le sanscrit et l'hébreu. »

Michel Mourre

Charles Cros est l'inventeur du premier phonographe, même si la postérité a retenu Edison.

Possession

Puisque ma bouche a rencontré
Sa bouche, il faut me taire. Trêve
Aux mots creux. Je ne montrerai
Rien qui puisse trahir mon rêve.

★

Il faut que je ne dise rien
De l'odeur de sa chevelure,
De son sourire aérien,
Des bravoures de son allure,

Rien des yeux aux regards troublants,
Persuasifs, cabalistiques,
Rien des épaules, des bras blancs
Aux effluves aromatiques.

★

Je ne sais plus faire d'ailleurs
Une si savante analyse,
Possédé de rêves meilleurs
Où ma raison se paralyse.

Épave en proie au jeu des vagues,
Par le vertige où m'ont jeté
Ses lèvres tièdes, ses yeux vagues.

★

On se demandera d'où vient
L'influx tout-puissant qui m'oppresse,
Mais personne n'en saura rien
Que moi seul... et l'Enchanteresse.

Charles Cros
Le Coffret de santal

« Les poèmes de lui que nous possédons, il est d'évidence qu'ils tiennent à sa vie intime, qu'ils permettent à demi de déchiffrer son histoire. Ce chant se compose d'un récit sans fin brisé et sans cesse repris. »
Hubert Juin

À Clymène

Mystiques barcarolles,
Romances sans paroles,
Chère, puisque tes yeux,
Couleur des cieux,

Puisque ta voix, étrange
Vision qui dérange
Et trouble l'horizon
De ma raison,

Puisque l'arôme insigne
De ta pâleur de cygne
Et puisque la candeur
De ton odeur,

Ah ! puisque tout ton être,
Musique qui pénètre,
Nimbes d'anges défunts,
Tons et parfums,

A, sur d'almes cadences,
En ces correspondances
Induit mon cœur subtil,
Ainsi soit-il !

Paul Verlaine (1844-1896)
Fêtes galantes (1869)

C'est de ce poème que Verlaine tirera curieusement le titre d'un recueil poétique ultérieur : Romances sans paroles, *contemporain de la rencontre de Rimbaud et de sa mésentente avec sa femme.*

« Verlaine – Verlaine misérable carrière de misère, grossièreté des mœurs et des idées – mais ce chant – [...] »
Paul Valéry

Les Nuits (Luc Olivier Merson, XIXe s.)

Les ingénus

Les hauts talons luttaient avec les longues jupes,
En sorte que, selon le terrain et le vent,
Parfois luisaient des bas de jambes, trop souvent
Interceptés ! – et nous aimions ce jeu de dupes.

Parfois aussi le dard d'un insecte jaloux
Inquiétait le col des belles sous les branches,
Et c'étaient des éclairs soudains de nuques
[blanches,
Et ce régal comblait nos jeunes yeux de fous.

Le soir tombait, un soir équivoque d'automne :
Les belles, se pendant rêveuses à nos bras,
Dirent alors des mots si spécieux, tout bas,
Que notre âme, depuis ce temps, tremble et
[s'étonne.

Paul Verlaine
Fêtes galantes

« J'ai les Fêtes galantes *de Paul Verlaine,
un joli in-12 écu. C'est fort bizarre, très drôle ;
mais vraiment, c'est adorable.
Parfois de fortes licences [...] »*
Arthur Rimbaud

Auburn

« Et des châtain's aussi. »
(Chanson de Malbrouk.)

Tes yeux, tes cheveux indécis,
L'arc mal précis de tes sourcils,
La fleur pâlotte de ta bouche,
Ton corps vague et pourtant dodu,
Te donnent un air peu farouche
À qui tout mon hommage est dû.

Mon hommage, ah, parbleu ! tu l'as.
Tous les soirs, quels joie et soulas,
Ô ma très sortable châtaine,
Quand vers mon lit tu viens, les seins
Roides, et quelque peu hautaine,
Sûre de mes humbles desseins,

Sans titre (Leonor Fini)

Les seins roides sous la chemise,
Fière de la fête promise
À tes sens partout et longtemps,
Heureuse de savoir ma lèvre,
Ma main, mon tout, impénitents
De ces péchés qu'un fol s'en sèvre !

Sûre de baisers savoureux
Dans le coin des yeux, dans le creux
Des bras et sur le bout des mammes,
Sûre de l'agenouillement
Vers ce buisson ardent des femmes
Follement, fanatiquement !

Et hautaine puisque tu sais
Que ma chair adore à l'excès
Ta chair et que tel est ce culte
Qu'après chaque mort, – quelle mort ! –
Elle renaît, dans quel tumulte !
Pour mourir encore et plus fort.

Oui, ma vague, sois orgueilleuse,
Car radieuse ou sourcilleuse,
Je suis ton vaincu, tu m'as tien :
Tu me roules comme la vague
Dans un délice bien païen,
Et tu n'es pas déjà si vague !

Paul Verlaine
Parallèlement (1889)

*« [...] Si chez Verlaine la chair fut faible
et la volonté souvent dépravée, le jugement restera
toujours sain et le bon sens, un bon sens de curé
de campagne, inaltérable [...] »* Paul Claudel

La rencontre

Vous mîtes votre bras adroit,
Un soir d'été, sur mon bras... gauche.
J'aimerai toujours cet endroit,
Un café de la Rive-Gauche ;

Au bord de la Seine, à Paris :
Un homme y chante la Romance
Comme au temps... des lansquenets gris ;
Vous aviez emmené Clémence.

Vous portiez un chapeau très frais
Sous des nœuds vaguement orange,
Une robe à fleurs... sans apprêts,
Sans rien d'affecté ni d'étrange ;

Vous aviez un noir mantelet,
Une pèlerine, il me semble,
Vous étiez belle, et... s'il vous plaît,
Comment nous trouvions-nous ensemble ?

J'avais l'air, moi, d'un étranger ;
Je venais de la Palestine
À votre suite me ranger,
Pèlerin de ta Pèlerine.

Je m'en revenais de Sion,
Pour baiser sa frange en dentelle,
Et mettre ma dévotion
Entière à vos pieds d'Immortelle.

Nous causions, je voyais ta voix
Dorer ta lèvre avec sa crasse,
Tes coudes sur la table en bois,
Et ta taille pleine de grâce ;

J'admirais ta petite main
Semblable à quelque serre vague,
Et tes jolis doigts de gamin,
Si chics ! qu'ils se passent de bagues ;

J'aimais vos yeux, où sans effroi
Battent les ailes de votre Âme,
Qui font se baisser ceux du roi
Mieux que les siens ceux d'une femme ;

Vos yeux splendidement ouverts
Dans leur majesté coutumière...
Étaient-ils bleus ? Étaient-ils verts ?
Ils m'aveuglaient de ta lumière.

Je cherchais votre soulier fin,
Mais vous rameniez votre robe
Sur ce miracle féminin,
Ton pied, ce Dieu, qui se dérobe !

Tu parlais d'un ton triomphant,
Prenant aux feintes mignardises
De tes lèvres d'amour Enfant
Les cœurs, comme des friandises.

La rue où rit ce cabaret,
Sur laquelle a pu flotter l'Arche,
Sachant que l'Ange y descendrait,
Porte le nom d'un patriarche.

Charmant cabaret de l'Amour !
Je veux un jour y peindre à fresque
Le Verre auquel je fis ma cour.
Juin, quatre-vingt-cinq, minuit... presque.

Germain Nouveau (1851-1920)
Valentines (1922)

« L'esprit se retrempe peu à peu dans cet ascétisme et il n'en faut pas davantage pour que la vie reprenne un tour enchanteur. »
André Breton

« Éclat, lui, d'un météore, allumé sans autre motif que sa présence, issu seul et s'éteignant. Tout certes, aurait existé depuis, sans ce passant considérable, comme aucune circonstance littéraire vraiment n'y prépare : le cas personnel demeure, avec force. »
Stéphane Mallarmé

L'étoile a pleuré...

L'étoile a pleuré rose au cœur de tes oreilles,
L'infini roulé blanc de ta nuque à tes reins
La mer a perlé rousse à tes mammes vermeilles
Et l'Homme saigné noir à ton flanc souverain.

Arthur Rimbaud (1854-1891)
Poésies (1870)

Ariette

Tu me lias de tes mains blanches,
Tu me lias de tes mains fines,
Avec des chaînes de pervenches
Et des cordes de capucines.

Laisse tes mains blanches,
Tes mains fines,
M'enchaîner avec des pervenches
Et des capucines.

Jean Moréas (1856-1910)
Les Syrtes (1884)

Jean Moréas fait résolument partie du mouvement symboliste et son article paru dans le supplément du « Figaro » du 18 septembre 1886 le présenta alors comme un militant actif.

Dans son article sur le symbolisme, Moréas déclarait : « Ainsi, dans cet art, les tableaux de la nature, les actions des humains, tous les phénomènes concrets ne sauraient se manifester eux-mêmes ; ce sont là des apparences sensibles destinées à représenter leurs affinités ésotériques avec les Idées primordiales. »

Étude pour « Les Prétendants »
(Gustave Moreau, v. 1862)

Ondine

Ton rire est clair, ta caresse est profonde,
Tes froids baisers aiment le mal qu'ils font ;
Tes yeux sont bleus comme un lotus sur l'onde,
Et les lys d'eau sont moins purs que ton front.

Ta forme fuit, ta démarche est fluide,
Et tes cheveux sont de légers réseaux ;
Ta voix ruisselle ainsi qu'un flot perfide ;
Tes souples bras sont pareils aux roseaux,

Aux longs roseaux des fleuves, dont l'étreinte
Enlace, étouffe, étrangle savamment,
Au fond des flots, une agonie éteinte
Dans un nocturne évanouissement.

Renée Vivien (1877-1909)
Études et préludes (1901)

« [...] Aux effets d'un tempérament nordique s'allie, chez Renée Vivien, le culte sensuel de la Grèce et avant tout de Sappho dont elle a traduit les œuvres [...] »
Jacques Brosse

Le Baiser
(Peter Behrens, v. 1900)

Le deuxième poème secret

La nuit la douce nuit est si calme ce soir que l'on
n'entend que quelques rares éclatements
Je pense à toi ma panthère bien panthère oui puisque
tu es pour moi tout ce qui est animé
Mais panthère que dis-je non tu es Pan lui-même sous
son aspect femelle
Tu es l'aspect femelle de l'univers vivant c'est dire que
tu es toute la grâce toute la beauté du monde
Tu es plus encore puisque tu es le monde même l'univers
admirable selon la norme de la grâce et de la beauté
Et plus encore mon amour puisque c'est de toi que le
monde tient cette grâce et cette beauté qui est de toi
Ô ma chère Déité chère et farouche intelligence
l'univers qui m'est réservé comme tu m'es réservée
Et ton âme a toutes les beautés de ton corps puisque
c'est par ton corps que m'ont été immédiatement
accessibles les beautés de ton âme
Ton visage les a toutes résumées et j'imagine les autres

une à une et toujours nouvelles
Ainsi qu'elles me seront toujours nouvelles et toujours
toujours plus belles
Ta chevelure si noire soit-elle est la lumière même
diffusée en rayons si éclatants que mes yeux ne
pouvant la soutenir la voient noire
Grappes de raisins noirs colliers de scorpions éclos au
soleil africain nœuds de couleuvres chéries
Onde ô fontaines ô chevelure ô voile devant
l'inconnaissable ô cheveux
Qu'ai-je à faire autre chose que chanter aujourd'hui cette
adorable végétation de l'univers que tu es Madeleine
Qu'ai-je à faire autre chose que chanter tes forêts moi
qui vis dans la forêt
Arc double des sourcils merveilleuse écriture sourcils
qui contenez tous les signes en votre forme
Boulingrins d'un gazon où l'amour s'accroche ainsi
qu'un clair de lune
Mes désirs en troupeaux interrogatifs parcourent pour
les déchiffrer ces rimes
Écriture végétale où je lis les sentences les plus belles
de notre vie Madeleine
Et vous cils roseaux qui vous mirez dans l'eau profonde
et claire de ses regards
Roseaux discrets plus éloquents que les penseurs
humains ô cils penseurs penchés au-dessus des abîmes
Cils soldats immobiles qui veillez autour des entonnoirs
précieux qu'il faut conquérir
Beaux cils antagonistes antennes du plaisir fléchettes de
la volupté
Cils anges noirs qui adorez sans cesse la divinité qui se
cache dans la retraite mystérieuse de ta vue mon amour
Ô touffes des aisselles troublantes plantes des serres
chaudes de notre amour réciproque
Plantes de tous les parfums adorables que distille ton
corps sacré
Stalactites des grottes ombreuses où mon imagination
erre avec délices
Touffes vous n'êtes pas l'ache qui donne le rire
sardonique et fait mourir
Vous êtes l'hellébore qui affole vous êtes la vanille qui
grimpe et dont le parfum est si tendre
Aisselles dont la mousse retient pour l'exhaler les plus
doux parfums de tous les printemps
Et vous toison agneau noir qu'on immolera au
charmant dieu de notre amour
Toison insolente et si belle qui augmente divinement
ta nudité comme à Geneviève de Brabant dans la forêt
Barbe rieuse du dieu frivole et si gracieusement viril
qui est le dieu du grand plaisir

Ô toison triangle isocèle tu es la divinité même à trois
côtés touffue innombrable comme elle
Ô jardin de l'adorable amour
Ô jardin sous-marin d'algues de coraux et d'our-
sins et des désirs arborescents
Oui forêt des désirs qui grandit sans cesse
des abîmes et plus que l'empyrée

Guillaume Apollinaire (1880-1918)
Tendre comme le souvenir (1952)

Apollinaire avait rencontré Madeleine Pagès, originaire d'Oran, en 1915, dans le train de Nice à Marseille. Lorsqu'il lui écrit, il mêle à ses lettres des poèmes où s'exprime son amour.

L'Activité du jour
(Alphonse Mucha, 1899)

« On connaît la tradition poétique du blason du corps : Apollinaire la reprend à son compte en la chargeant d'un contenu si riche qu'au-delà du rituel propitiatoire on y découvre une véritable intention de possession amoureuse par la parole. »
Raymond Jean

Terre érotique (André Masson, 1939)

Les neuf portes de ton corps

Ce poème est pour toi seule Madeleine
Il est un des premiers poèmes de notre désir
Il est notre premier poème secret ô toi que j'aime
Le jour est doux et la guerre est si douce S'il fallait
en mourir

Tu l'ignores ma vierge à ton corps sont neuf portes
J'en connais sept et deux me sont celées
J'en ai pris quatre j'y suis entré n'espère plus
que j'en
sorte
Car je suis entré en toi par tes yeux étoilés
Et par tes oreilles avec les Paroles que je commande
et qui sont mon escorte

Œil droit de mon amour première porte de mon amour
Elle avait baissé le rideau de sa paupière
Tes cils étaient rangés devant comme les soldats noirs
peints sur un vase grec paupière rideau lourd
De velours
Que cachait ton regard clair
Et lourd
Pareil à notre amour

Œil gauche de mon amour deuxième porte de mon amour
Pareille à son amie et chaste et lourde d'amour ainsi
que lui
Ô porte qui mènes à ton cœur mon image et mon
sourire qui luit
Comme une étoile pareille à tes yeux que j'adore
Double porte de ton regard je t'adore

Oreille droite de mon amour troisième porte
C'est en te prenant que j'arrivai à ouvrir entièrement
les deux premières portes
Oreille porte de ma voix qui t'a persuadée
Je t'aime toi qui donnas un sens à l'Image grâce à l'Idée

Et toi aussi oreille gauche toi qui des portes de mon
amour es la quatrième
Ô vous les oreilles de mon amour je vous bénis
Portes qui vous ouvrîtes à ma voix
Comme les roses s'ouvrent aux caresses du printemps
C'est par vous que ma voix et mon ordre
Pénètrent dans le corps entier de Madeleine
J'y entre homme tout entier et aussi tout entier poème
Poème de son désir qui fait que moi aussi je m'aime

Narine gauche de mon amour cinquième porte de mon
amour et de nos désirs
J'entrerai par là dans le corps de mon amour
J'y entrerai subtil avec mon odeur d'homme
L'odeur de mon désir
L'âcre parfum viril qui enivrera Madeleine

Narine droite sixième porte de mon amour et de notre
volupté
Toi qui sentiras comme ta voisine l'odeur de mon plaisir
Et notre odeur mêlée plus forte et plus exquise qu'un
printemps en fleurs
Double porte des narines je t'adore toi qui promets
tant de plaisirs subtils
Puisés dans l'art des fumées et des fumets

Bouche de Madeleine septième porte de mon amour
Je vous ai vue ô porte rouge gouffre de mon désir
Et les soldats qui s'y tiennent morts d'amour m'ont crié
qu'ils se rendent
Ô porte rouge et tendre
Madeleine il est deux portes encore
Que je ne connais pas
Deux portes de ton corps
Mystérieuses

Huitième porte de la grande beauté de mon amour
Ô mon ignorance semblable à des soldats aveugles parmi
les chevaux de frise sous la lune liquide des Flandres
à l'agonie
Ou plutôt comme un explorateur qui meurt de faim de
soif et d'amour dans une forêt vierge
Plus sombre que l'Érèbe
Plus sacrée que celle de Dodone
Et qui devine une source plus fraîche que Castalie
Mais mon amour y trouverait un temple
Et après avoir ensanglanté le parvis sur qui veille le
charmant monstre de l'innocence
J'y découvrirais et ferais jaillir le plus chaud geyser du
monde
Ô mon amour ma Madeleine
Je suis déjà le maître de la huitième porte

Et toi neuvième porte plus mystérieuse encore
Qui t'ouvres entre deux montagnes de perles
Toi plus mystérieuse encore que les autres
Porte des sortilèges dont on n'ose point parler
Tu m'appartiens aussi
Suprême porte
À moi qui porte
La clef suprême
Des neuf portes

Ô portes ouvrez-vous à ma voix
Je suis le maître de la Clef

Guillaume Apollinaire
Tendre comme le souvenir

*Ce poème accompagnait la lettre à Madeleine du 21 septembre 1915.
Sur le même thème, Apollinaire avait envoyé à Lou (en mai 1915)
un autre poème intitulé « En allant chercher des obus ».*

*« Plus la nomination est osée, audacieuse, transgressive, mieux l'acte
poétique – homologue presque parfait de l'acte sexuel – est accompli.
D'où ce sourd besoin d'aller toujours le plus loin possible dans
la formulation érotique, de dévoiler toujours davantage des détails secrets,
de mettre à nu le caché et l'intime. »*

Raymond Jean

*« Exprimer avec liberté ce qui est du domaine des mœurs, on ne connaît pas
de courage plus grand chez un écrivain. »*

Guillaume Apollinaire

Sur la robe elle a un corps

Le corps de la femme est aussi bosselé que mon crâne
Glorieuse
Si tu t'incarnes avec esprit
Les couturiers font un sot métier
Autant que la phrénologie
Mes yeux sont des kilos qui pèsent la sensualité des femmes

Tout ce qui fuit, saille avance dans la profondeur
Les étoiles creusent le ciel
Les couleurs déshabillent
« Sur la robe elle a un corps »
Sous les bras des bruyères mains lunules et pistils
Quand les eaux se déversent dans le dos avec les omoplates glauques
Le ventre un disque qui bouge
La double coque des seins passe sous le pont des arcs-en-ciel
Ventre
Disque
Soleil
Les cris perpendiculaires des couleurs tombent sur les cuisses
« Épée de Saint-Michel »

Il y a des mains qui se tendent
Il y a dans la traîne la bête tous les yeux
Toutes les fanfares tous les habitués du bal Bullier
Et sur la hanche
La signature du poète

Février 1914.

Blaise Cendrars (1887-1961)
Dix-neuf Poèmes élastiques (1919)

« Dans les Dix-neuf Poèmes élastiques, *proches du futurisme et du dadaïsme, entrent des conversations surprises au vol, des phrases empruntées aux journaux, des télégrammes-poèmes. »* Guy Le Clec'h

« Il m'apprit – et je n'ai jamais pu l'oublier – qu'il fallait vivre la poésie avant de l'écrire ; écrire, c'était superflu. »
Philippe Soupault

L'Amoureuse
(Paul Delvaux, 1970)

La saison des amours

Par le chemin des côtes
Dans l'ombre à trois pans d'un sommeil agité
Je viens à toi la double la multiple
À toi semblable à l'ère des deltas.

Ta tête est plus petite que la mienne
La mer voisine règne avec le printemps
Sur les étés de tes formes fragiles
Et voici qu'on y brûle des fagots d'hermines.

Dans la transparence vagabonde
De ta face supérieure
Ces animaux flottants sont admirables
J'envie leur candeur leur inexpérience
Ton inexpérience sur la paille de l'eau
Trouve sans se baisser le chemin d'amour

Par le chemin des côtes
Et sans le talisman qui révèle
Tes rires à la foule des femmes
Et tes larmes à qui n'en veut pas.

Paul Eluard (1895-1952)
La Vie immédiate (1932)

« Proclamé chantre de la vie, de l'amour, de la chaleur humaine, de la simplicité, Eluard a dû lutter pour échapper au monde de la solitude, de la maladie et de la mort. »
« Quand bien même elle [sa poésie] déroute le lecteur habitué au vers traditionnel, elle reste marquée – au-delà de ses obscurités apparentes – par une certaine transparence. »
Antoine Berman

Le Décaméron (Salvador Dalí, 1972)

Ma femme à la chevelure...

Ma femme à la chevelure de feu de bois
Aux pensées d'éclairs de chaleur
À la taille de sablier
Ma femme à la taille de loutre entre les dents du tigre
Ma femme à la bouche de cocarde et de bouquet d'étoiles de
[dernière grandeur
Aux dents d'empreintes de souris blanche sur la terre blanche
À la langue d'ambre et de verre frottés
Ma femme à la langue d'hostie poignardée
À la langue de poupée qui ouvre et ferme les yeux
À la langue de pierre incroyable
Ma femme aux cils de bâtons d'écriture d'enfant
Aux sourcils de bord de nid d'hirondelle
Ma femme aux tempes d'ardoise de toit de serre

« [...] En appeler à la Femme, dans son absolu, de la passion vécue. Tel est le sens de "L'Union libre", poème publié anonymement le 10 juin 1931, sous forme de plaquette oblongue tirée à soixante-quinze exemplaires. »
Henri Béhar

Et de buée aux vitres
Ma femme aux épaules de champagne
Et de fontaine à têtes de dauphins sous la glace
Ma femme aux poignets d'allumettes
Ma femme aux doigts de hasard et d'as de cœur
Aux doigts de foin coupé
Ma femme aux aisselles de martre et de frênes
De nuit de la Saint-Jean
De troène et de nid de scalares
Aux bras d'écume de mer et d'écluse
Et de mélange du blé et du moulin
Ma femme aux jambes de fusée
Aux mouvements d'horlogerie et de désespoir
Ma femme aux mollets de moelle de sureau
Ma femme aux pieds d'initiales
Aux pieds de trousseaux de clés aux pieds de calfats qui boivent
Ma femme au cou d'orge imperlé
Ma femme à la gorge de Val d'or
De rendez-vous dans le lit même du torrent
Aux seins de nuit
Ma femme aux seins de taupinière marine
Ma femme aux seins de creuset du rubis
Aux seins de spectre de la rose sous la rosée
Ma femme au ventre de dépliement d'éventail des jours
Au ventre de griffe géante
Ma femme au dos d'oiseau qui fuit vertical
Au dos de vif-argent
Au dos de lumière
À la nuque de pierre roulée et de craie mouillée
Et de chute d'un verre dans lequel on vient de boire
Ma femme aux hanches de nacelle
Aux hanches de lustre et de pennes de flèche
Et de tiges de plumes de paon blanc
De balance insensible
Ma femme aux fesses de grès et d'amiante
Ma femme aux fesses de dos de cygne
Ma femme aux fesses de printemps
Au sexe de glaïeul
Ma femme au sexe de placer et d'ornithorynque
Ma femme au sexe d'algue et de bonbons anciens
Ma femme au sexe de miroir
Ma femme aux yeux pleins de larmes
Aux yeux de panoplie violette et d'aiguille aimantée
Ma femme aux yeux de savane
Ma femme aux yeux d'eau pour boire en prison
Ma femme aux yeux de bois toujours sous la hache
Aux yeux de niveau d'eau de niveau d'air de terre et de feu

André Breton (1896-1966)
« L'Union libre » (1931)

*« Les figures féminines qui hantent l'imagination surréaliste semblent presque toujours à moitié plongées dans le mystère de la nature (comme la fée Mélusine d'*Arcane 17 *ou les femmes-arbres de Paul Delvaux) et douées d'une existence métaphorique, comme celle dont Breton célèbre le "blason" dans " L'Union libre". »*
Robert Bréchon

Paris at night

Trois allumettes une à une allumées dans la nuit
La première pour voir ton visage tout entier
La seconde pour voir tes yeux
La dernière pour voir ta bouche
Et l'obscurité tout entière pour me rappeler tout cela
En te serrant dans mes bras.

Jacques Prévert (1900-1977)
Paroles (1946)

« Il fut aux "Grands Magasins du Bon Marché" un employé peu modèle. »
« Jacques Prévert nous fit du bien, le temps de son passage, et il fut un humain plus unique que les autres. Bel et bien, il ne ressemblait à personne. »
Jean Queval

Colis de valeur (Paul Klee, 1939)

À la voix de Kathleen Ferrier

Toute douceur toute ironie se rassemblaient
Pour un adieu de cristal et de brume,
Les coups profonds du fer faisaient presque silence,
La lumière du glaive s'était voilée.

Je célèbre la voix mêlée de couleur grise
Qui hésite aux lointains du chant qui s'est perdu
Comme si au-delà de toute forme pure
Tremblât un autre chant et le seul absolu.

Ô lumière et néant de la lumière, ô larmes
Souriantes plus haut que l'angoisse ou l'espoir,
Ô cygne, lieu réel dans l'irréelle eau sombre,
Ô source, quand ce fut profondément le soir !

Il semble que tu connaisses les deux rives,
L'extrême joie et l'extrême douleur.
Là-bas, parmi ces roseaux gris dans la lumière,
Il semble que tu puises de l'éternel.

Yves Bonnefoy (né en 1923)
« À une terre d'aube », Hier régnant désert (1958)

Kathleen Ferrier est considérée comme une des plus grande voix de contralto. Disparue prématurément en 1953, elle se distingua particulièrement dans le répertoire romantique (Schubert, Schumann, Brahms...).

« Imaginons enfin que cette épée jaillisse d'elle-même hors de l'opacité matérielle, qu'elle s'élève dans la hauteur du ciel et s'y mette à vibrer : nous nous retrouvons dans l'ivresse du cri, du chant d'oiseau, qui provoque chez Bonnefoy les plus heureuses invasions de la présence. »
Jean-Pierre Richard

Les amours sublimes

L'Invocation de l'amour (Jean-Honoré Fragonard, v. 1780)

Vous pouvez bien de votre amour vous vanter

Vous pouvez bien de votre amour vous vanter
Et devez avec joie chanter,
Vous, religieuses, vous, demoiselles,
De vos voix agréables et belles.

La fontaine jaillit claire.
Qu'heureuse soit ma mère
Qui m'a si bien mariée !
Chacune peut l'affirmer.

La fontaine jaillit paisible.
Jésus-Christ, le fils de Marie,
Retient ce cœur tout entier :
Chacune peut l'affirmer.

La fontaine jaillit paisible.
Dieu, Dieu, Dieu ! mon cœur n'est plus à moi,
Le doux Dieu, le doux Dieu le possède :
Chacune peut l'affirmer.

Mère de Dieu, Vierge Marie,
Mon cœur à toi est marié,
Et ton fils l'a tout entier :
Chacune peut l'affirmer.

Prieur de Saint-Médard à Soissons (de 1177 à 1236), il compose des Miracles de Notre-Dame, *d'autres œuvres marquées par la lyrique dévote et en particulier un sermon en vers « Sur la chasteté des religieuses » qui s'achève par cette chanson pieuse.*

Selon Jean Dufournet, ce poème est « la transposition religieuse d'une reverdie populaire sur le thème du cœur donné ». La reverdie est un chant joyeux qui peint la rencontre amoureuse dans un décor printanier et champêtre.

Mon cœur frémit d'amour :
Dieu le possède sans que j'en aie rien,
Lui que je vois pendre à la croix :
On peut le dire sous le voile.

La fontaine jaillit paisible.
Dieu, mon cœur n'est plus à moi,
Jésus-Christ, mon ami, le possède :
De chanter ne cessez jamais.

Dieu, mon cœur n'est plus à moi.
Dieu l'a sans aucun partage,
Lui qui de son anneau d'or m'épousa.
J'ai pour Dieu coupé mes cheveux.

Il a mon cœur sans que j'en aie rien,
Il l'aura toute ma vie.
Jamais mon cœur ne le laissera,
Son amour me charme et me charmera.

Il a mon cœur sans que j'en aie rien,
Mon âme au ciel, comme son amie,
Dans la liesse il l'épousera.
Jamais mon cœur ne le trompera.

Il a mon cœur sans que j'en aie rien,
Pour mes cheveux que j'ai laissés,
Il me donnera une couronne d'or
Qui du mal me préservera.

Pour toutes les infamies
Dieu excommunie le corps,
Il damne et damnera l'âme

Si du monde je suis bannie
Avec mon manteau noir,
Comme une fleur épanouie
Mon âme au ciel toute blanche montera.

Je ne suis pas triste ni affligée :
Mon mari, le fils de Marie
Qui au ciel marie les siens,
Au ciel mariera mon âme.

Gautier de Coinci (1117-1236)
Traduction de Jean Dufournet

Vœu

Intelligible sphère, il est indubitable
Que ton centre est partout, qu'à lui tout aboutit,
Et le ciel, et la terre, et l'enfer redoutable,
Et la tombe, où la mort ta surface abattit.

Mon âme s'en écarte, et pour ce elle pâtit ;
Et veut s'en approcher ; mais l'appât détestable
De cette volupté, faussement délectable,
Par mille objets trompeurs toujours l'en divertit.

Ne veuille plus souffrir que rien l'en divertisse ;
Au centre (où tout se rend) fais qu'ore elle aboutisse,
R'avive-la soudain par ton r'avivement.

Donne-lui tant d'amour pour te faire adhérence
Qu'il passe par-delà tout humain jugement,
Comme on ne peut juger de ta circonférence.

Jean de La Ceppède (1550-1622)
Les Théorèmes spirituels (1613-1622)

« Les Précieux, fidèles en cela à la grande tradition de la Renaissance, voient dans la poésie un moyen de maîtriser les mystères de l'homme et du monde, une aventure spirituelle qui, grâce à un langage renouvelé, conscient de lui-même comme pouvoir d'exception, conduit l'âme vers les régions extrêmes que sans l'art elle ne saurait atteindre. »
Maurice Blanchot

Apollon (anonyme, XVIIe s.)

Christ déposé (Baccio Bandinelli, 1re moitié XVIe s.)

Dans le cadre du sonnet, Jean de La Ceppède a développé « ses méditations sur l'Ancien et le Nouveau Testament en insistant sur la Passion et la Résurrection du Christ ».

Jacques Vier

L'Amour l'a de l'Olympe...

L'Amour l'a de l'Olympe ici-bas fait descendre ;
L'amour l'a fait de l'homme endosser le péché ;
L'amour lui a déjà tout son sang fait épandre ;
L'amour l'a fait souffrir qu'on ait sur lui craché ;

L'amour a ces halliers à son chef attaché ;
L'amour fait que sa Mère à ce bois le voit [pendre ;
L'amour a dans ses mains ces rudes clous fiché ;
L'amour le va tantôt dans le sépulcre étendre.

Son amour est si grand, son amour est si fort
Qu'il attaque l'enfer, qu'il terrasse la mort,
Qu'il arrache à Pluton sa fidèle Eurydice.

Belle pour qui ce beau meurt en vous bien- [aimant,
Voyez s'il fut jamais un si cruel supplice,
Voyez s'il fut jamais un si parfait Amant.

Jean de La Ceppède
Les Théorèmes spirituels

Il faut reconnaître avec Albert-Marie Schmidt que plusieurs exemples de l'art précieux doivent être conçus « comme une alchimie authentique et un moyen d'évocation rituelle ».

Tout s'enfle contre moi

Tout s'enfle contre moi, tout m'assaut, tout me tente,
Et le Monde, et la Chair, et l'Ange révolté,
Dont l'onde, dont l'effort, dont le charme inventé
Et m'abîme, Seigneur, et m'ébranle, et m'enchante.

Quelle nef, quel appui, quelle oreille dormante,
Sans péril, sans tomber, et sans être enchanté,
Me donneras-tu ? Ton Temple où vit ta Sainteté,
Ton invincible main, et ta voix si constante ?

Et quoi ? Mon Dieu, je sens combattre maintes fois
Encore avec ton Temple, et ta main, et ta voix,
Cet Ange révolté, cette Chair, et ce Monde.

Mais ton Temple pourtant, ta main, ta voix sera
La nef, l'appui, l'oreille, où ce charme perdra,
Où mourra cet effort, où se rompra cette onde.

Jean de Sponde (1557-1595)
Essays de poèmes chrétiens (1588)

« Le renversement de l'ordre des trois tentations permet au poète de briser ce que le sonnet rapporté a de trop schématique et de terminer sur une de ces métaphores marines qui hantent son esprit. »
Alan Boase

Étude de personnage assis
(Simon Vouet, 1re moitié XVIIe s.)

« […] Une poésie dialectique et intellectuelle où l'eau et le vent ont avant tout une fonction allégorique ; rien de plus emblématique que l'onde de l'admirable sonnet rapporté, si dense et si dramatique, qui couronne les poèmes de la mort. »
Jean Rousset

À la louange de la charité

Les méchants m'ont vanté leurs mensonges frivoles;
Mais je n'aime que les paroles
De l'éternelle Vérité.
Plein du feu divin qui m'inspire,
Je consacre aujourd'hui ma lyre
À la céleste charité.

En vain je parlerais le langage des anges,
En vain, mon Dieu, de tes louanges
Je remplirais tout l'univers :
Sans amour, ma gloire n'égale
Que la gloire de la cymbale
Qui d'un vain bruit frappe les airs.

Que sert à mon esprit de percer les abîmes
Des mystères les plus sublimes,
Et de lire dans l'avenir ?
Sans amour, ma science est vaine,
Comme le songe dont à peine
Il reste un léger souvenir.

Que me sert que ma foi transporte les montagnes,
Que, dans les arides campagnes,
Les torrents naissent sous mes pas;
Ou que, ranimant la poussière,
Elle rende aux morts la lumière,
Si l'amour ne l'anime pas ?

Oui, mon Dieu, quand mes mains de tout mon héritage
Aux pauvres feraient le partage,
Quand même pour le nom chrétien,
Bravant les croix les plus infâmes,
Je livrerais mon corps aux flammes,
Si je n'aime, je ne suis rien.

Jean Racine (1639-1699)
Les Cantiques [extrait] (1694)

Étude de soldat nu
(Michel-Ange, v. 1504)

On sait que le théâtre de Racine est « sous-tendu par un drame religieux extraordinairement intense », dans lequel Michel Butor voit « une mise en question du christianisme » ; mais Les Cantiques, *écrits comme une méditation sur les fins dernières, traduisent bien la simplicité chrétienne retrouvée. Aussi peut-on dire avec Michel Butor que « les contradictions religieuses de Racine sont celles mêmes de la société dans laquelle il a vécu ».*

« Racine va droit à ce qu'il y a de plus dur et de plus pur dans la vie et dans la mort – dans la destinée. » Thierry Maulnier

Divine solitude de l'âme quitte du moi

Air : *Je ne veux de Tirsis*

... Solitaire repos, doux centre de mon cœur !
En toi je trouve mon principe ;
Par toi j'imite mon Seigneur ;
À son bonheur je participe.

Tu me l'as dit souvent, qu'il faut te ressembler ;
Je dois être simple et paisible ;
En moi tes vertus rassembler ;
Rends donc mon cœur inaccessible.

Ô solitaire paix qu'on goûte en son néant !
Tu ne peux être interrompue ;
Le tumulte est avec le grand ;
Et non au cœur qui se dénue.

Si je méprise tout, si je quitte le moi,
Mon âme est lors en solitude ;
Vide de ce qui n'est pas toi,
Rien ici ne me paraît rude.

Ô silence profond qu'on trouve dans le Rien !
On vit dans la pure innocence,
Sans discerner ni mal ni bien ;
Notre force est la patience.

Madame Guyon (1648-1717)
Poésies et cantiques spirituels (1722)

Madame Guyon fut une des figures essentielles du mysticisme et son influence fut considérable au XVIIe siècle. Sa spiritualité, suspecte aux yeux de l'Église, fut examinée par Bossuet en 1694 ; mais, s'il condamna ses ouvrages, il ne put la convaincre d'hérésie.

« Bossuet ne connaît guère qu'une rivale, Mme Guyon, dont il pourchassait la doctrine, sans se douter qu'en épanchant son cœur dans le sein de Dieu elle écrivait aussi bien que lui. »
Jacques Vier

Femme nue assise (Charles Le Brun, v. 1662)

L'amour de l'amour

I

Aimez bien vos amours ; aimez l'amour qui rêve
Une rose à la lèvre et des fleurs dans les yeux ;
C'est lui que vous cherchez quand votre avril se
[lève,
Lui dont reste un parfum quand vos ans se font
[vieux.

Aimez l'amour qui joue au soleil des peintures,
Sous l'azur de la Grèce, autour de ses autels,
Et qui déroule au ciel la tresse et les ceintures,
Ou qui vide un carquois sur des cœurs immortels.

Aimez l'amour qui parle avec la lenteur basse
Des *Ave Maria* chuchotés sous l'arceau ;
C'est lui que vous priez quand votre tête est lasse,
Lui dont la voix vous rend le rythme du berceau.

Aimez l'amour que Dieu souffla sur notre fange,
Aimez l'amour aveugle, allumant son flambeau,
Aimez l'amour rêvé qui ressemble à notre ange,
Aimez l'amour promis aux cendres du tombeau !

Aimez l'antique amour du règne de Saturne,
Aimez le dieu charmant, aimez le dieu caché,
Qui suspendait, ainsi qu'un papillon nocturne,
Un baiser invisible aux lèvres de Psyché !

La Sainte et le Poète
(Gustave Moreau, 1868)

Car c'est lui dont la terre appelle encore la flamme,
Lui dont la caravane humaine allait rêvant,
Et qui, triste d'errer, cherchant toujours une âme,
Gémissait dans la lyre et pleurait dans le vent.

Il revient ; le voici : son aurore éternelle
A frémi comme un monde au ventre de la nuit,
C'est le commencement des rumeurs de son aile ;
Il veille sur le sage, et la vierge le suit.

Le songe que le jour dissipe au cœur des femmes,
C'est ce Dieu. Le soupir qui traverse les bois,
C'est ce Dieu. C'est ce Dieu qui tord les oriflammes
Sur les mâts des vaisseaux et les faîtes des toits.

Il palpite toujours sous les tentes de toile,
Au fond de tous les cris et de tous les secrets ;
C'est lui que les lions contemplent dans l'étoile ;
L'oiseau le chante au loup qui le hurle aux forêts.

On sait que Germain Nouveau perdit très tôt son père, une jeune sœur puis sa mère. Louis Forestier dit très justement que Nouveau « est marqué du "guignon" plus tragiquement que d'autres qui n'y voyaient que jeu littéraire ».

La source le pleurait, car il sera la mousse,
Et l'arbre le nommait, car il sera le fruit,
Et l'aube l'attendait, lui, l'épouvante douce
Qui fera reculer toute ombre et toute nuit.

Le voici qui retourne à nous, son règne est proche,
Aimez l'amour, riez ! Aimez l'amour, chantez !
Et que l'écho des bois s'éveille dans la roche,
Amour dans les déserts, amour dans les cités !

Amour sur l'Océan, amour sur les collines !
Amour dans les grands lys qui montent des vallons !
Amour dans la parole et les brises câlines !
Amour dans la prière et sur les violons !

Amour dans tous les cœurs et sur toutes les lèvres !
Amour dans tous les bras, amour dans tous les doigts !
Amour dans tous les seins et dans toutes les fièvres !
Amour dans tous les yeux et dans toutes les voix !

Amour dans chaque ville : ouvrez-vous, citadelles !
Amour dans les chantiers : travailleurs, à genoux !
Amour dans les couvents : anges, battez des ailes !
Amour dans les prisons : murs noirs, écroulez-vous !

II

Mais adorez l'Amour terrible qui demeure
Dans l'éblouissement des futures Sions,
Et dont la plaie, ouverte encore, saigne à toute heure
Sur la croix, dont les bras s'ouvrent aux nations.

Germain Nouveau (1851-1920)
La Doctrine de l'amour (1910)

« L'expression prend vigueur, l'image originalité ; à une poésie de la démission s'oppose une œuvre dynamique, jetée avec éclat dans un monde perçu comme universellement érotisé. »
Louis Forestier

Étude pour « Les Suivantes infidèles » [détail]
(Gustave Moreau, v. 1856)

Les prolégomènes de César Antéchrist

I

PROSE *(saint Pierre parle)*

Comme deux amants
La nuit bouche à bouche
Dispersent leur couche
De baisers déments ;
Tête du Ciboire,
Épanche en mon sein
Ton amour malsain.
Nomme-t-on ça croire ?
De mon Dieu jaloux,
Il n'est pas pour vous.

L'un me dit qu'il l'aime :
Âne du latin,
Il me cite même
Du saint Augustin ;
Plus ou moins notable
Épluchant des faits
Grattés sur les tables
Froides des cafés.
L'un me dit qu'il l'aime,
L'autre qu'il blasphème.

L'amant de son Dieu
À son nom qu'il jure
Dans sa bouche impure
En tout temps et lieu.
Dans un petit groupe
Le blasphémateur
Cite son auteur
Aux pages qu'il coupe.
Les blasphémateurs
Sont littérateurs.

Il me plaît répandre
Dans un lieu fermé
Comme au vent la cendre
Le sang de l'aimé.
Et j'aime qu'il rampe
Devant mon courroux ;
Sa langue de Lampe
Lèche mes genoux.
Dieu permet encore
Que je Le dévore.

Mais il ne veut pas
Que l'on s'évertue
En d'oisifs combats ;
Que l'on prostitue
L'amour éprouvé
à l'âme banale
Qui n'a même pas le
Chic du réprouvé.
Il s'offre à ma fête –
Pour que je Le prête ?

De mon Dieu jaloux
Dont l'on fait un thème,
Il n'est pas pour vous.
La mode est qu'on l'aime ;
On en fait un sport.
On le prend peut-être
Pour un beau décor...
Comme une fenêtre
Fermons sur ma croix
Sa porte de bois.

II

UBU PARLE

« Quand j'aurai pris toute la Phynance,
je tuerai tout le monde et je m'en irai. »

LES POLONAIS OU UBU ROI.

Alfred Jarry (1873-1907)
Les Minutes de sable mémorial (1894)

« L'agressivité du sur-moi hyper moral envers le moi passe ainsi au soi totalement amoral et donne toute licence à ses tendances destructrices. »
André Breton

« [...] Étrange "poésie", alternativement informelle et trop formelle, brusquement interrompue par les borborygmes ubuesques, et par là contredite. »
Michel Arrivé

Salomé (Aubrey Beardsley, 1894)

Ève

Et moi je vous salue ô la première née.
Les autres ont connu de manquer de naissance.
Les autres ont connu de manquer de puissance.
Mais vous avez connu d'être déracinée.

Les autres n'ont connu que de planter leur tente
Au milieu du désert d'un immense plateau.
Mais vous avez connu la descente et la pente,
Et les pampres pendus tout le long du coteau.

Et je vous aime tant, première exterminée.
Vous seule avez passé par-dessous cette porte.
Vous seule avez frôlé le long de la Mer Morte
Les ailes de la mort et de la destinée.

Les autres n'ont connu que cette platitude.
Mais vous avez connu cette déclivité.
Les autres n'ont connu qu'une longue habitude.
Les autres n'ont connu que la captivité.

Mais vous avez connu d'entrer dans cette geôle.
Première vous avez passé sous cette voûte.
Première vous avez mis le pied sur la route
Et cheminé le long des bouleaux et du saule.

Première vous avez passé sous cette porte.
Première vous avez d'un pas abandonné
Foulé d'un pas caduc et tout échelonné
Le sentier de l'exil semé de feuille morte.

Charles Péguy (1873-1914)
Les Tapisseries [extrait] (1913)

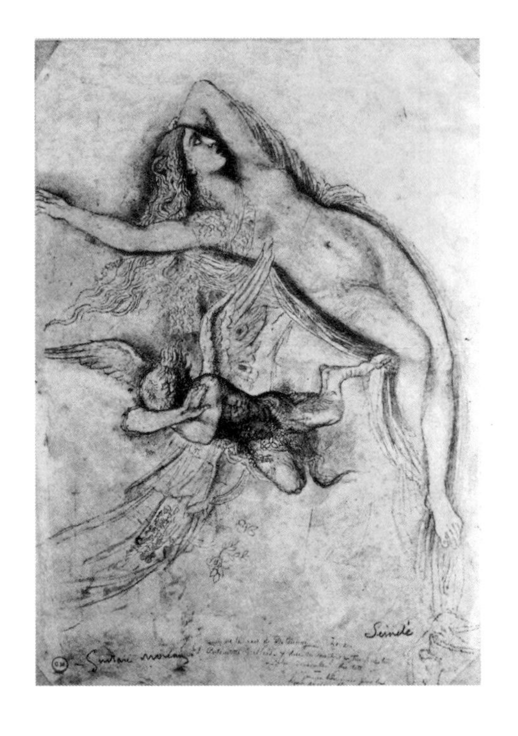

Sémélé [détail]
(Gustave Moreau, v. 1894)

C'est en se souvenant du poème liminaire de La Légende des siècles, *de Victor Hugo, que Péguy tente de saisir l'instant poétique de toute naissance.*

« Le style de Péguy est semblable aux cailloux du désert, qui se suivent et se ressemblent, où chacun est pareil à l'autre, mais un tout petit peu différent ; d'une différence qui se reprend, se ressaisit, se répète, semble se répéter, s'accentue, s'affirme, et toujours plus nettement ; on avance. »

André Gide

Ave

Très haut amour, s'il se peut que je meure
Sans avoir su d'où je vous possédais,
En quel soleil était votre demeure
En quel passé votre temps, en quelle heure
Je vous aimais,

Très haut amour qui passez la mémoire,
Feu sans foyer dont j'ai fait tout mon jour,
En quel destin vous traciez mon histoire,
En quel sommeil se voyait votre gloire,
Ô mon séjour...

Quand je serai pour moi-même perdue
Et divisée à l'abîme infini,
Infiniment, quand je serai rompue,
Quand le présent dont je suis revêtue
Aura trahi,

Par l'univers en mille corps brisée,
De mille instants non rassemblés encore,
De cendre aux cieux jusqu'au néant vannée,
Vous referez pour une étrange année
Un seul trésor

Vous referez mon nom et mon image
De mille corps emportés par le jour,
Vive unité sans nom et sans visage,
Cœur de l'esprit, ô centre du mirage
Très haut amour.

Catherine Pozzi
(1882-1934)
Poésies (1959)

« Elle laissa une œuvre brève dont l'intensité et la perfection formelle font penser à Louise Labé. »
Michel Décaudin

Tête de femme [détail]
(Puvis de Chavannes, v. 1870)

Tables

Table des titres et des incipit

Table des auteurs

Table des matières

La saison des amours

L'empire des sens

Les infortunes des amants

Les amours immortelles

Blason du corps aimé

Les amours sublimes

Origine des textes

Nous remercions vivement les auteurs, les ayants droit et les éditeurs qui nous ont autorisés à reproduire les textes ou fragments de textes dont ils conservent l'entier copyright.

AYANTS DROIT

MARIANNE OLIVIERI-RAMUZ © réservé pour :
CHARLES-FERDINAND RAMUZ, « Ce jour-là », extrait de *Le Petit Village.*

ÉDITEURS

BORDAS © réservé pour :
JEAN-LOUIS LECERCLE, traductions de Guiot de Provins, « Moult m'émerveille de ma dame et de moi », extrait de *L'Amour, de l'idéal au réel.*

CORTI © réservé pour :
RENÉ CHAR, « Artine 1930 », extrait de *Le Marteau sans maître.*

DENOËL © réservé pour :
BLAISE CENDRARS, « Sur la robe elle a un corps », extrait de *Dix-neuf Poèmes élastiques.*

FLAMMARION © réservé pour :
PAUL FORT, « L'amour au Luxembourg », extrait de *Ballades françaises.*
BERNARD NOËL, « Ailleurs est sous la neige », in *Extraits du corps.*
PIERRE REVERDY, « Le froid de l'air sur l'esprit et sur le visage », extrait de *Flaques de verre.*

GALLIMARD © réservé pour :
GUILLAUME APOLLINAIRE, « La chanson du mal-aimé », « Marizibill », « Le pont Mirabeau », extraits de *Alcools* ; « Reconnais-toi », extrait de *Calligrammes* ; « Au lac de tes yeux très profond », « Si je mourais là-bas », extraits de *Poèmes à Lou* ; « Le deuxième poème secret », « Les neufs portes de ton corps », extraits de *Poèmes à Madeleine.*
LOUIS ARAGON, « Les amants séparés », extrait de *Le Crève-cœur* ; « Cantique à Elsa », « Prose du bonheur et d'Elsa », extraits de *Le Roman inachevé.*
ANTONIN ARTAUD, « L'amour sans trêve », extrait de *L'Ombilic des limbes.*
ANDRÉ BRETON, « Je rêve je te vois », « L'aigle sexuel exulte », « Il allait être », « Toujours pour la première fois », extraits de *L'Air de l'eau ;* « Ma femme à la chevelure », extrait de *L'Union libre.*
RENÉ CHAR, « Congé au vent », extrait de *Fureur et mystère;* « La chambre dans l'espace », extrait de *La Parole en archipel* ; « Marthe » extrait de *Le Poème pulvérisé ;* « Anoukis et plus tard Jeanne », extrait de *Les Matinaux* ; « Evadné », extrait de *Seuls demeurent.*
PAUL CLAUDEL, « Les Muses », extrait de *Cinq Grandes Odes ;* « Cantique de la chambre intérieure », extrait de *La Cantate à trois voix.*
ROBERT DESNOS, « Cœur en bouche », « Dans bien longtemps », « J'ai tant rêvé de toi », « Le poème à Florence », « Les espaces de sommeil », extraits de *Corps et biens.*
JEAN DUFOURNET, traductions de Blondel de Nesle, « Au début de la saison » , Adam de La Halle, « Puisque je suis un adepte de l'amour », Gace Brulé, « Quand je vois venir le printemps », Guy de Coucy, « La douce voix du rossignol sauvage », Thibaut de Champagne, « Je suis comme la licorne », extraits de l'*Anthologie de la poésie lyrique française des XIIe et XIIIe siècles.*

Paul Eluard, « La courbe de tes yeux », « Première du monde », extraits de *Capitale de la douleur.* ; « Premièrement », extrait de *L'Amour, la poésie* ; « Les yeux fertiles », extrait de *Facile* ; « La saison des amours », extrait de *La Vie immédiate* ; « L'amoureuse », extrait de *Mourir de ne pas mourir.*
Jean Follain, « Événements », extrait de *Territoires.*
Eugène Guillevic, « Ensemble », extrait de *Terraqué.*
Philippe Jaccottet, « L'aveu dans l'obscurité », extrait de *L'Ignorant.*
Pierre Jean Jouve, « Une seule femme endormie », extrait de *Matière céleste.*
Valery Larbaud, « Carpe Diem », extrait de *A.O. Barnabooth.*
Patrice de La Tour du Pin, « Laurence endormie », extrait de *La Quête de la joie.*
Michel Leiris, « L'ombre pend au soleil », extrait de *Haut Mal.*
Henri Michaux, « Agir, je viens », extrait de *Face aux verrous.*
Charles Péguy, « Ève », extrait de *Les Tapisseries.*
Benjamin Péret, « Les jeunes filles torturées », « Les odeurs de l'amour », « La semaine pâle », extraits de *Le Grand Jeu.*
Jacques Prévert, « Barbara », « Cet amour », « Paris at night », extraits de *Paroles.*
Saint-John Perse, « Récitation à l'éloge d'une reine », « Chanté par celle qui fut là », in *La Gloire des rois.*
Catherine Pozzi, « Ave », extrait de *Poèmes.*
Claude Roy, « Entre l'une et l'un », extrait de *Sais-tu si nous sommes encore loin de la mer ?*
Jules Supervielle, « La belle au bois dormant », « La belle morte », extraits de *Gravitations.*
Paul Valéry, « Anne », « Hélène », « Naissance de Vénus », extraits de *Album de vers anciens* ; « Ébauche d'un serpent », « L'insinuant », « La dormeuse », « Le Sylphe », extraits de *Charmes.*

Grasset © réservé pour :
Anna de Noailles, « Le Baiser », extrait de *Le Cœur innombrable.*

Mercure de France © réservé pour :
Yves Bonnefoy, « La chambre », « Le myrte », extraits de *Pierre écrite ;* « À la voix de Kathleen Ferrier », extrait de *Hier régnant désert.*
Henri de Régnier, « Odelette », extrait de *Les Jeux rustiques et divins.*
Pierre Reverdy, « Encore l'amour », extrait de *Sources du Vent.*
Francis Vielé-Griffin, « Celle qui passe », extrait de *Joies.*
Francis Jammes, « Clara d'Ellébeuse », extrait de *Clara d'Ellébeuse ou l'histoire d'une ancienne jeune fille ;* « C'est aujourd'hui la fête de Virginie », extrait de *De l'Angelus de l'aube à l'Angelus du soir.*

Seghers © réservé pour :
Louis Aragon, « Il était une fois où tu m'avais quitté», « La nuit d'exil », extraits de *Il ne m'est Paris que d'Elsa.*
René-Guy Cadou, « Je t'attendais », extrait de *Hélène ou le Règne végétal.*

Seuil © réservé pour :
Léopold Sédar Senghor, « Femme noire », extrait de *Chants d'ombre* ; « Le jour promis », extrait de *Élégies Majeures.*

Crédits photographiques

Archives : 9, 16, 21, 29, 31, 32, 33, 35, 38, 39, 41, 42, 43, 44, 46, 49, 50, 58, 63, 65, 66, 69, 70, 73, 75, 78, 80, 81, 84, 85, 86, 87, 90, 91, 92, 96, 99, 103, 104, 105, 106, 107, 113, 114, 116, 117, 118, 125, 127, 128, 129, 130, 133, 134, 135, 136, 137, 138, 139, 142, 143, 145, 146, 147, 149, 150, 152, 155, 157, 158, 159, 163, 165, 167, 169, 171, 177, 180, 181, 184, 187, 188, 193, 195, 196, 199, 200, 201, 203, 206, 207, 211, 212, 213, 214, 215, 216, 219, 220, 223, 227, 231, 240, 245, 247, 250, 251, 252, 255, 256, 257, 258, 260, 261, 267, 273, 275, 276, 279, 280, 285, 287, 288, 290, 291, 292, 293, 296, 298, 299, 301, 302, 309, 311, 315, 316, 317, 319, 320, 321, 323, 324, 325.
Bibl. Nat., Paris : 27, 30, 34, 40, 51, 53, 57, 60, 61, 67, 74, 77, 79, 83, 88, 89, 97, 100, 101, 108, 111, 113, 115, 126, 144, 148, 151, 153, 154, 156, 160, 174, 175, 182, 183, 186, 191, 194, 229, 232, 232, 248, 253, 268, 270, 283, 286, 305, 307.
J.-L. Charmet : 13, 14, 22, 25, 26, 36, 37, 45, 52, 109, 119, 121, 122, 131, 141, 173, 179, 185, 192, 197, 209, 210, 225, 226, 228, 230, 235, 237, 238, 239, 242, 243, 249, 262, 263, 265, 285, 289, 295, 314.
Gal. L. Leiris : 55, 95, 166, 278, 281, 282.
Gal. S. Sabarsky : 10, 48, 132, 204, 259.

Copyright

© ADAGP, Paris, 1995 : Behrens, David, Derain, Ernst, Klee, Laurens, Maillol, Masson.
© DEMART PRO ARTE B. V., Genève / ADAGP, Paris, 1995 : Dalí.
© FONDATION PAUL DELVAUX, St Idesbald, Belgique / ADAGP, PARIS, 1995 : Delvaux.
© MUCHA TRUST-SPADEM, 1995 : Mucha.
© SPADEM, 1995 : Cocteau, Ernst, Fini, Gromaire, Hugo, Jacquemin, Picasso, Waroquier.
© SUCCESSION H. MATISSE : Matisse.
Droits réservés : Bourgeot.

Achevé d'imprimer
en octobre 1995
sur les presses de
l'imprimerie Hérissey à Évreux,
pour le compte
des Éditions Albin Michel.

N° d'édition : 14871
Dépôt légal : novembre 1995
N° d'impression : 70895